Schritte PLUS NEU 3 Österreich

Niveau A2/1

Deutsch als Zweitsprache
Kursbuch und Arbeitsbuch

Silke Hilpert
Daniela Niebisch
Sylvette Penning-Hiemstra
Angela Pude
Franz Specht
Monika Reimann
Andreas Tomaszewski

Barbara Békési

Hueber Verlag

Für die hilfreichen Hinweise danken wir:
PD Dr. Marion Grein, Johannes Gutenberg-Universität Mainz
sowie allen Teilnehmerinnen und Teilnehmern an den Kursleiter-Workshops

Foto-Hörgeschichte:
Darsteller: Bayram Celik, Constanze Fennel, Marget Flach, Astrid Dorothea Hasse, Philip Krause, Marie-Anne Lechelmayr, Alexander Merola, Alvaro Ritter, Kirsten Schneider u. a.
Fotograf: Matthias Kraus, München

unter Mitarbeit von:
Katja Hanke

CD zum Arbeitsbuch
Produktion: Tonstudio tonetown, Wien
Sprecherinnen und Sprecher: Gabriela Hütter, Karola Niederhuber, Aimie Rehburg, Simon Jaritz, Lukas Mayrhofer, Peter Strauß

4. 3. 2. | Die letzten Ziffern
2022 21 20 19 18 | bezeichnen Zahl und Jahr des Druckes.
Alle Drucke dieser Auflage können, da unverändert, nebeneinander benutzt werden.
1. Auflage

Umschlaggestaltung: Sieveking · Agentur für Kommunikation, München
Zeichnungen: Jörg Saupe, Düsseldorf
Gestaltung und Satz: Sieveking · Agentur für Kommunikation, München
Druck und Bindung: Passavia Druckservice GmbH & Co. KG, Passau
Printed in Germany
ISBN 978-3-19-301080-3

Art. 530_20562_001_02

Aufbau

Symbole und Piktogramme

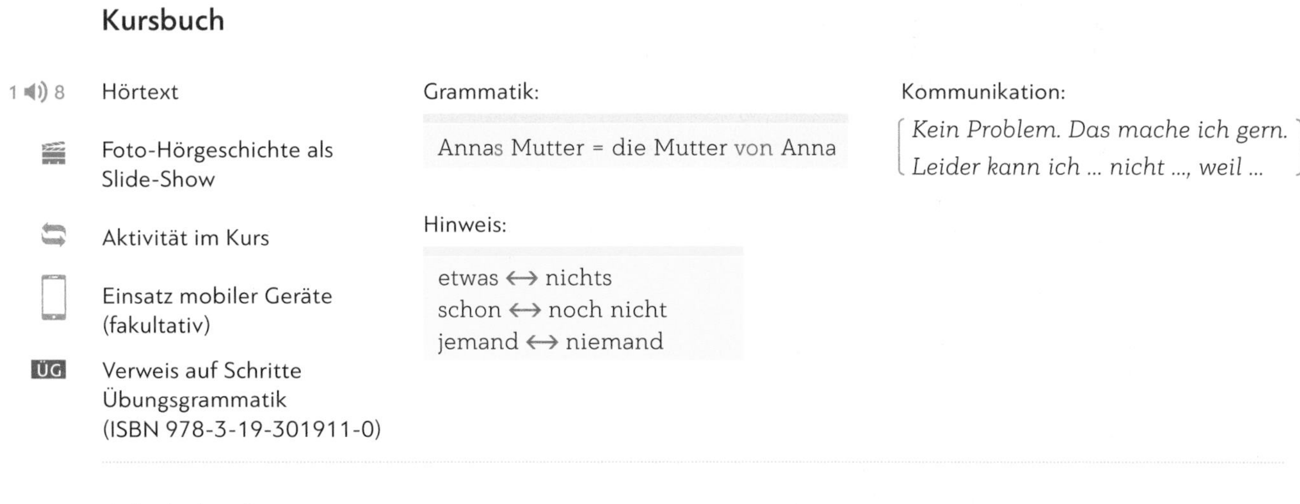

Kursbuch

1 🔊 8 Hörtext

Foto-Hörgeschichte als Slide-Show

Aktivität im Kurs

Einsatz mobiler Geräte (fakultativ)

ÜG Verweis auf Schritte Übungsgrammatik (ISBN 978-3-19-301911-0)

Grammatik:

Annas Mutter = die Mutter von Anna

Hinweis:

etwas ↔ nichts
schon ↔ noch nicht
jemand ↔ niemand

Kommunikation:

Kein Problem. Das mache ich gern.
Leider kann ich ... nicht ..., weil ...

Arbeitsbuch

🔊 12 Hörtext

B2 Verweis ins Kursbuch

◇ Vertiefungsübung zum binnendifferenzierenden Arbeiten

❖ Erweiterungsübung zum binnendifferenzierenden Arbeiten

Inhaltsverzeichnis **Kursbuch**

D	E	Wortfelder	Grammatik
Familie und Verwandte • über die Familie berichten	**Wohn- und Lebensformen** • von Wohn- und Lebensformen erzählen	• Familie und Familienmitglieder • Wohn- und Lebensformen	• Konjunktion *weil*: *Ich bin traurig, weil ich da keinen Menschen kenne.* • Perfekt der trennbaren Verben: *hat kennengelernt, ...* • Perfekt der nicht-trennbaren Verben: *hat erlebt, hat bemerkt, ...* • Perfekt der Verben auf *-ieren: ist passiert, hat telefoniert, ...* • Namen im Genitiv: *Annas Mutter* • Präposition von: *die Mutter von Anna*
Mitteilungen im Wohnhaus • Mitteilungen und Regeln in Wohnhäusern verstehen	**Zusammen leben** • Gespräche mit Nachbarn führen • Nachrichten an Nachbarn schreiben • um Hilfe bitten	• Wohnung • Wohnhaus • Zusammenleben im Wohnhaus	• Wechselpräpositionen: *auf den Tisch – auf dem Tisch, ...* • Verben mit Wechselpräpositionen: *stellen – stehen, legen – liegen, ...* • Direktionaladverbien: *dahin, hierhin, dorthin, rein, raus, runter, ...*
In der Kantine • ein Interview verstehen	**Essen gehen** • Gespräche im Restaurant führen	• Geschirr • Speisen und Mahlzeiten • im Restaurant	• Indefinitpronomen im Nominativ und Akkusativ: *Da ist einer. Ich mag/nehme einen.*
Telefongespräche am Arbeitsplatz • Telefongespräche am Arbeitsplatz führen	**Arbeit und Freizeit** • einen Sachtext verstehen	• Arbeit und Freizeit • Arbeitssuche • Betrieb/Firma • Hotel	• Konjunktion *wenn*: *Ich kann Ihnen kein Zimmer geben, wenn Sie keine Bestätigung haben.* • Konjunktiv II: *sollte*: *Du solltest Detektiv werden.*
Anmeldung bei einem Sportverein • sich beim Sportverein anmelden und nach Informationen fragen	**Aktiv bleiben** • eine Informationsbroschüre verstehen • die Meinung sagen	• Sport und Sportarten • Gesundheit und Fitness	• reflexive Verben: *sich bewegen, sich ausruhen, ...* • Verben mit Präpositionen: *warten auf, sich treffen mit, ...* • Fragewörter und Präpositionaladverbien: *Worauf? – Darauf.*
Aus- und Weiterbildung • Aus- und Weiterbildungsangebote verstehen	**Mein Berufsweg** • einen biographischen Text zum beruflichen Werdegang verstehen • über den Traumberuf sprechen	• Schule und Schularten • Schulfächer • Ausbildung und Beruf	• Präteritum der Modalverben: *musste, konnte, ...* • Konjunktion *dass*: *Es ist wichtig, dass man einen guten Schulabschluss hat.*
Geschenke • Meinungen und Vorlieben ausdrücken • Wichtigkeit ausdrücken	**Ein Fest planen** • von Festen erzählen • Feste planen	• Geschenke • Hochzeit • Feste	• Dativ als Objekt: *meinem Mann, meiner Nachbarin, ...* • Stellung der Objekte: *Dimi empfiehlt es ihm.* • Präposition von + Dativ: *von meinem Kollegen*

Inhaltsverzeichnis **Arbeitsbuch**

Vorwort

Sehr geehrte Damen und Herren,

Kenntnisse der deutschen Sprache sind das Fundament der Integration. Erst durch gemeinsame Sprache kann Begegnung und Dialog stattfinden: Mit spezialisierten Deutschkursen auf unterschiedlichen Niveaustufen und Lehr- und Lernmaterialien wie dem vorliegenden unterstützt der ÖIF Menschen, die nach Österreich kommen.

Ein besonderes Augenmerk wurde bei *Schritte plus Neu Österreich* auf die Vermittlung der österreichischen Standardsprache gelegt. Dies zeigt sich bei der Auswahl von Wortschatz und Grammatik. Die österreichische Lebenswelt spiegelt sich in allen Lernschritten.

Sprache ist die wesentliche Voraussetzung für Integration: Wer sich im Alltag mit den Menschen in seiner neuen Heimat verständigen kann, mit Nachbarn und Freunden ins Gespräch kommt oder Sprachkenntnisse für den Einstieg in den Beruf nutzt, hat bereits einen ersten wichtigen Schritt in Richtung erfolgreicher Integration getan.

Der Österreichische Integrationsfonds wünscht allen Lernenden viel Erfolg und Freude beim Einstieg in die deutsche Sprache.

Franz Wolf
Geschäftsführer des Österreichischen Integrationsfonds

Vorwort

Liebe Leserinnen, liebe Leser,

mit *Schritte plus Neu Österreich* legen wir Ihnen ein komplett neu bearbeitetes Lehrwerk vor, mit dem wir das jahrelang bewährte und erprobte Konzept von *Schritte plus* noch verbessern und erweitern konnten. Erfahrene Kursleiterinnen und Kursleiter haben uns bei der Neubearbeitung beraten, um *Schritte plus Neu Österreich* zu einem noch passgenaueren Lehrwerk für die Erfordernisse Ihres Unterrichts zu machen. Wir geben Ihnen im Folgenden einen Überblick über Neues und Altbewährtes im Lehrwerk und wünschen Ihnen viel Freude in Ihrem Unterricht.

Schritte plus Neu Österreich ...

- führt Lernende ohne Vorkenntnisse in 6 Bänden zu den Sprachniveaus A1, A2 und B1.
- orientiert sich an den Vorgaben des Gemeinsamen Europäischen Referenzrahmens und bereitet auf alle gängigen Prüfungsformate vor.
- ist speziell für Kurse in Österreich erstellt: enthält gängigen österreichischen Wortschatz, sämtliche Hörtexte sind in österreichischem Standarddeutsch aufgenommen.
- bereitet die Lernenden auf Alltag und Beruf vor.
- eignet sich besonders für den Unterricht mit heterogenen Lerngruppen.
- ermöglicht zeitgemäßen Medieneinsatz: die Audios zum Kursbuch sind auch über die *Schritte plus neu Österreich*-App abrufbar.

Der Aufbau von *Schritte plus Neu Österreich*

Kursbuch (sieben Lektionen)

Lektionsaufbau:

- Einstiegsdoppelseite mit einer rundum neuen Foto-Hörgeschichte als thematischer und sprachlicher Rahmen der Lektion (verfügbar als Audio oder Slide-Show mit Audio).
- Lernschritte A–C: schrittweise Einführung des Stoffs in abgeschlossenen Einheiten mit einer klaren Struktur
- Lernschritte D+E: Trainieren der vier Fertigkeiten Hören, Lesen, Sprechen und Schreiben in authentischen Alltagssituationen und systematische Erweiterung des Stoffs der Lernschritte A–C
- Übersichtsseite Grammatik und Kommunikation mit Möglichkeiten zum Festigen und Weiterlernen, sowie eine Übersicht über die Lernziele
- eine Doppelseite „Für Zwischendurch ..." mit spannenden fakultativen Unterrichtsangeboten wie Projekten, Spielen, Liedern, Landeskunde etc. und vielen Möglichkeiten zur Binnendifferenzierung

Arbeitsbuch (sieben Lektionen)

Lektionsaufbau:

- abwechslungsreiche Übungen zu den Lernschritten A–E des Kursbuchs
- Übungsangebot in verschiedenen Schwierigkeitsgraden, zum binnendifferenzierten Üben
- ein systematisches Phonetik-Training
- ein systematisches Schreibtraining
- Aufgaben zum Selbstentdecken grammatischer Strukturen (Grammatik entdecken)
- Aufgaben zur Prüfungsvorbereitung
- Selbsttests am Ende jeder Lektion zur Kontrolle des eigenen Lernerfolgs der Teilnehmer
- fakultative Fokusseiten zu den Themen Alltag, Beruf und Familie

Anhang:

- Lernwortschatzseiten mit Lerntipps, Beispielsätzen und illustrierten Wortfeldern
- Grammatikübersicht

Außerdem finden Sie im Lehrwerkservice zu *Schritte plus Neu Österreich* vielfältige Zusatzmaterialien für den Unterricht und zum Weiterlernen.

Viel Spaß beim Lehren und Lernen mit *Schritte plus Neu Österreich* wünschen Ihnen

Autoren und Verlag

Die erste Stunde im Kurs

1 Stellen Sie sich vor: Wie heißen Sie?

2 Lesen Sie die Texte und verbinden Sie.

A

Tim
Lara — kennt Tim aus dem Deutschkurs.

ist Polin/Pole.
ist Kanadierin/Kanadier.
hat eine neue Arbeit in einem Hotel.
kennt Tim aus dem Deutschkurs.
zieht in eine neue Stadt um.

Grüß Gott!! Mein Name ist Tim Wilson. Ich komme aus Ottawa. Das ist die Hauptstadt von Kanada. Dort leben auch meine Eltern und mein Bruder. Ich bin schon seit fast einem Jahr in Österreich. Ich habe einen Sprachkurs gemacht und mein Deutsch verbessert. Jetzt habe ich eine Stelle an der Rezeption in einem Hotel bekommen und ziehe gerade um. Neue Stadt, neues Glück. Leider kenne ich dort noch keine Leute. Aber das wird schon ... hoffe ich.

B

Ich bin Lara Nowak und komme aus Polen. Tim habe ich in der Sprachschule kennengelernt. Ich mag ihn, er ist nett und lustig. Wir haben viel miteinander gelacht. Nun geht jeder seinen eigenen Weg. Na ja, so ist das Leben. Zum Glück gibt's das Internet!

3 Arbeiten Sie zu zweit.
Fragen Sie Ihre Partnerin / Ihren Partner und ergänzen Sie den Fragebogen.

Woher kommst du?

Vorname: ....
Nachname: ....
Heimatland: ....
Seit wann da? ....
Sprachen: ....
Hobbys: ....
Beruf: ....

4 Im Kurs: Stellen Sie Ihre Partnerin / Ihren Partner vor.

Das ist Hah Sae-yun.
Er kommt aus Korea.

Ankommen

1 Schauen Sie die Fotos an.

a Was meinen Sie? Was ist richtig? Kreuzen Sie an.

1 Tim ist ○ auf Urlaub gefahren. ○ in eine andere Stadt gezogen.

2 Tim ist ○ glücklich.  ○ traurig. 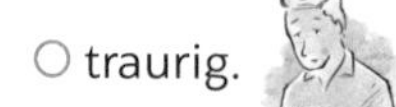

3 Tim findet die Wohnung ○ sehr schön. ○ hässlich.

4 Tim ○ schaut sich Fotos von Lara an. ○ skypt mit Lara.

5 Wer sind die beiden anderen Personen im Geschäft (Foto 5 und 6)?
○ Freunde ○ Nachbarn von Tim

6 Tim geht es nach dem Einkauf ○ besser. ○ nicht besser.

1 ◀)) 1–8 b Hören Sie und vergleichen Sie.

2

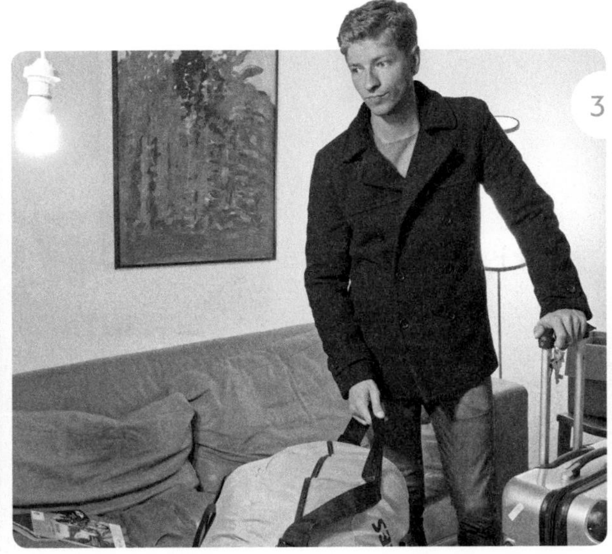
3

4

7

8

1 ◀)) 1–8 **2 Was ist richtig? Hören Sie noch einmal und kreuzen Sie an.**

a ○ Es hat funktioniert: Tim hat im Hotel ein Zimmer für Mitarbeiter bekommen.
b ○ Von der Wohnung bis zum Hotel im Zentrum muss Tim vierzig Minuten fahren.
c ○ Tim hat das Gefühl: „Ich bin allein."
d ○ Im Geschäft lernt Tim zwei Nachbarn kennen.
e ○ Lisi und Paul haben nur noch drei Euro.
f ○ Die Nachbarn mögen keine Musik.

1 ◀)) 6 **3 Wer wohnt wo?**
Hören Sie noch einmal und ordnen Sie zu.

Lisi und Paul ~~Tim~~

1. Stock → ....
Erdgeschoß → Tim

4 „Aller Anfang ist schwer."
Kennen Sie das? Erzählen Sie.

Ich bin gerade erst nach Österreich gekommen. Das ist schwer. Ich vermisse meine Familie sehr.

A Ich bin traurig, **weil** ich ...

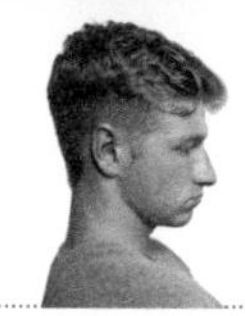

A1 Verbinden Sie.

a Warum hast du kein Zimmer im Hotel bekommen? — Weil dort im Moment kein Zimmer frei ist.
b Warum wohnst du so weit draußen? — Weil die Mieten im Zentrum so teuer sind.
c Ich bin traurig, — weil ich da keinen Menschen kenne.

Warum wohnst du so weit draußen?	Weil die Mieten im Zentrum so teuer sind.
Ich bin traurig,	weil ich da keinen Menschen kenne.

A2 Lesen Sie und markieren Sie wie im Beispiel. Ergänzen Sie dann die Tabelle.

Hallo Tim. Wie geht es dir?

Na ja, nicht so gut.

Warum?

Weil ich ganz allein da **bin**.
Weil ich nicht im Hotel wohnen kann.
Weil ich keine Freunde gefunden habe.
Und weil meine Eltern nicht anrufen.

Ich bin allein.
→ Weil ich allein bin.
Ich kann ... wohnen.
→ Weil ich ... wohnen ________.
Ich habe ... gefunden.
→ Weil ich ... ________ ________.
Meine Eltern rufen nicht an.
→ Weil meine Eltern nicht ________.

1 9–13 **A3 Wer zieht warum um?**
Hören Sie, ordnen Sie zu und schreiben Sie die Sätze mit *weil* neu.

Ich möchte in Linz studieren. Meine Arbeitgeberin/Mein Arbeitgeber zieht um. ~~Ich habe eine Arbeit in Eisenstadt gefunden.~~ Ich habe eine Bregenzerin geheiratet. Meine Familie und meine Freunde leben in Landeck.

A Weil ich eine Arbeit in Eisenstadt gefunden habe.

B weil meine Arbeitgeberin umzieht.

C weil Meine Familie und meine Freunde in Landeck leben.

D Weil ich in Linz studieren möchte.

E Weil ich eine Bregenzerin geheiratet habe.

A4 Arbeiten Sie zu dritt.

Schreiben Sie zwei Fragen mit *warum*.
Wer findet in drei Minuten am meisten Antworten mit *weil*?

Warum ist Tim traurig?
Warum bist du heute glücklich?

B Ich **habe** schon ... **kennengelernt**.

1 14 B1 Ordnen Sie zu. Hören Sie dann und vergleichen Sie.

gesagt eingekauft ~~kennengelernt~~

- ◆ Ah, du hast eingekauft! healthy
  Viele gute Sachen! Und alles so gesund! ...
- ○ Ja, stimmt! Du, ich habe schon zwei Nachbarn kennengelernt.
- ◆ Na! Was habe ich dir gesagt?

Ich habe schon zwei Nachbarn kennengelernt.

kennen/lernen	→	kennen**ge**lernt
ein/kaufen	→	ein**ge**kauft

B2 Was für ein Morgen!

a Lesen Sie den Eintrag in Tims Online-Tagebuch und ordnen Sie die Bilder.

Ich war gestern Abend nach dem Umzug sehr müde und habe nur noch ein paar Sachen ausgepackt und Lara angerufen. Meine Nachbarn haben laut Musik gehört, aber ich bin sofort eingeschlafen. Und so hat mein Tag heute angefangen: Zuerst habe ich heute in der Früh den Wecker nicht gehört. Ich bin also zu spät aufgestanden. Dann bin ich auch noch in die falsche Schnellbahn eingestiegen und habe es erst zwei Stationen später gemerkt. ☹
Aber ich bin schließlich sogar noch pünktlich im Hotel angekommen.

Oje, ich habe den Wecker auch schon oft nicht gehört. Aber zum Glück noch nie am ersten Arbeitstag! ☺ Einmal bin ich mit dem falschen Bus heimgefahren, das war auch nicht lustig. ☹

○ ○ ① ○

b Lesen Sie noch einmal und markieren Sie in a wie im Beispiel. Ergänzen Sie dann.

...(e)t:	aus/packen – hat ausgepackt		
...en:	an/rufen – hat angerufen	ein/schlafen – ist ein geschlaft	
	an/fangen – hat angefangen	auf/stehen – ist aufgestent	
	ein/steigen – ist angesteigen	an/kommen – ist angekommt	

SCHON FERTIG? Kennen Sie noch andere Wörter mit *aus-*, *ab-*, *auf-*, *ein-*, *an-*?

c Was ist Tim heute passiert?
Sprechen Sie mit Ihrer Partnerin / Ihrem Partner.

Zuerst hat Tim den Wecker nicht gehört.

zuerst – dann – danach/nachher – später – schließlich – zum Schluss

B3 Wie war Ihr Tag gestern?

a Schreiben Sie einen Tagebuch-Eintrag und hängen Sie ihn im Kursraum auf.

b Lesen Sie die Einträge und schreiben Sie einen Kommentar.

Mein Tag war ganz normal. Um fünf Uhr bin ich aufgestanden. Danach ...

Oje, du bist aber früh aufgestanden! ☹

C So was **hast** du noch nicht **erlebt**!

1 🔊 15–17 **C1 Hören Sie und ordnen Sie zu.** erlebt | passiert | verstanden

A

B

C

A
◆ Ach, Lara! ...
○ Das klingt aber nicht gut.
Was ist passiert ?

B
◆ So was hast du noch nicht erlebt !
Da, schau her.

C
▲ Ich hab's verstanden .
□ Was hast du verstanden?

Was ist passiert?	So was hast du noch nicht erlebt!
passieren → passiert	erleben → erlebt

auch so: ver-, be-, ent-

C2 Pannen im Alltag

a Welche Nachrichten passen zusammen? Lesen Sie und ordnen Sie zu.

1 So was Blödes! Ich habe die Schnellbahn verpasst, komme 20 Minuten zu spät!

2 Schatz, ich habe den Schlüssel vergessen und es jetzt erst bemerkt. Ab wann bist du daheim?

3 Stell dir vor, Günter hat im Urlaub seine Geldbörse verloren. ☹

4 Das glaubst du nicht! Habe heute in der Früh beim Gehen telefoniert und bin vor dem Büro mit meinem Chef zusammengestoßen ...

A Das ist aber peinlich! Aber warum hat er dich nicht gesehen? Hat er auch telefoniert?

B Passt, bis dann!

C Oje! Ich habe gerade erfahren: Heute muss ich lange arbeiten und kann erst ab 20 Uhr daheim sein. ☹

D So ein Pech! Mit Papieren und Bankomatkarte?

Nachricht	1	2	3	4
Antwort	B			

b Lesen Sie noch einmal und markieren Sie in a wie im Beispiel. Ergänzen Sie dann.

verpassen – hat verpasst	erfahren – hat ....
vergessen – hat	verlieren – hat ....
bemerken – hat	telefonieren – hat ....

C3 Alltagspannen: Was haben Sie schon verloren, verpasst ...?

Machen Sie Notizen und erzählen Sie im Kurs.

◆ Ich habe letztes Jahr mein Handy im Zug vergessen.
○ Oje! Und was hast du dann gemacht?
◆ Ich habe bei der Bahn angerufen.
Zum Glück hat ein Mann es gefunden und ...

Was? Handy im Zug vergessen
Wann? letztes Jahr
Was ist dann passiert? ...

Stell dir vor, ... | Das glaubst du nicht! | So was hast du noch nicht erlebt! | So ein Pech! | So was Blödes! | Das ist aber peinlich! | Zum Glück ... Oje! Und was ist dann passiert? | Und was hast du danach/nachher gemacht?

D1 Annas Familie

1 🔊 18 **a** Hören Sie und ordnen Sie zu.

~~Bruder~~ ~~Cousine~~ Neffe Nichte ~~Onkel~~ ~~Schwägerin~~ ~~Tante~~ Vater ~~Mutter~~

Hermann und Ingrid

Stefan und Daniela

Onkel ______ Tante ______

Annette und Martin

Mutter ______ Vater ______

Alexander ______ Julia

Bruder ______ Schwägerin ______

Maria

Cousine ______

Anna

Esther

Nichte ______

Luca

Neffe ______

b Vergleichen Sie mit Ihrer Partnerin / Ihrem Partner.

◆ Wer ist Annette?

○ Annette ist Annas Mutter.

Annas Mutter = die Mutter von Anna

• die Cousine = • die Kusine

1 🔊 19 D2 Was ist richtig? Hören Sie weiter und kreuzen Sie an.

a ○ Anna und Maria haben als Kinder oft zusammen gespielt.
b ○ Maria lebt in Dresden und studiert Musik.
c ○ Leon findet: Anna sieht sehr sympathisch aus.
d ○ Maria ist verheiratet.

D3 Machen Sie Notizen und erzählen Sie. Zeigen Sie auch ein Foto.

- Welches Familienmitglied ist besonders wichtig für Sie?
- Was haben Sie zusammen erlebt?
- Wie oft sehen Sie sie/ihn?
- Wo lebt sie/er?
- Was macht sie/er beruflich?

...

Lieblingscousin Aleko
...

Das ist mein Lieblingscousin Aleko. Wir haben oft ...

E Wohn- und Lebensformen

1 🔊 20–24 **E1 Im Wohnhaus**

a Wer wohnt wo? Was meinen Sie? Sprechen Sie. Hören Sie dann und ordnen Sie zu.

Im dritten Stock wohnen drei Frauen. Das ist wahrscheinlich die WG.

• die Familie • das Ehepaar • die alleinerziehende Mutter • die WG (Wohngemeinschaft) • ~~der Single~~

① • der Single
○ ....
○ ....
○ ....
○ ....

b Was ist richtig? Hören Sie noch einmal und kreuzen Sie an.

1. Hristo Radev hat bisher bei
   ☒ seinem Bruder ○ seiner Frau gewohnt.
2. Familie Wasilewski hat jetzt
   ○ zwei Zimmer. ○ drei Zimmer.
3. Frau Hauser lebt seit
   ○ einem halben Jahr ○ seit sechs Jahren von ihrem Mann getrennt.
4. Yusuf und Ayşe Dirim wohnen
   ○ schon ○ noch nicht lange in Österreich.
5. Luisa, Teresa und Patricia kommen aus
   ○ Italien. ○ verschiedenen Ländern.

bisher = bis jetzt

im Erdgeschoß
im ersten/zweiten/dritten Stock
in der Dachwohnung/im Dachgeschoß

E2 Unser Viertel

• das Viertel = • das Grätzel

a Lesen Sie und ordnen Sie die Personen (1–5) in E1a zu.

Von uns, für uns

– die Zeitung vom Franckviertel

In unserem Viertel werden jeden Monat neue Häuser fertig. Vor einer Woche sind die Mieter in die Schreberstraße eingezogen. Lernen Sie sie kennen:

1

HRISTO RADEV

Ich bin 23 Jahre alt und wohne zum ersten Mal allein. Das ist noch ein bisschen komisch für mich. Zum Glück sind die Nachbarn im Haus sehr nett. Meine Familie in Bulgarien ist groß und alle wohnen in einem Haus: meine Eltern, meine Großeltern und auch mein Onkel mit seiner Familie. Das ist super, da ist immer jemand daheim. In Österreich bin ich fast nie daheim. Untertags arbeite ich und am Abend soll ich ganz allein essen? Nein, das will ich nicht. Ich treffe dann Freunde oder gehe zu meinem Bruder und seiner Familie. Er wohnt gleich ums Eck.

2

SYLWIA WASILEWSKI

Mein Mann und ich sind vor fünf Jahren aus Polen nach Österreich gekommen, weil wir da Arbeit gefunden haben. Ich bin Krankenschwester und mein Mann ist Programmierer in einem Software-Unternehmen. Es gefällt uns sehr gut in Österreich, besonders jetzt in der Wohnung da im Haus. Endlich hat unser Sohn sein eigenes Zimmer. Wir möchten bald noch ein Kind. Dann wollen wir ein Haus auf dem Land kaufen. In einem Dorf ist es einfach viel besser für Kinder.

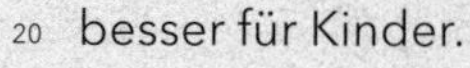

3

KATRIN HAUSER

Ich bin mit meiner Tochter Ella in eine Zwei-Zimmer-Wohnung gezogen. Das reicht uns, weil die Ella auch oft bei ihrem Vater ist. Und dann bin ich allein da. Wir teilen uns die Zeit: Eine Woche ist Ella bei mir, dann eine Woche bei ihrem Vater. Dort hat sie ein eigenes Kinderzimmer. Ihr Vater wohnt nur drei Straßen weiter. Das macht alles sehr einfach und Ella kommt auch von dort gut in die Schule.

4

YUSUF DIRIM

Meine Frau Ayşe und ich leben schon seit 35 Jahren in Österreich. Früher haben wir in einem Hochhaus im 10. Stock gewohnt. Wir haben vier Zimmer und einen Balkon gehabt. Aber jetzt sind die Kinder groß. Alle sind ausgezogen und wir brauchen nicht mehr so viel Platz. Die Zwei-Zimmer-Wohnung im Erdgeschoß mit Garten ist genau richtig. Wir mögen das Grätzel sehr. Es ist schön ruhig und es gibt viele Bäume.

5

LUISA BACH

Ich wohne in einer WG zusammen mit Teresa und Patricia. Jede von uns hat ihr eigenes Zimmer, aber die Küche und das Bad benützen wir gemeinsam. Wir teilen uns die Miete, das ist sehr günstig. Ich möchte aber auch sonst nicht allein wohnen. Nun komme ich heim und es ist fast immer jemand da. Das mag ich sehr. Wir treffen uns normalerweise in der Küche. Manchmal kochen wir am Abend miteinander und erzählen von unserem Tag. Am Wochenende frühstücken wir zusammen. Das finde ich echt schön, das ist wie in einer Familie.

b Was ist richtig? Kreuzen Sie an.

1 ☒ Hristo Radev lebt nicht so gern allein.
2 ○ Frau Wasilewski ist schwanger.
3 ○ Ella sieht ihren Vater nur noch selten, weil ihre Eltern getrennt leben.
4 ○ Yusuf und Ayşe Dirim brauchen mehr Platz, weil sie viele Kinder und Enkel haben.
5 ☒ Luisa Bach wohnt in einer WG, weil sie die Miete teilen kann und weil sie nicht gern allein wohnt.

SCHON FERTIG? Suchen Sie im Text Wörter zum Thema „Wohnen".

E3 Wie leben Ihre Freunde, Verwandten oder Bekannten in Ihrem Heimatland und/oder in Österreich? Erzählen Sie.

seit ... Jahren allein / getrennt / zusammen mit den Schwiegereltern / ... leben | seit ... geschieden/ verheiratet/ledig sein | (keine) Kinder haben/wollen | seit ... berufstätig / in Pension / arbeitslos sein | seit ... studieren / als ... arbeiten | Das findet er/sie (nicht so) gut / schön. | Das gefällt ihm/ihr (nicht).

Meine Schwiegermutter lebt in der Türkei. Sie lebt mit ihrer Tochter, ihrem Sohn und ihren Enkelkindern in einem Haus. Das findet sie sehr schön. Sie hilft ihrer Tochter im Haushalt und spielt mit den Enkeln.

Grammatik

1 Konjunktion: *weil* ÜG 10.09

	Konjunktion	Ende
Ich bin traurig,	weil ich da keinen Menschen	kenne.
	weil meine Eltern nicht	anrufen.
	weil ich keine Freunde	gefunden habe.
	weil ich nicht im Hotel	wohnen kann.
Warum wohnst du so weit draußen?		
	Weil die Mieten im Zentrum so teuer	sind.

Finden Sie für Klara in fünf Minuten möglichst viele Ausreden mit *weil*.

Klara, ich habe gestern zwei Stunden auf dich gewartet. Warum bist du nicht gekommen?

Weil mein Hund krank war.

2 Perfekt: trennbare Verben ÜG 5.05

	Präfix + *ge...t/en*
kennen/lernen ich lerne kennen	Ich habe schon zwei Nachbarn kennen**ge**lernt.
ein/kaufen du kaufst ein	Du hast ein**ge**kauft.
an/rufen ich rufe an	Ich habe Lara an**ge**rufen.

auch so: aus-, ab-, auf-, ...

ein/kaufen → ein**ge**kauft

an/kommen → an**ge**kommen

3 Perfekt: Verben auf *-ieren* ÜG 5.05

		...*iert*: **ohne** *-ge-*!	
passieren	es passiert	Was ist	pass**iert**?
telefonieren	ich telefoniere	Ich habe beim Gehen	telefon**iert**.

4 Perfekt: nicht-trennbare Verben ÜG 5.05

		Präfix + ...*t/en*: **ohne** *-ge-*!	
erleben	du erlebst	So was hast du noch nicht	**er**lebt!
bemerken	ich bemerke	Ich habe es jetzt erst	**be**merkt.
verstehen	ich verstehe	Ich habe es	**ver**standen.

auch so: emp-, ent-, ge-, zer-, ...

TIPP

Lernen Sie Wörter immer mit allen Formen und mit Beispielen.

telefonieren, sie/er telefoniert, hat telefoniert:
Ich habe gestern mit Laura telefoniert.

erleben, sie/er erlebt, hat erlebt:
So was hast du noch nicht erlebt!

5 Namen im Genitiv: *von* + Dativ ÜG 1.03

Annas Mutter = die Mutter von Anna

Kommunikation

VON ALLTAGSPANNEN ERZÄHLEN: Das ist aber peinlich!

Stell dir vor, ...
Das glaubst du nicht! | So was hast du noch nicht erlebt!
So ein Pech! | So was Blödes! | Das ist aber peinlich! | Zum Glück ...
Oje! Und was ist dann passiert? | Und was hast du danach / nachher gemacht?

VON WOHN- UND LEBENSFORMEN ERZÄHLEN: Ich lebe seit ... allein.

seit ... Jahren allein / getrennt / zusammen mit den Schwiegereltern / ... leben
seit ... geschieden / verheiratet / ledig sein
(keine) Kinder haben / wollen
seit ... berufstätig / in Pension / arbeitslos sein
seit ... studieren / als ... arbeiten

ETWAS BEWERTEN: Das findet er gut.

Das findet sie/er (nicht so) gut / schön.
Das gefällt ihr/ihm (nicht).

EINE AUSSAGE GLIEDERN: Zuerst hat Tim ...

Zuerst ...
Dann ... / Danach ... / Nachher ...
Später ...
Schließlich ... / Zum Schluss ...

Was ist passiert? Wählen Sie eine Situation und schreiben Sie.

① Stell dir vor, gestern bin ich um acht Uhr aus dem Haus gegangen und ...

Lernziele

Ich kann jetzt ...

A ... Gründe nennen: *Warum wohnst du so weit draußen? – Weil die Mieten im Zentrum so teuer sind.* ____ ☹ 😐 ☺
B ... sagen: Das habe ich gestern/früher gemacht: *Ich bin zu spät aufgestanden.* ____ ☹ 😐 ☺
C ... sagen: Das habe ich erlebt: *Ich habe die Schnellbahn verpasst.* ____ ☹ 😐 ☺
D ... von meiner Familie erzählen: *Das ist mein Lieblingscousin Aleko.* ____ ☹ 😐 ☺
E ... von Wohn- und Lebensformen erzählen: *Meine Schwiegermutter lebt in der Türkei.* ____ ☹ 😐 ☺

Ich kenne jetzt ...

... 8 Familienmitglieder:
der Onkel, ...

... 5 Wohn- oder Lebensformen:
die Großfamilie, ...

SPRECHEN

Oje!

1 Was ist denn da passiert? Lesen Sie die Texte und ergänzen Sie.

Der Fernseher funktioniert nicht.
Onkel Willi repariert ihn.
Dann schaltet er ihn wieder ein.
Die Nichten und Neffen lachen laut.

Der Fernseher *hat* nicht *funktioniert*.
Onkel Willi ______ ihn ______.
Dann ______ er ihn wieder ______. Oje!
Die Nichten und Neffen ______ laut ______.

1

Tante Hanne sitzt im Restaurant.
und isst einen Fisch.
Dann passiert etwas Dummes.
Onkel Willi fotografiert es.

Tante Hanne ______ im Restaurant ______.
und ______ einen Fisch ______.
Dann ______ etwas Dummes ______. Oje!
Onkel Willi ______ es ______.

2

Tante Hanne zieht nach Wien um.
Onkel Willi fliegt zu ihr.
Er nimmt das falsche Flugzeug
und kommt in Salzburg an.

Tante Hanne ______ nach Wien ______.
Onkel Willi ______ zu ihr ______.
Er ______ das falsche Flugzeug ______ – oje –
und ______ in Salzburg ______.

3

FLUGHAFEN SALZBURG
EXIT

2 Schreiben Sie selber eine Geschichte. Ihre Partnerin/Ihr Partner schreibt den Text dann um.

*Meglena lädt eine Freundin zum Abendessen ein.
Sie kauft Fleisch und Zwiebeln für ein Gulasch.
Meglena kocht den ganzen Tag.
Aber die Freundin isst kein Fleisch. Oje!*

Meglena hat eine Freundin eingeladen. Sie hat Fleisch und Zwiebeln ...

ÖSTERREICH-SPEZIAL

Wohnen im Mezzanin

Sechs Jahre haben Angelika und Hannes in einer Zweizimmerwohnung im vierten Stock gewohnt – ohne Lift, aber mit Balkon. Vor einem halben Jahr hat Angelika ein Baby bekommen. Plötzlich war das Wohnen ein großes Problem: zu wenig Platz und kein Lift. Aber die jungen Eltern hatten Glück: Im Haus ist eine Familie ausgezogen und eine Wohnung mit vier Zimmern war frei! Letzte Woche sind sie umgezogen. Jetzt müssen sie nicht mehr so viele Stiegen steigen, weil die Wohnung im Mezzanin liegt. So nennt man in Österreich ein Stockwerk zwischen dem Parterre und dem ersten Stock. Warum gibt es in einem Altbau ein Mezzanin? Vor mehr als 120 Jahren hat die österreichische Baubehörde gesagt: „Ein Wohnhaus darf maximal vier Stockwerke haben!"
Also haben die Baufirmen eine interessante Lösung gefunden: Man baut einfach einen Zwischenstock dazu und nennt ihn ‚Halbstock' oder ‚Mezzanin'! Ein Altbau hatte dann offiziell den ersten, zweiten, dritten und vierten Stock, aber eben auch das Mezzanin. Weil es noch keine Lifte gegeben hat, haben Leute mit viel Geld früher lieber in den unteren Wohnungen gelebt. Oben haben Arbeiter und einfache Leute gewohnt. Heute ist das anders: Viele Altbauten haben schon einen Lift und Wohnungen im Dachgeschoß sind teuer.

In Österreich gibt es aber immer noch Substandardwohnungen, das sind Wohnungen ohne Toilette. Die sind draußen im Stiegenhaus, meistens gleich neben der Wohnung. Substandardwohnungen sind sehr billig, haben aber manchmal nicht einmal einen Wasseranschluss.

1 Lesen Sie und verbinden Sie.

a „Parterre"
b Eine Substandardwohnung
c Das Mezzanin / Der Halbstock
d Durch das Stiegenhaus

kommt man über die Stiege zu den Wohnungen.
ist ein anderes Wort für Erdgeschoß.
ist ein Stockwerk zwischen Erdgeschoß und erstem Stock.
ist eine Wohnung ohne WC und/oder Wasseranschluss.

2 Was ist richtig? Lesen Sie noch einmal und kreuzen Sie an.

a ○ Vor sechs Jahren sind Angelika und Hannes in eine Vierzimmerwohnung gezogen.
b ○ Sie haben eine andere Wohnung gesucht, weil die alte Wohnung zu klein war.
c ○ Ein Mezzanin gibt es nur in einem Altbau.
d ○ Die Baubehörde hat gesagt: „Häuser mit Mezzanin sind verboten!"
e ○ Früher haben Leute mit wenig Geld in den oberen Stockwerken gewohnt.
f ○ Viele Substandardwohnungen haben kein Bad.

3 Gibt es in den Häusern in Ihrem Land ein Mezzanin? Gibt es spezielle Häuser oder Wohnungen in Ihrem Land? Zeichnen und sprechen Sie.

In der Slowakei gibt es in alten Häusern auch manchmal ein Mezzanin.

In Süditalien kann man in einem Trullo wohnen.

Daheim

hamstern: stockpiling

1 Was ist richtig? Ordnen Sie zu.

A 
Glühbirnen …

B 
Energiesparlampen …

- (A) brauchen viel Energie.
- ◯ brauchen wenig Energie.
- ◯ muss man heute verwenden.
- ◯ kann man in der Europäischen Union nicht mehr kaufen.

1 🔊 25–32

2 Schauen Sie die Fotos an und lesen Sie die Fragen. Was meinen Sie? Sprechen Sie.
Hören Sie dann und vergleichen Sie.

Wer ist die Frau? Was ist ihr Problem? Kann Tim helfen? Warum hat sie so viele Glühbirnen?

1 🔊 25–32

3 Was ist richtig? Hören Sie noch einmal und kreuzen Sie an.

a Warum kann Frau Aigner die Glühbirne nicht selber wechseln?
- ◯ Weil sie an der Decke hängt – zu weit oben für Frau Aigner.
- ◯ Weil sie keine Glühbirnen mehr hat.

b Warum kann man keine Glühbirnen mehr kaufen?
- ◯ Weil Glühbirnen nicht richtig hell werden.
- ◯ Weil Glühbirnen verboten sind.

c Was gibt Frau Aigner Tim zum Dank und warum?
- ○ Ohrstöpsel, weil Lisi und Paul so laut Musik hören.
- ○ Nichts, weil Tim kein Geschenk möchte.

1 🔊 32 **4 Wer wohnt wo? Hören Sie noch einmal und ordnen Sie zu.**

Lisi und Paul ~~Tim~~ Frau Aigner

....

....

Tim

5 „Was man hat, das hat man."
Erzählen Sie: Was sammeln Sie? Was haben Sie in großer Menge?

Ich habe ganz viel Seife daheim, weil ich jedes Sonderangebot kaufe.

Ich sammle Kugelschreiber. Ich habe schon ...

A Die Lampe **hängt an der Decke**.

A1 Wo ist ...? Ordnen Sie zu.

A

B

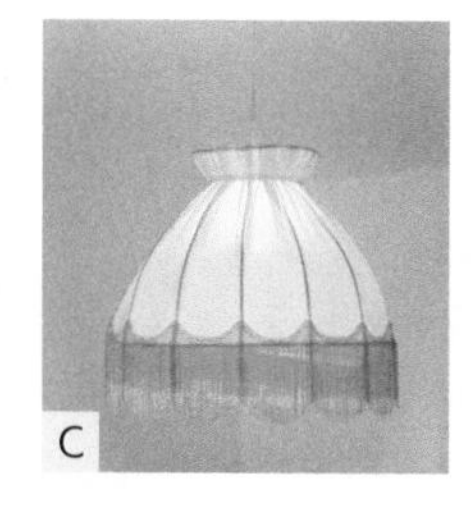

C

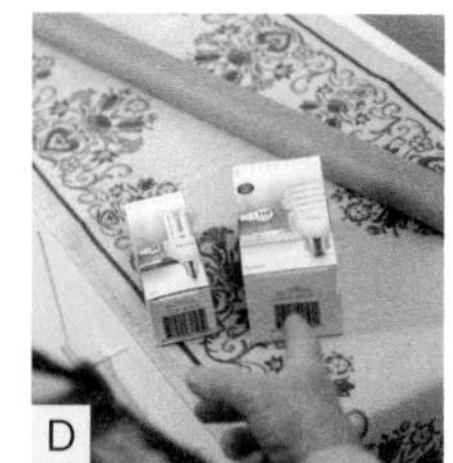

D

- Ⓒ Die Lampe hängt an der Decke.
- Ⓐ Der Schlüssel steckt im Schloss.
- Ⓓ Tims Sachen liegen auf dem Tisch.
- Ⓑ Tim steht auf der Leiter.

Wo ist ...?		
Das Bild	steckt	im Mistkübel.
	steht	auf dem Tisch.
	hängt	an der Wand.
	liegt	im Regal.

WIEDERHOLUNG

Wo?	
an	über
auf	unter
hinter	vor
in	zwischen
neben	

an + dem = am
in + dem = im

A2 Suchbild: Was ist in Zimmer B anders?

Sprechen Sie mit Ihrer Partnerin / Ihrem Partner und finden Sie die sieben Unterschiede.

A

B

◆ In Zimmer A liegt eine Katze auf dem Polstersessel.

○ In Zimmer B sitzt die Katze unter dem Tisch.

A3 Unser Kursraum

Was liegt/steht/hängt/steckt wo? Schreiben Sie Sätze. Wer findet in fünf Minuten die meisten Beispiele?

Die Bücher liegen auf den Tischen.
Mein Handy steckt in meiner Tasche.
...

B Kann ich das **auf den Tisch legen**?

2

B1 Wer sagt was? Ordnen Sie zu.

A

(B) Ihre Sachen liegen noch auf dem Tisch.
(A) Kann ich meine Sachen auf den Tisch legen?

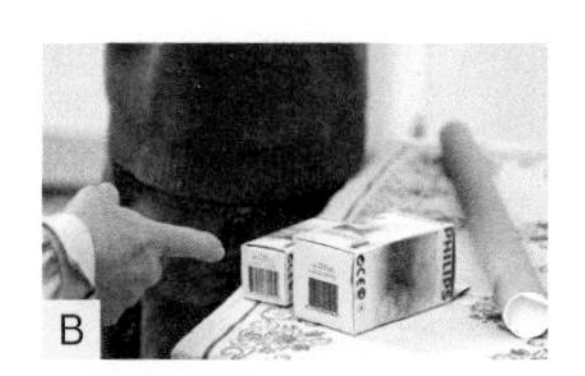

B

Wohin? ➔			Wo? ◎		
Tim legt die Sachen	auf	● den Tisch.	Tims Sachen liegen	auf	● dem Tisch.
	auf	● das Regal.		auf	● dem Regal.
	unter	● die Leiter.		unter	● der Leiter.
	neben	● die Glühbirnen.		neben	● den Glühbirnen.

an + das = ans
in + das = ins

B2 Kettenübung: Wohin legen Sie Ihren Schlüssel? Sprechen Sie.

Ich lege meinen Schlüssel unter meinen Sessel.

Du legst deinen Schlüssel unter deinen Sessel. Ich lege meinen Schlüssel ...

die Geldbörse
der Hacken (hook)

Wo? → Dativ
Wohin? → Akkusativ

B3 Einen Arbeits- oder Lernplatz einrichten

a Lesen Sie. Was machen Sie auch? Erzählen Sie.

Mein Schreibtisch steht auch am Fenster ...

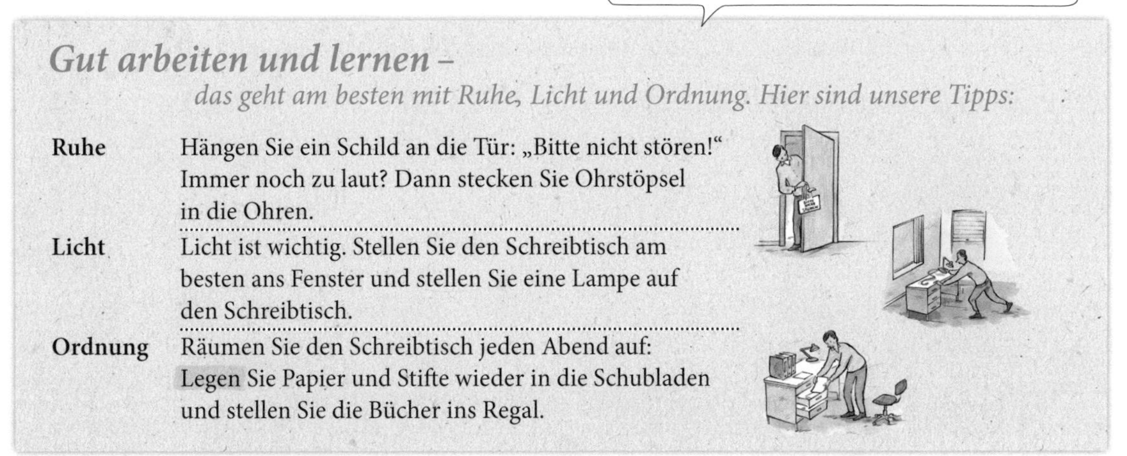

Gut arbeiten und lernen –

das geht am besten mit Ruhe, Licht und Ordnung. Hier sind unsere Tipps:

Ruhe Hängen Sie ein Schild an die Tür: „Bitte nicht stören!" Immer noch zu laut? Dann stecken Sie Ohrstöpsel in die Ohren.

Licht Licht ist wichtig. Stellen Sie den Schreibtisch am besten ans Fenster und stellen Sie eine Lampe auf den Schreibtisch.

Ordnung Räumen Sie den Schreibtisch jeden Abend auf: Legen Sie Papier und Stifte wieder in die Schubladen und stellen Sie die Bücher ins Regal.

b Markieren Sie in a wie im Beispiel und ergänzen Sie die Tabelle.

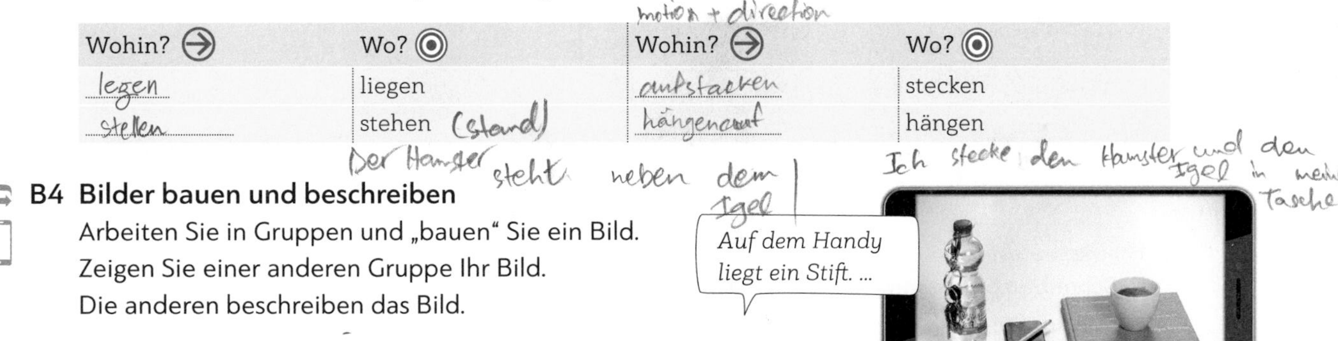

Wohin? ➔	Wo? ◎	Wohin? ➔ (motion + direction)	Wo? ◎
legen	liegen	aufstacken	stecken
stellen	stehen (stand)	hängen	hängen

Der Hamster steht neben dem Igel

Ich stecke den Hamster und den Igel in meine Tasche

B4 Bilder bauen und beschreiben

Arbeiten Sie in Gruppen und „bauen" Sie ein Bild. Zeigen Sie einer anderen Gruppe Ihr Bild. Die anderen beschreiben das Bild.

Auf dem Handy liegt ein Stift. ...

◆ Wir legen ein Handy neben die Wasserflasche.
○ Und meinen Stift legen wir auf das Handy. Warte: So! ...

C Stellen Sie die Leiter **dahin**.

C1 da – dahin

1 🔊 33 **a** Was sagt Frau Aigner? Hören Sie und kreuzen Sie an.

1 Stellen Sie die Leiter ○ da. ○ dahin.
2 ○ Da ○ Dahin steht sie genau richtig.

Wo? ◎	Wohin? →
da/hier dort	dahin/hierhin dorthin

b Fragen Sie und antworten Sie.

◆ Wohin soll ich die Pflanze stellen?
○ Dorthin, bitte.
◆ Ans Fenster?
○ Ja, genau. Dort steht sie gut.

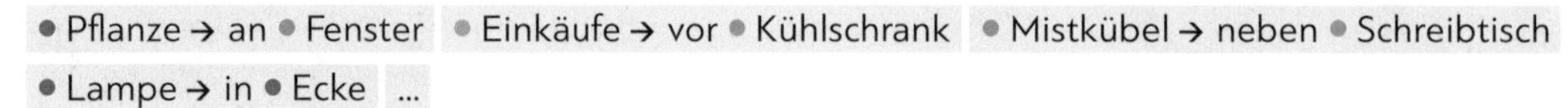

• Pflanze → an • Fenster | • Einkäufe → vor • Kühlschrank | • Mistkübel → neben • Schreibtisch | • Lampe → in • Ecke | ...

C2 Was sagt Frau Aigner noch? Ergänzen Sie.

a Die Glühbirne kommt da .... – in den Müll.

b Ich kann nicht mehr auf die Leiter steigen. Steigen Sie doch bitte rauf.

c Achtung, Tim! Fallen Sie nicht ....

runter|fallen
Fallen Sie nicht runter.

• der Müll = • der Mist

	raus
	rein
	rauf
	runter
	rüber

C3 Was sagen die Leute?

a Ordnen Sie zu.

~~reinkommen~~ | den Stift rübergeben | rauskommen | den Müll rausbringen

A

....

B

....

C

reinkommen

D

....

b Schreiben Sie Gespräche zu den Situationen in a. Spielen Sie dann.

◇ Störe ich?
● Nein, gar nicht. Kommen Sie doch rein, Frau Auer.

D Mitteilungen im Wohnhaus

D1 Welche Mitteilungen hängen in einem Wohnhaus aus?

a Lesen Sie und notieren Sie.

1, ...

1

Sehr geehrte Hausbewohner,

leider liegen im Restmüll immer wieder Glasflaschen, Dosen und Plastik. Das erhöht die Kosten, denn die Müllabfuhr muss dann die Mülltonnen öfter leeren. Bitte nutzen Sie die Müllsammelstellen in Ihrer Nähe. Vielen Dank für Ihre Mithilfe.

A. Besic – Hausbesorger

2

An alle Mieter der Mandellstraße 74!
In letzter Zeit stehen immer wieder Autos in der Hofeinfahrt. Das Abstellen von Autos im Hof oder in der Einfahrt ist verboten. Bitte benützen Sie die Parkplätze vor dem Haus oder stellen Sie Ihr Auto in der Garage ab.
Mit freundlichen Grüßen
Thomas Brunner – Hausverwaltung

3

Sehr geehrter Herr Raab,
ich kündige meinen Mietvertrag für die Wohnung in der Mandellstraße 74 fristgerecht zum 31.8. Für den Wohnungsübergabetermin rufe ich Sie in den nächsten Tagen an.
Mit freundlichen Grüßen
P. Guacho

4

Liebe Nachbarn,
am Samstag feiern wir unseren Einzug mit einem kleinen Fest. Es kann ein bisschen laut werden. Wir hoffen auf Ihr Verständnis. Oder kommen Sie doch zu uns rauf und feiern Sie mit!
Herzliche Grüße
Sandy und Nico Hiller

5

Sehr geehrte Frau Nosikova,
die Modernisierung im Haus ist abgeschlossen. Wir freuen uns mit Ihnen über neue, große Balkone und niedrige Heizkosten. Ab dem 1.9. erhöht sich Ihre Miete exkl. Nebenkosten auf 458 Euro.
Mit freundlichen Grüßen
Claudia Baumgartinger

6

Jahresablesung Strom und Gas

Ort: *Mandellstraße 74*
Datum: *12.6.* Uhrzeit: *8.30–10.30*
Bitte entfernen Sie Möbel und Gegenstände vor den Zählern. Bitte geben Sie bei Abwesenheit den Wohnungsschlüssel Ihren Nachbarn.

7

Achtung!
Hauptkehrung am
Montag, **dem** *23.9.* **von** *7.00 – 11.00 Uhr.*

b Lesen Sie die Mitteilungen noch einmal. Was ist richtig? Kreuzen Sie an.

1 ☒ Die Mieter sollen den Müll richtig trennen.
2 ○ Autos darf man nur vor dem Haus oder in der Garage parken.
3 ○ Herr Guacho zieht am 1.9. in die Mandellstraße 74.
4 ○ Alle Hausbewohner dürfen zur Party kommen.
5 ○ Frau Nosikova muss ab September mehr Miete bezahlen.
6 ○ Die Mieter müssen für die Jahresablesung persönlich daheim sein.

SCHON FERTIG? Schreiben Sie eine Mitteilung für Ihr Wohnhaus / Ihren Kursraum.

D2 Im Kurs: Welche Regeln gibt es in Ihrem Haus?

Was ist erlaubt? Was ist verboten?
Erzählen Sie.

Wir dürfen keine Schuhe vor die Wohnungstür stellen.

Kinderwagen und Räder darf man nicht vor den Lift stellen, man muss sie unter die Stiege stellen.

E Zusammen leben

1 🔊 34–37 E1 Gespräche im Wohnhaus

a Hören Sie die Gespräche und ordnen Sie zu.

- der Briefkasten =
- der Postkasten

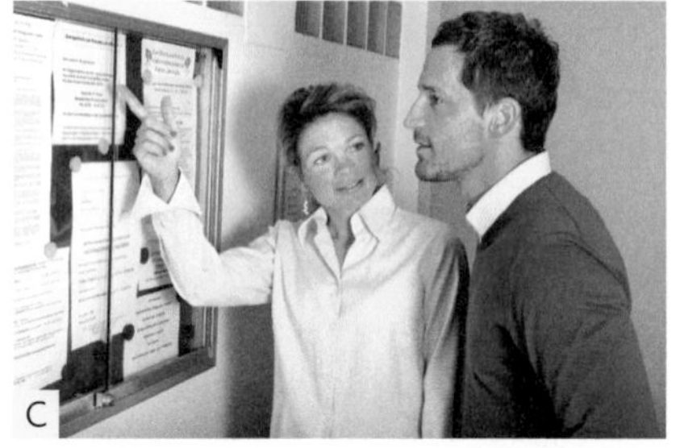

Gespräch	Foto
1	C
2	
3	
4	

b Wer hat welches Problem? Hören Sie noch einmal und kreuzen Sie an.

	Herr Basso	*Herr Dolezal*	*Frau Weiß*	*Frau Budanov*
Der Postkasten ist kaputt.	○	○	○	○
... hat den Schlüssel vergessen.	○	○	○	○
Der Lift kommt nicht.	○	○	○	○
Die Heizung funktioniert nicht.	○	○	○	○

E2 Welche anderen Probleme in einem Wohnhaus kennen Sie? Sammeln Sie im Kurs.

Das Stiegenhaus ist oft dreckig.
Der Hund von meinem Nachbarn
bellt oft und lange.

dreckig = schmutzig

E3 Arbeiten Sie zu zweit. Wählen Sie ein Problem aus E1 oder E2.

Spielen Sie Gespräche und finden Sie eine Lösung für das Problem.

◆ Hallo, Frau/Herr ... Sagen Sie einmal: Das Stiegenhaus ist ziemlich dreckig. Finden Sie nicht auch?
○ Da haben Sie recht. Wer muss denn das putzen?
◆ Na, Sie! Jede Woche muss ein Mieter das Stiegenhaus putzen.
○ Oh, tut mir leid. Das habe ich nicht gewusst.

Sagen Sie einmal: ... Finden Sie nicht auch?
Entschuldigung. Darf ich Sie etwas fragen?
Ich habe ein Problem / eine Frage / eine Bitte: ...
Mit wem muss/kann ich denn da reden?
Seien Sie bitte so nett und ...
Danke für Ihr Verständnis.

Da haben Sie recht. / Natürlich. / Gern. / Gern geschehen.
Was ist (denn) los?
(Das ist doch) Kein Problem. Das mache ich sofort./gleich.
Oh, Entschuldigung. Das war keine Absicht.
Oh, tut mir leid. Das habe ich nicht gewusst.
Tut mir leid. Das geht nicht, weil ...
Da reden Sie am besten mit ... / Da rufen Sie ... an.

E4 Lesen Sie die Nachrichten und markieren Sie wie im Beispiel.
Warum brauchen die Personen Hilfe? Was ist die Bitte an die Nachbarn?
Wie bekommen die Nachbarn die Schlüssel für die Wohnung?

A

Liebe Frau Ebert,
morgen in der Früh ist die Jahresablesung vom Zählerstand. Ich habe Frühschicht und muss schon um halb sechs weg. Könnten Sie die Firma bitte in meine Wohnung lassen? Das wäre sehr nett von Ihnen. Ich werfe meinen Schlüssel in Ihren Postkasten – wie beim letzten Mal. Ich hoffe, das passt für Sie.

Vielen Dank für Ihre Hilfe und herzliche Grüße
Rasha Sabia

B

Hallo Galina, ich fahre am Wochenende zu meiner Schwester. Sie ist krank und ich soll auf die Kinder aufpassen. Kannst du bitte meinen Postkasten leeren und die Pflanzen gießen? Bist du heute Abend daheim? Dann komme ich vorbei und bringe meinen Schlüssel mit.
Bis später! Britta

C

E-Mail senden

Lieber Herr Neumann,
ich muss am Wochenende arbeiten. Würden Sie bitte wieder mit meinem Hund spazieren gehen? Das wäre wirklich nett. Ich klingle heute Abend bei Ihnen. Dann können wir alles besprechen und Sie bekommen gleich meinen Schlüssel.
Viele Grüße
Manuela Wascher

E5 Um Hilfe bitten

a Wählen Sie eine Situation oder finden Sie selber eine Situation.
Schreiben Sie eine Nachricht an Ihre Nachbarin / Ihren Nachbarn.

Situation 1
am Montag geschäftlich nach Innsbruck fahren | meine Katze füttern | den Schlüssel heute Abend abholen | Danke und viele Grüße

Situation 2
Morgen kommt ein Handwerker zu Ihnen. Leider müssen Sie arbeiten. Ihre Nachbarin / Ihr Nachbar soll den Handwerker in Ihre Wohnung lassen. Sie bringen den Schlüssel am Abend vorbei.

Liebe Frau Haas,
ich muss ... Könnten Sie bitte ... Sie können ... bei mir ...
...
(Ihr Name)

Liebe/Lieber ...

b Tauschen Sie die Nachricht mit Ihrer Partnerin / Ihrem Partner.
Sie/Er schreibt eine Antwort.

Kein Problem. Das mache ich gern.
Leider kann ich ... nicht ..., weil ...

SCHON FERTIG? Spielen Sie die Situationen als Gespräch.

Grammatik und Kommunikation

Grammatik

1 Wechselpräpositionen ÜG 6.02

	„Wo?" + Dativ	„Wohin?" + Akkusativ
auf	• dem Tisch	• den Tisch
	• dem Regal	• das Regal
	• der Leiter	• die Leiter
neben	• den Glühbirnen	• die Glühbirnen
	Die Sachen liegen auf dem Tisch.	Er legt die Sachen auf den Tisch.

auch so: an, hinter, in, über, unter, vor, zwischen

Was ist wo an Ihrem Lernplatz? Schreiben Sie.

Auf meinem Tisch steht ein Laptop. Neben dem Laptop steht eine Lampe. ...

2 Verben mit Wechselpräpositionen ÜG 6.02

„Wo?" + Dativ	„Wohin?" + Akkusativ
liegen	legen
stehen	stellen
stecken	stecken
hängen	hängen

Sie haben eingekauft. Wohin kommen Ihre Einkäufe? Schreiben Sie.

Ich stelle die Milch in den Kühlschrank. Getränke stelle ich auf den Balkon. Die Seife ...

3 Direktionaladverbien ÜG 7.02

Wo?	Wohin?
da/ hier dort	dahin/hierhin dorthin Stellen Sie die Leiter dahin.
	rein/raus/rauf/runter/rüber runter/fallen Fallen Sie nicht runter.

Was sagt die Frau? Schreiben Sie.

Kommunikation

JEMANDEN UM HILFE BITTEN: Ich habe ein Problem.

Störe ich? | Sagen Sie einmal: ... Finden Sie nicht auch? |
Entschuldigung. Darf ich Sie etwas fragen? |
Ich habe ein Problem. / eine Frage. / eine Bitte: ...
Mit wem muss/kann ich denn da reden? | Seien Sie bitte so nett und ...

NACHBARN UM HILFE BITTEN: Könnten Sie bitte ...

Ich habe Frühschicht und muss um halb sechs weg.
Ich fahre am Wochenende zu meiner Schwester.
Könnten Sie die Firma bitte in meine Wohnung lassen?
Kannst du bitte meinen Postkasten leeren und die Pflanzen gießen?
Würden Sie bitte wieder mit meinem Hund spazieren gehen?

Sie fahren eine Woche weg. Schreiben Sie eine Nachricht an Ihre Nachbarin.

Liebe Frau Abele,
nächste Woche besuche ich meine Eltern in Bulgarien. ...

AUF EINE BITTE REAGIEREN: Natürlich.

Nein, gar nicht. Kommen Sie doch rein. | Da haben Sie recht.
Natürlich. / Gern. / Gern geschehen. | Was ist (denn) los? |
(Das ist doch) Kein Problem.
Das mache ich sofort./gleich./gern. | Da reden Sie am besten mit ... /
Da rufen Sie ... an. | Leider kann ich ... nicht ..., weil ...

DANK: Vielen Dank für Ihre Hilfe.

Danke für Ihr Verständnis. | Das wäre wirklich nett.
Vielen Dank für Ihre Mithilfe./Hilfe. | Wir hoffen auf Ihr Verständnis.
Ich hoffe, das passt für Sie.

SICH ENTSCHULDIGEN: Oh, Entschuldigung.

Oh, Entschuldigung. Das war keine Absicht.
Oh, tut mir leid. Das habe ich nicht gewusst.
Tut mir leid. Das geht nicht, weil ...

GRUSSFORMELN IM BRIEF: Liebe Frau ...

Sehr geehrte Damen und Herren ...
Sehr geehrte Frau ... / Sehr geehrter Herr ...
Liebe/r Herr/Frau ...
Vielen Dank und herzliche Grüße
Viele Grüße
Mit freundlichen Grüßen

Lernziele

Ich kann jetzt ...

A ... sagen: Da steht/liegt/...: *Der Schlüssel steckt im Schloss.* ______ ☹ 😐 ☺

B ... sagen: Dahin stelle/lege/... ich: *Hängen Sie ein Schild an die Tür.* ______ ☹ 😐 ☺

C ... Richtungen nennen: *Stellen Sie die Leiter dahin. / Fallen Sie nicht runter.* ______ ☹ 😐 ☺

D ... Mitteilungen in Wohnhäusern verstehen: *Sehr geehrte Hausbewohner, bitte trennen Sie den Müll sorgfältig.* ______ ☹ 😐 ☺

E ... Nachbarn um etwas bitten: *Könnten Sie die Firma bitte in meine Wohnung lassen?* ______ ☹ 😐 ☺

Ich kenne jetzt ...

... 5 Wörter zum Thema *Wohnung*:

die Wand, ...

... 5 Wörter zum Thema *Wohnhaus*:

der Hausbewohner, ...

SPIEL

Kennen Sie schon SHLS?

Das Stellen-Hängen-Legen-Stecken-Spiel

Schauen Sie einmal her: Mit einem Bild kann man alles Mögliche machen.

Man kann das Bild auf den Tisch stellen. Dann steht es auf dem Tisch.
Man kann es auch auf den Tisch legen. Dann liegt es auf dem Tisch.
Man kann es an die Wand hängen. Dann hängt es an der Wand.
Oder man kann es in die Tasche stecken. Dann steckt es in der Tasche.

Geht das mit anderen Sachen genauso? Mit einem Blatt Papier oder einem Schlüssel? Einem Radiergummi oder einem Kugelschreiber? Einem Handy oder einer Brille? Versuchen Sie es! Stellen Sie doch einfach einmal einen Schlüssel auf den Boden. Oder hängen Sie einen Kugelschreiber an einen Sessel. Oder stecken Sie ein Blatt Papier in einen Schuh. Oder ...
Sie haben sicher schon hundert neue Ideen, oder? Und los geht's!

1 Lesen Sie den Text und ergänzen Sie in der richtigen Form.

2 Was kann man alles *stellen, legen, hängen, stecken*? Finden Sie ein Beispiel und zeigen Sie es den anderen Kursteilnehmern.

Ich habe ein Blatt Papier in den Schuh gesteckt. Schaut her, das Papier steckt in meinem Schuh.

HÖREN

Gestern im Stiegenhaus

1 🔊 38–40

1 Im Stiegenhaus

a Hören Sie drei Gespräche und ordnen Sie zu.

Gespräch	Bild
A	
B	
C	

b Hören Sie noch einmal und verbinden Sie.

	ist der Hausbesorger.
Frau Wawra ———	ist gegen Kinderwagen im Stiegenhaus.
Herr Bogdanović	hilft Frau Simma und trägt den Kinderwagen rauf.
Frau Simma	holt den Hausbesorger.
Herr Winter	kann den Kinderwagen nicht allein rauftragen.
	will mit der Hausverwaltung sprechen.

2 Geben Sie Sympathie-Punkte von 5 (sehr sympathisch) bis 1 (sehr unsympathisch) und sprechen Sie im Kurs.

Frau Wawra: .... Frau Simma: ....
Herr Bogdanović: .... Herr Winter: ....

Ich habe Frau Wawra nur einen Punkt gegeben. Ich finde, sie ist nicht sehr nett. ...

COMIC

Der kleine Mann: Wo ist hier das Bad?

Lesen Sie das Comic und zeichnen Sie im Bild den Weg ein: So geht der kleine Mann. Vergleichen Sie dann mit Ihrer Partnerin / Ihrem Partner.

Er geht da rein. Dann ...

Essen und Trinken

1 Schauen Sie die Fotos an.

a Was meinen Sie? Was ist richtig? Kreuzen Sie an.

1 Tim ○ lernt die Nachbarsfamilie kennen. ○ kennt die Nachbarsfamilie schon.
2 ○ Tim lädt seine Nachbarn ○ Tims Nachbarn laden ihn zum Essen ein.

1 🔊 41 b Hören Sie und vergleichen Sie.

1 🔊 41 **2 Wer wohnt wo?**
Hören Sie noch einmal und ordnen Sie zu.

Familie Kaiopoulos ~~Tim~~ Lisi und Paul Frau Aigner

....
.... Tim

1 🔊 41–48 **3 Was gibt es zu essen? Schauen Sie die Fotos an. Hören Sie dann und verbinden Sie.**

a Zuerst — gibt es Joghurt mit Honig und Nüssen.
b Als Nachspeise — trinken Dimi, Eva und Tim noch einen Espresso.
c Zum Schluss — gibt es Moussaka, einen griechischen Auflauf, mit und ohne Fleisch.

1 41–48

4 Hören Sie noch einmal und ergänzen Sie.

a Wer hat das Abendessen gekocht? ....

b Wer isst kein Fleisch? ....

c Wer darf keine Nachspeise essen? ....

d Wer hat Probleme in der Schule? Niki

e Was möchte Tim lernen? ....

f Was soll Niki von Tim lernen? ....

5 „Eine Hand wäscht die andere." Was bedeutet das? Kreuzen Sie an.

○ Tim hilft Niki. Dimi hilft Tim.

○ Tim hilft Niki und Dimi.

6 Können Sie kochen? Erzählen Sie.

Ich kann gut kochen, glaube ich. Mein Lieblingsrezept ist ...

Ich kann nicht kochen. Und ich möchte auch nicht kochen lernen. Ich habe zu wenig Zeit.

A Ich esse **nie** Fleisch.

A1 Wie oft ...?

1 ◀)) 49–52 **a** Wie oft essen die Personen Fleisch? Hören Sie und kreuzen Sie an.

	100 %					*0 %*
	immer	*meistens*	*oft*	*manchmal*	*selten*	*nie*
1 Eva	○	○	○	○	○	⊗
2 Dimi	○	○	○	○	○	○
3 Niki	○	○	○	○	○	○
4 Tim	○	○	○	○	○	○

Wie oft?
immer
meistens
oft
manchmal
selten
nie

b Und Sie? Wie oft essen Sie Fleisch? Sprechen Sie.

A2 Was essen und trinken Leo, Günter und Arzu? Wie oft und wann?

Machen Sie eine Tabelle und notieren Sie.

Internet-Forum

VALERIA: Man sagt: Die Österreicher essen gern Fleisch, Knödel und Erdäpfel. Und sie trinken oft Wein oder Bier. Aber das stimmt doch gar nicht, oder? Schreibt mir: Was esst und trinkt ihr so?

LEO: Ich bin viel unterwegs und habe oft gar keine Zeit für eine richtige Mahlzeit. Dann hole ich mir zu Mittag oft nur schnell ein Weckerl. Und ich liebe Kaffee. In der Früh, zu Mittag, am Abend - Kaffee kann ich immer trinken. Acht Tassen pro Tag sind es sicher.

GÜNTER: Ich finde gesundes Essen wichtig. Zum Frühstück gibt es meistens Obst oder Joghurt. Zum Mittagessen gehe ich in die Kantine. Ich nehme fast immer eine vegetarische Speise. Am Abend esse ich oft einen Salat, manchmal Fisch mit Erdäpfeln.

ARZU: Ich lebe seit 30 Jahren in Österreich und habe viele Gewohnheiten übernommen. Zum Frühstück esse ich fast immer ein Marmeladebrot. Österreichische Fleischspeisen esse ich auch manchmal, aber kein Schweinefleisch.

	Was?	Wie oft?	Wann?
Leo	Weckerl	oft	zu Mittag
	Kaffee	...	

zum Frühstück/ Mittagessen/ Abendessen

fast immer (95–99%)
fast nie (1–5%)

SCHON FERTIG? Antworten Sie Valeria.

A3 Partnerinterview: Wie oft machen Sie das?

Machen Sie Notizen und fragen Sie dann Ihre Partnerin / Ihren Partner.

Wie oft ...?	Ich	Meine Partnerin / Mein Partner
selber kochen		dreimal pro Woche
Süßigkeiten essen		
frühstücken		
Alkohol trinken		
Freunde zum Essen einladen		
Essen im Internet bestellen (z. B. bei einem Pizzaservice)		

◆ Wie oft kochst du selber?
○ Vielleicht dreimal pro Woche. Und du?
...

einmal zweimal dreimal	pro Tag/Woche/Monat/Jahr

B Du magst doch auch **einen**, oder?

53–56 B1 Ordnen Sie zu. Hören Sie dann und vergleichen Sie.

eine | keine | ~~einen~~ | welche | eins

A

◆ Ich mache uns noch schnell einen Espresso. Du magst doch auch einen, oder?
○ Ja, Dimi. Sehr gern.

B

▲ Du, Dimi, wo sind denn die Löffel? Ich finde keine.
◆ Moment ... Im Geschirrspüler sind welche.

C

○ Hoppala, mein Messer ist runtergefallen. Tut mir leid.
◆ Kein Problem. Ich hole gleich noch eins.

D

◆ Wer mag noch eine Portion?
○ Ich nehme gern noch eine.
◆ Gut. Gibst du mir deinen Teller, Tim?

	Da ist/sind ...	Ich mag/nehme ...
● der Espresso	(k)einer	(k)einen
● das Messer	(k)eins	(k)eins
● die Portion	(k)eine	(k)eine
● die Löffel	keine/welche	keine/welche

auch so: meiner, meins, meine, meine ...

B2 Arbeiten Sie zu zweit. Fragen Sie und antworten Sie.

◆ Ich brauche eine Gabel. Bringst du mir bitte eine?
○ Aber da ist doch eine.

B3 Spiel: Küchen-Quartett

● die Kanne
● der Topf
● die Pfanne
● die Schüssel

● die Schüssel
● die Pfanne
● der Topf
● die Kanne

● die Pfanne
● der Topf
● die Kanne
● die Schüssel

● der Topf
● die Schüssel
● die Kanne
● die Pfanne

a Arbeiten Sie zu dritt oder zu viert. Machen Sie 16 Quartettkarten.

● der Topf – ● die Schüssel – ● die Kanne – ● die Pfanne
● das Messer – ● die Gabel – ● der Esslöffel – ● der Teelöffel
● das Krügel – ● die Tasse – ● das Glas – ● das Häferl
● der Herd – ● der Kühlschrank – ● der Geschirrspüler – ● die Mikrowelle

b Verteilen Sie die Karten und spielen Sie.
Die Person mit den meisten Quartetten hat gewonnen.

◆ Ich brauche einen Topf. Hast du einen?
○ Ja, hier bitte. / Nein, tut mir leid, ich habe auch keinen. Ich brauche ...

● der Becher = ● das Häferl
● das Krügel = ● das Bierglas für einen halben Liter

C Mahlzeit!

C1 Mahlzeit!

1 57–59

Ordnen Sie zu. Hören Sie dann und vergleichen Sie.

Darf ich dir noch etwas geben? | Guten Appetit! | ~~Kein Problem~~ | Komm doch bald einmal wieder. | Vielen Dank für den schönen Abend. | Und danke fürs Kochen, | Mit Fleisch, bitte.

A **bei der Ankunft**

◆ Komm rein!

○ Danke. Tut mir leid, ich habe gar nichts mitgebracht, Eva.

◆ *Kein Problem*, Tim.

B **beim Essen**

○ Hm, das riecht so gut!

▲ Also, Tim: mit oder ohne Fleisch?

○ ……………… …

▲ Also dann: ………………

○ Mahlzeit!

◆ ………………

Dimi! …

▲ ………………

………………

○ Oh ja, sehr gern. Ich liebe Moussaka.

C **beim Abschied**

○ ………………

………………

◆ Sehr gern, Tim! ………………

C2 Wann sagt man das? Bei der Ankunft, beim Essen oder beim Abschied? Ergänzen Sie.

1 *beim Essen*

◆ Magst du noch mehr?

○ Nein danke, ich kann nicht mehr.

2 ………………

◆ Hier bitte: Die Blumen sind für dich.

○ Oh, danke. Das ist aber nett.

3 ………………

◆ Ciao. Komm gut heim.

○ Danke. Das nächste Mal kommt ihr zu mir, okay?

4 ………………

◆ Was magst du denn trinken? Bier, Wasser, Wein?

○ Ein Glas Wasser, bitte.

5 ………………

◆ Soll ich die Schuhe ausziehen?

○ Lass sie ruhig an. Der Boden ist ziemlich kalt.

C3 Eine Szene spielen

Arbeiten Sie mit Ihrer Partnerin / Ihrem Partner und schreiben Sie ein Gespräch wie in C1. Sprechen Sie dann.

Hallo, herzlich willkommen. Kommt rein. …

C4 Einladung zum Essen bei österreichischen Freunden

a Lesen Sie die Fragen und notieren Sie Ihre Antworten.
Vergleichen Sie mit Ihrer Partnerin / Ihrem Partner.

1 ☒ Wie pünktlich muss man kommen?
2 ○ Darf man seine Freunde mitbringen?
3 ○ Was soll man mitbringen?
4 ○ Wie viel kann oder muss man essen?
5 ○ Darf man schmatzen und mit vollem Mund sprechen?
6 ○ Wann kann oder soll man heimgehen?

1 Ein bisschen Verspätung ist okay.
2 Ja, aber man muss vorher den Gastgeber fragen. ...

1 60 **b** Hören Sie eine Radiosendung.
Auf welche Fragen aus a bekommen Sie eine Antwort?
Kreuzen Sie in a an.

1 60 **c** Hören Sie noch einmal. Was ist richtig? Kreuzen Sie an.

1 ☒ 30 Minuten Verspätung – das ist nicht sehr höflich.
2 ○ Man soll ein Gastgeschenk mitbringen.
3 ○ Sie machen eine Diät oder dürfen etwas nicht essen.
Informieren Sie den Gastgeber vor der Einladung.
4 ○ Ihr Gastgeber bietet noch etwas an.
Sie sind satt, aber Sie dürfen nicht „Nein" sagen.
5 ○ Bleiben Sie nicht zu lange.
Aber gehen Sie auch nicht sofort nach dem Essen.

d Vergleichen Sie mit Ihren Notizen aus a. Sind Sie „fit" für eine Einladung?
Was war neu für Sie? Sprechen Sie in Gruppen.

Eine halbe Stunde Verspätung ist ein Problem – das überrascht mich. Bei uns ist das nicht so schlimm. Man kann auch eine Stunde zu spät kommen.

Das überrascht mich.
Das finde ich interessant. / seltsam. / komisch.
Bei uns ist das genauso. / anders. / nicht so schlimm. / arg. / wichtig.

C5 Im Kurs: Ein guter Gastgeber

Was kochen Sie gern/oft?
Was kochen Sie nicht und warum?
Erzählen Sie.

Ich koche (sehr) gern/oft Fleisch/scharf/süß/...
Besonders gern biete ich Fisch/Fleisch/... an.
Mein Lieblingsrezept ist ... Das schmeckt allen Gästen.
... koche ich nicht.
Viele mögen ... nicht. / dürfen ... nicht essen.

süß

scharf

salzig

fett

sauer

D In der Kantine

D1 Eine Firmenkantine

a Lesen Sie den Text und ordnen Sie zu.

• das Gebäck = kleine Brotsorten, z. B. Semmeln und Weckerl

Wo kaufen Sie Ihre Lebensmittel? ~~Was genau bieten Sie an?~~ ~~Herr Augl, für wie viele Menschen kochen Sie jeden Tag?~~ Wie sieht denn Ihr Arbeitstag aus? Und was essen die Gäste besonders gern? ~~Was ist Ihnen beim Kochen wichtig?~~ important

Frisch und gesund!

Gregor Augl leitet die Kantine einer großen Firma in Spittal. Der Koch findet gesundes und frisches Essen sehr wichtig.

5 Herr Augl, für wie viele Menschen kochen Sie jeden Tag?
In unserer Firma haben wir rund 300 Mitarbeiter. Sie kommen aus Österreich und aus vielen anderen Ländern.

10 Ist das Angebot in Ihrer Kantine auch so international wie die Mitarbeiter?
Ja, manchmal schon. Wir kochen auch asiatische Speisen und bieten Currys an. Gesund kochen, das ist für uns sehr wichtig.

15 Was genau bieten Sie an?
Zum Frühstück gibt es bei uns unterschiedliche Arten von Müsli, Joghurt mit Früchten, Eierspeisen und Gebäck mit Wurst, Käse, Honig oder Marmelade. Zu Mittag haben wir drei Buffets:
20 für Vorspeisen, Nachspeisen und Salat. Dazu gibt es drei Hauptspeisen: eine mit Fleisch, eine mit Fisch und eine vegetarische.

Und was essen die Gäste besonders gern?
Zum Frühstück mögen viele die frischen Säfte
25 wie den Apfel-Karotte-Ingwer-Saft. Zu Mittag essen viele Gäste vegetarisch. Das ist in den letzten Jahren deutlich mehr geworden. Oft nehmen fast 50 Prozent die vegetarische Hauptspeise.

Wo kaufen Sie Ihre Lebensmittel
30 Auf dem Markt. Das mache ich selber. Ich schaue dort: Was ist frisch? Was ist im Angebot? Außerdem kaufe ich viele regionale Produkte aus der Umgebung,
35 also ganz aus der Nähe.

Was ist Ihnen beim Kochen wichtig
Ich nehme nur frisches Obst und Gemüse und frische Salate. Außerdem sind unsere Fleischspeisen meistens mit Geflügel, weil viele Mit-
40 arbeiter ja kein Schweinefleisch essen. Ganz selten gibt es aber auch einmal Steak.

Frisch einkaufen und kochen – das machen nicht viele Großküchen.
Ja, das stimmt. Andere Kantinen kaufen fertige
45 Speisen ein. Aber ich arbeite hier nur mit frischen Lebensmitteln. Das finde ich besser.

Wie sieht denn Ihr Arbeitstag aus?
Er beginnt in der Früh um 6 Uhr auf dem Markt. Gegen 9 Uhr bin ich in der Kantine und koche
50 mit meinen sechs Mitarbeitern das Mittagessen. Am Nachmittag mache ich die Büroarbeit und plane die Speisen für die nächsten Tage. Um 15 Uhr gehe ich meistens heim.

b Lesen Sie den Text noch einmal bis Zeile 28 und ergänzen Sie.

1 Herr Augl kocht täglich für circa 300 Personen.
2 Er kocht sehr gern gesund.
3 Zu Mittag gibt es drei Buffets: mit Vorspeisen, Nachspeisen und Salat und drei verschiedene Hauptspeisen.
4 Viele Mitarbeiter nehmen die vegetarische Hauptspeise.

c Lesen Sie den Text bis zum Ende und korrigieren Sie.

SCHON FERTIG? Wo und was essen Sie bei der Arbeit? Notieren Sie.

1 Herr Augl kauft die Lebensmittel ~~im Supermarkt.~~ auf dem Markt.
2 Viele Mitarbeiter essen kein Geflügel. ____
3 Herr Augl kocht das Mittagessen um sechs Uhr. ____
4 Am Nachmittag kocht er die Speisen für die nächsten Tage. ____

E Essen gehen

61–64 **E1 Was darf ich Ihnen bringen?**

a Welches Gespräch passt? Hören Sie und ordnen Sie zu.

	Gespräch
1 Der Gast sucht einen Sitzplatz.	◯
2 Der Gast bestellt.	Ⓐ
3 Der Gast ist mit dem Essen nicht zufrieden.	◯
4 Die Gäste möchten bezahlen.	◯

b Ordnen Sie die Gespräche. Hören Sie dann noch einmal und vergleichen Sie.

A
(2) Ich nehme das Wiener Schnitzel mit Erdäpfelsalat.
(4) Ja, gern. Und zu trinken?
(1) Was darf ich Ihnen bringen?
(3) Ein Mineralwasser, bitte.

B
(2) Oh, das tut mir leid. Ich bringe Ihnen gleich eine neue.
(3) Danke. Sehr nett.
(1) Entschuldigen Sie, aber die Suppe ist leider viel zu salzig.

C
(1) Herr Ober, zahlen bitte!
(3) Zusammen, bitte.
(2) Zusammen oder getrennt?
(4) Ein Eiskaffee, ein Stück Apfelstrudel und ein Tee mit Zitrone: Das macht 7,50 Euro, bitte.
(5) Hier, bitte. Stimmt so.

D
(2) Aber sicher. Nehmen Sie doch Platz.
(3) Vielen Dank.
(1) Entschuldigung, ist der Platz noch frei?

• der Ober = • der Kellner
Man sagt: Herr Ober!

E2 Machen Sie eine Tabelle und ordnen Sie zu.

~~Zahlen, bitte.~~ Das Messer ist nicht sauber. Oh, das tut mir leid. Ich bringe sofort ein anderes. Stimmt so. Die Rechnung, bitte. Kann ich bitte die Karte haben? Ist da noch frei? Herr Ober! Kann ich bitte bestellen? Ich nehme/hätte gern den Rindsbraten. Entschuldigung, ich warte jetzt schon 40 Minuten auf das Essen. Ich möchte bitte bezahlen. Nein, tut mir leid. Der Platz ist besetzt. Zusammen oder getrennt? Natürlich. Setzen Sie sich doch. Das macht 19,20 Euro. Zusammen, bitte. Was darf ich Ihnen bringen? Getrennt, bitte. Auf 20 (Euro), bitte.

einen Sitzplatz suchen	bestellen	reklamieren	bezahlen
			Zahlen, bitte.

E3 Wählen Sie eine Situation und spielen Sie im Kurs. Verwenden Sie die Sätze aus E2.

reklamieren – Gast
Sie haben ... bestellt, aber ... bekommen.

reklamieren – Ober
Es tut Ihnen leid. Sie bringen sofort ...

bezahlen – Gast
Sie haben ... gegessen. Geben Sie Trinkgeld.

bezahlen – Ober
Die Speise kostet ...

bestellen – Gast
Sie möchten ein Schnitzel.

bestellen – Ober
Schnitzel gibt es nicht mehr. Es gibt noch Rindsbraten.

Grammatik

1 Indefinitpronomen ÜG 3.03

	Da ist/sind ...	Ich mag/nehme/brauche ...
• der Espresso	(k)einer	(k)einen
• das Messer	(k)eins	(k)eins
• die Portion	(k)eine	(k)eine
• die Löffel	keine/welche	keine/welche

auch so: meiner, meins, meine, meine ...

der/ein Espresso	→ einer
den/einen Espresso	→ einen

* Subject vs direct object difference in Maskulin

Ich mache **einen Espresso.**
Magst du auch **einen** ~~Espresso~~?

Kommunikation

HÄUFIGKEIT: Wie oft ...?

Wie oft kochst du / kochen Sie selber?
Immer. / Meistens. / Oft. / Manchmal. / Selten. / Nie.
Einmal/Zweimal/Dreimal/... pro Tag/Woche/Monat/Jahr.
Zum Frühstück/Mittagessen/Abendessen gibt es oft/meistens ...
Fast immer. / Fast nie.

PRIVATE EINLADUNG ZUM ESSEN: Mahlzeit.

bei der Ankunft

Hier bitte: Die Blumen sind für dich. / für Sie.	*Oh, danke. Das ist aber nett.*
Tut mir leid, ich habe gar nichts mitgebracht.	*Kein Problem.*
Soll ich die Schuhe ausziehen?	*Ja, bitte. / Lass sie / Lassen Sie sie ruhig an.*

beim Essen

	Das riecht so gut.
Was magst du / möchten Sie trinken?	*Ein Glas Wasser, bitte.*
Mahlzeit! / Guten Appetit!	*Danke fürs Kochen.*
Magst du / Möchten Sie noch? / Darf ich dir/Ihnen noch etwas geben?	*Ja, (sehr) gern. / Nein, danke. Ich kann nicht mehr.*

beim Abschied

Vielen Dank für den schönen Abend.	*Komm / Kommt / Kommen Sie doch bald einmal wieder.*
	Komm / Kommt / Kommen Sie gut heim.
Das nächste Mal kommst du / kommt ihr / kommen Sie zu mir, okay?	

Antworten Sie.
Wie oft machen Sie Sport?

Wie oft lesen Sie Ihre E-Mails?

Wie oft schauen Sie auf Ihr Handy?

Wie oft essen Sie Süßigkeiten?

Was darf/soll man bei einer Einladung in Österreich? Was darf man nicht? Kreuzen Sie an.

	😊	😖
zu spät kommen	○	○
etwas mitbringen	○	○
sagen: „Das darf ich nicht essen."	○	○
sagen: „Ich bin satt."	○	○
sofort nach dem Essen gehen	○	○

IM RESTAURANT: Ist da noch frei?

einen Sitzplatz suchen

Entschuldigung, ist der Platz noch frei? / Ist da noch frei?	*Aber sicher. Nehmen Sie doch Platz. / Natürlich. / Setzen Sie sich doch. / Nein, tut mir leid. Der Platz ist besetzt.*
Vielen Dank.	

bestellen

Was darf ich Ihnen bringen?	*Kann ich bitte die Karte haben? / Kann ich bitte bestellen? Ich hätte gern/nehme ...*

reklamieren

Entschuldigen Sie, aber die Suppe ist leider viel zu salzig. Das Messer ist nicht sauber. Entschuldigung, ich warte jetzt schon 40 Minuten auf das Essen.	*Oh, das tut mir leid. Ich bringe sofort eine neue / ein anderes.*

bezahlen

Zahlen, bitte. / Die Rechnung, bitte. Ich möchte bitte bezahlen.	*Zusammen oder getrennt?*
Zusammen, bitte. / Getrennt, bitte.	*Das macht ... Euro.*
Hier, bitte. Stimmt so. Auf 20 (Euro) bitte.	

VERGLEICH MIT DEM EIGENEN LAND: Das überrascht mich.

Das überrascht mich. | *Das finde ich interessant. / seltsam. / komisch.*

Bei uns ist das genauso. / anders. / nicht so schlimm. / arg. / wichtig.

ÜBER KOCHGEWOHNHEITEN REDEN: Ich koche gern Fleisch.

Ich koche (sehr) gern / oft Fleisch / scharf / süß / ...

Besonders gern biete ich Fisch / Fleisch / ... an.

Mein Lieblingsrezept ist ... Das schmeckt allen Gästen.

... koche ich nicht.

Viele mögen ... nicht / dürfen ... nicht essen.

Lernziele

Ich kann jetzt ...

A ... sagen: So oft mache ich etwas: *Ich esse nie Fleisch.* ______ ☹ 😐 ☺

B ... über Gegenstände sprechen: *Ich brauche einen Löffel. – Da ist einer.* ☹ 😐 ☺

C ... Gespräche bei einer Einladung führen: *Die Blumen sind für dich.* ______ ☹ 😐 ☺

... eine Radiosendung zu dem Thema „Einladung" verstehen: *Sie hören jetzt unsere Sendung zu dem Thema: Bei Freunden zu Gast.* ______ ☹ 😐 ☺

D ... ein einfaches Interview verstehen: *Herr Augl, für wie viele Menschen kochen Sie jeden Tag?* ______ ☹ 😐 ☺

E ... Essen/Getränke bestellen, bezahlen, etwas reklamieren und einen Sitzplatz suchen: *Kann ich bitte bestellen?* ______ ☹ 😐 ☺

Ich kenne jetzt ...

... 5 Wörter zum Thema *Geschirr*:

der Teller, ...

______

... 5 Wörter zum Thema *Essen und Mahlzeiten*:

die Speise, ...

______

ÖSTERREICH-SPEZIAL

Im Kaffeehaus

• das Kaffeehaus = • das Café

1 Lesen Sie die Speisekarte. Welche Speisen und Getränke kennen Sie?

Speisekarte

Kleine Speisen	€
Frankfurter mit Gebäck	3,90
Toast mit Schinken und/oder Käse	3,30
Frittatensuppe	3,10
Gulaschsuppe mit Gebäck	3,10

Süßes	€
Apfel- oder Topfenstrudel	2,80
Cremeschnitte	2,80
Sachertorte	3,00
Punschkrapfen	2,80
Portion Schlag	0,30

Getränke	€
Melange *(Kaffee + Milchschaum)*	3,10
Espresso *(sehr starker Kaffee)*	2,20
Verlängerter *(Espresso + heißes Wasser)*	3,10
Kleiner Brauner *(Espresso + Milch / Obers)*	2,30
Großer Brauner *(Doppelter Espresso + Milch / Obers)*	3,10
Cappuccino *(Espresso, heiße Milch + Milchschaum)*	3,30
Milchkaffee *(Filterkaffee + viel heiße Milch)*	3,10
Diverse Tees	2,60
Mineralwasser	2,50
Diverse Säfte	2,50
– gespritzt	2,20

2 Wählen Sie eine Situation und sprechen Sie mit Ihrer Partnerin / Ihrem Partner.

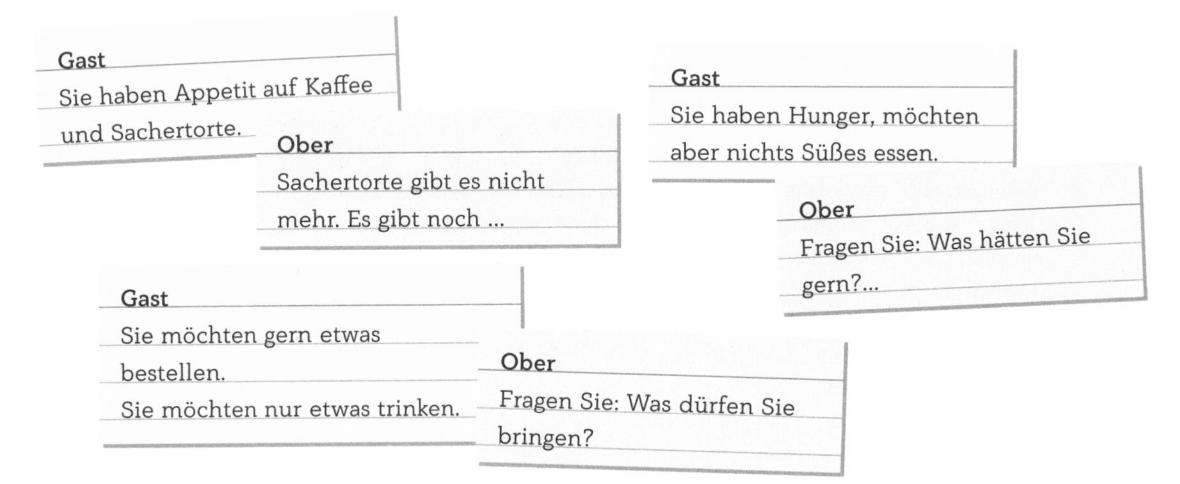

3 Lesen Sie den Text. Was ist richtig? Kreuzen Sie an. Korrigieren Sie dann die falschen Sätze.

„Herr Ober, einen großen Braunen bitte!"

Der Kellner bringt auf einem Tablett eine Tasse Kaffee und ein Glas Wasser, das ist in vielen österreichischen Kaffeehäusern Tradition. „Einen Kaffee" kann man dort meistens nicht bestellen, denn in Österreich gibt es viele verschiedene Kaffeegetränke, z. B. eine Melange oder einen Verlängerten. In Glasvitrinen oder manchmal auch auf Tischen stehen die Mehlspeisen. So kann man die vielen Kuchen und Torten zuerst in Ruhe anschauen und dann bestellen. Sie möchten nichts Süßes essen? Kein Problem: Auf der Speisekarte stehen meistens auch Suppen, Toasts und andere pikante Speisen. In vielen Kaffeehäusern gibt es auch Tageszeitungen und Wochenmagazine für die Gäste. Man kann dort also oft stundenlang sitzen, Kaffee trinken, mit Freunden reden oder einfach nur lesen. Rauchen darf man nur in Raucherräumen.

a ○ Österreicher trinken zum Kaffee oft Wasser. ....
b ○ Süßspeisen kann man sich auch selber holen. ....
c ○ Im Kaffeehaus gibt es nur kalte Speisen. ....
d ○ In vielen Kaffeehäusern kann man lesen. ....
e ○ In Kaffeehäusern darf man rauchen. ....

4 Café international

Gibt es in Ihrem Heimatland Cafés? Was kann man dort essen und trinken? Darf man dort rauchen? Sprechen Sie.

In meinem Heimatland gibt es viele Cafés. Wir trinken meistens Tee und essen ...

SO IST ES BEI UNS

Wie sagt man in Ihrem Kursort? Kreuzen Sie an.

a Mmh, die Suppe schmeckt ○ gut. ○ fein. ○ ausgezeichnet.
b Kannst du bitte das Geschirr aus ○ dem Geschirrspüler ○ der Spülmaschine ausräumen?
c So, das Essen ist jetzt fertig und alle sind am Tisch. ○ Guten Appetit! ○ Mahlzeit!
d Zu Mittag esse ich manchmal nur ein ○ Weckerl. ○ Brötle. ○ belegtes Brot.
e Ich liebe Kaffee! Und ich trinke ihn am liebsten aus dem roten ○ Becher. ○ Häferl.
f ○ Herr Ober, ○ Kellner, wir möchten bitte bezahlen.
g Zum Wiener Schnitzel muss man einen ○ Erdäpfelsalat ○ Kartoffelsalat essen.
h Ich treffe meine Freunde aus dem Deutschkurs oft im ○ Kaffeehaus. ○ Café.
i Wer will ○ eine Nachspeise? ○ einen Nachtisch? Es gibt Eis!

1 Zimmerreservierung: Ordnen Sie.

◯ Bei der Ankunft zeigt man an der Rezeption die Reservierungsbestätigung.
◯ Bei der Abreise gibt man den Zimmerschlüssel an der Rezeption ab und bezahlt die Rechnung.
◯ Das Hotel notiert die Reservierung und schickt eine Reservierungsbestätigung.
① Zuerst reserviert man per Telefon, E-Mail oder online ein Zimmer.

2 Tim bei der Arbeit

a Schauen Sie die Fotos an. Was meinen Sie? Wer ist wer? Ordnen Sie die Namen zu.

Sandra

Frau Bronkhorst

Herr Krassnick

Edith

1 ______________ ist die Chefin von Tim.
2 ______________ ist eine Kollegin von Tim.
3 ______________ muss früher abreisen und kann nicht bleiben.
4 ______________ ist ein schwieriger Gast und braucht ein Hotelzimmer.

2 ◀)) 1–8

b Hören Sie und vergleichen Sie.

2 🔊 1–8 **3 Was ist richtig? Hören Sie noch einmal und kreuzen Sie an.**

Edith hat eine Besprechung.
Sandra und Tim sollen sie ☒ nur im Notfall ○ nicht anrufen.
Herr Krassnick möchte die Chefin sprechen, weil er ○ ein ○ kein Zimmer kriegen kann.

kriegen = bekommen

Tim merkt aber: Das ist ein Test. Herr Krassnick ist kein Gast.
Er hat nämlich ○ viel ○ kein Gepäck dabei.
Er war noch nie im Hotel, aber er weiß: Tim hat ○ eine Chefin. ○ einen Chef.
Tim gibt Herrn Krassnick dann das Zimmer von Frau Bronkhorst.

Herr Krassnick erzählt Edith: Tim war freundlich und klug. Er hat alles richtig gemacht.
Er soll nächstes Jahr der Chef ○ von der Rezeption ○ vom Hotel werden.

A Wenn Sie einen Fehler gemacht haben, dann ...

A1 An der Rezeption

a Wer sagt was? Kreuzen Sie an.

Tim   *Herr Krassnick*

	Tim	Herr Krassnick
1 Wenn Sie online reserviert haben, dann haben Sie sicher eine Reservierungsbestätigung bekommen.	⊠	○
2 Ich kann Ihnen kein Zimmer geben, wenn Sie keine Bestätigung haben.	○	○
3 Wenn Sie einen Fehler gemacht haben, dann geben Sie mir jetzt ein anderes Zimmer.	○	○
4 Sie finden natürlich nichts, wenn Sie meinen Namen falsch schreiben.	○	○

b Markieren Sie in a wie im Beispiel und ergänzen Sie die Tabelle.

Wenn Sie ____________,
(dann) haben Sie sicher eine Bestätigung bekommen.

Ich kann Ihnen kein Zimmer geben, ________ Sie keine Bestätigung ________.

A2 Der erste Arbeitstag

Was passt? Spielen Sie Gespräche mit Ihrer Partnerin / Ihrem Partner.

Schalte bitte zuerst den Computer ein, wenn du in der Früh in die Arbeit kommst.

Wenn du Fragen hast, dann kannst du immer zu mir kommen.

Ja, in Ordnung.

Ja, klar.

Wenn ...	(dann) ...
in der Früh in die Arbeit kommen Fragen haben Hilfe brauchen Büromaterial brauchen krank sein zum Arzt gehen müssen am Abend heimgehen	bitte zuerst den Computer einschalten immer zu mir kommen können mich fragen können bitte die Sekretärin anrufen bitte im Büro anrufen das nicht in der Arbeitszeit machen die Rezeption aufräumen / bitte den Computer ausschalten / bitte die Fenster zumachen

A3 Kettenspiel: Arbeiten Sie in Gruppen und schreiben Sie Kettensätze. Wie viele Sätze finden Sie in fünf Minuten?

Wenn ich den Wecker nicht höre, dann komme ich zu spät in die Arbeit.
Wenn ich zu spät in die Arbeit komme, ...

SCHON FERTIG? Was müssen neue Kursteilnehmer wissen? Schreiben Sie Sätze wie in A2.

B Du **solltest** Detektiv werden.

4

B1 Wer sagt was?

a Ordnen Sie zu.

- (B) Sie sollten nicht unhöflich werden!
- ◯ Jetzt sollten wir aber Edith holen.
- ◯ Du solltest Detektiv werden.

b Markieren Sie in a wie im Beispiel und ergänzen Sie dann die Tabelle.

ich	sollte	Detektiv werden.
du	....	
er/sie	sollte	
wir	....	
ihr	solltet	
sie/Sie	sollten	

Du solltest Detektiv werden.

B2 Jobsuche: Geben Sie Ratschläge.

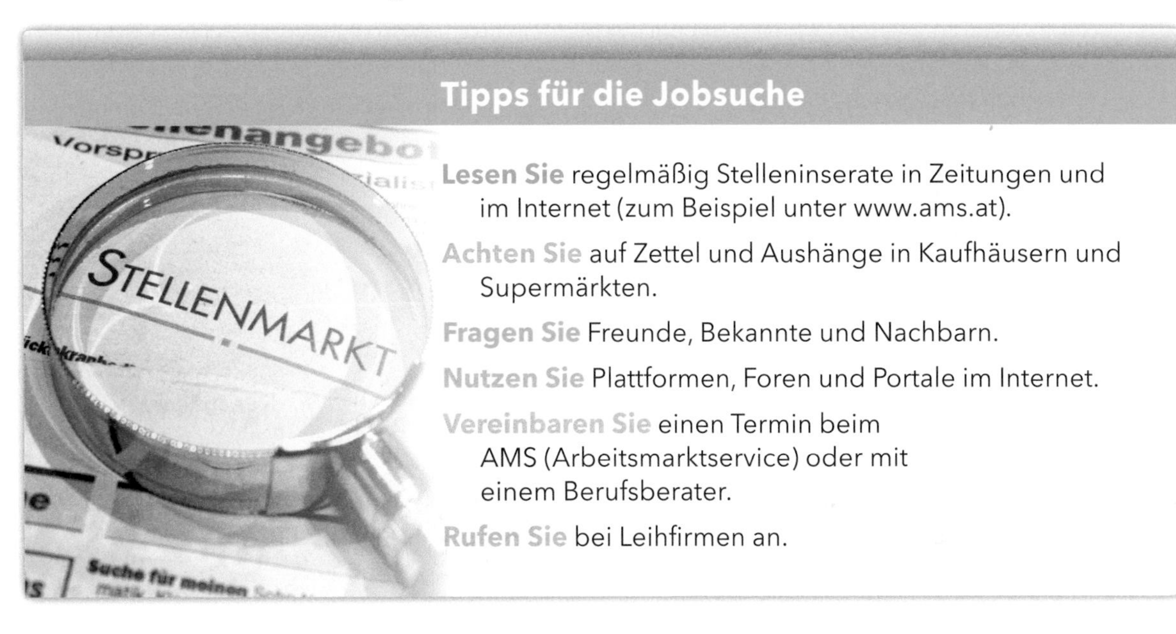

Tipps für die Jobsuche

Lesen Sie regelmäßig Stelleninserate in Zeitungen und im Internet (zum Beispiel unter www.ams.at).

Achten Sie auf Zettel und Aushänge in Kaufhäusern und Supermärkten.

Fragen Sie Freunde, Bekannte und Nachbarn.

Nutzen Sie Plattformen, Foren und Portale im Internet.

Vereinbaren Sie einen Termin beim AMS (Arbeitsmarktservice) oder mit einem Berufsberater.

Rufen Sie bei Leihfirmen an.

Wenn du einen Job suchst, solltest du regelmäßig die Stelleninserate in Zeitungen und im Internet lesen.

Du solltest auf Zettel ...

SCHON FERTIG? Finden Sie weitere Tipps.

B3 Unsere Tipps

a Arbeiten Sie in Gruppen. Wählen Sie ein Thema und machen Sie ein Plakat mit Tipps. Sie können auch im Internet nach Tipps suchen.

1 Tipps für den ersten Arbeitstag
2 Tipps für ein Praktikum
3 Tipps für Lehrlinge

b Präsentieren Sie Ihr Plakat im Kurs.

Ihr solltet fragen, wenn ...

Unsere Tipps für den ersten Arbeitstag

- Fragen Sie, wenn Sie etwas nicht verstehen.
- Schalten Sie Ihr Handy aus.

...

C Mitteilungen am Arbeitsplatz

C1 Lesen Sie die Texte und ordnen Sie die Themen zu.

a (5) Gewerkschaft – für mehr Sicherheit und Schutz
b ◯ Neue Öffnungszeiten
c ◯ Einladung zu meiner Abschiedsfeier
d ◯ Einladung zur Betriebsversammlung
e ◯ Anmeldefrist
f ◯ Zu Ihrer Sicherheit

1

E-Mail senden

Liebe Kolleginnen und Kollegen,
in der Weiterbildung „Wie rede ich mit schwierigen Kunden?" sind noch Plätze frei. Wenn Sie Interesse haben, dann melden Sie sich bitte bis zum 31. Oktober bei mir im Sekretariat an.
Mit freundlichen Grüßen
Claudia Lehner

2

E-Mail senden

Liebe Kolleginnen und Kollegen,
nun arbeite ich schon seit über 40 Jahren in unserer Firma. Aber bald werde ich 65 und gehe in Pension. Aus diesem Anlass möchte ich am 24.06. ab 16 Uhr gern mit Ihnen/euch in der Kantine feiern und auf mein Leben als Pensionist anstoßen.
Ich freue mich auf Ihr/Euer Kommen!
Herzliche Grüße Walter Mohr

3

Liebe Kolleginnen und Kollegen,
das Team von der Kantine ist ab April länger für Sie da:
Mo–Do 11.30–14.30 Uhr und
Fr 12.00–14.00 Uhr.
Wenn Sie Veranstaltungen oder Feiern in der Kantine planen, dann wenden Sie sich bitte an unsere Küchenchefin Abida Demir.

4

E-Mail senden

Die Betriebsversammlung findet am 15. März um 10:00 Uhr in der Kantine statt.
Der Betriebsrat informiert über das Thema: „Arbeitszeit – Ihre Rechte".
Mit freundlichen Grüßen
Ihr Betriebsrat

5

GEWERKSCHAFT

Werden Sie Mitglied bei der Gewerkschaft!
Es gibt viele gute Gründe. Wir beraten Sie bei allen Fragen zum Tarifrecht und bei Kündigungen und Entlassungen.

6

Zur Erinnerung:
Bitte beachten Sie die Sicherheitsvorschriften!
Betreten Sie die Werkstatt nie ohne Gehörschutz!

C2 Lesen Sie noch einmal und korrigieren Sie.

- die Weiterbildung =
- die Fortbildung

1 Man kann sich für die Weiterbildung ~~nicht mehr~~ anmelden. noch
2 Herr Mohr feiert seinen Abschied und lädt alle Kunden ein. ....
3 Die Kantine hat im April neue Öffnungszeiten. ....
4 Auf der Betriebsversammlung informiert der Betriebsrat über die Kantine. ....
5 Die Gewerkschaft entlässt die Mitarbeiter. ....
6 Die Mitarbeiter sollen ~~ihren Kopf~~ schützen. ihre Ohren

SCHON FERTIG? Bedanken Sie sich bei Herrn Mohr. Sie kommen gern. Schreiben Sie.

D Telefongespräche am Arbeitsplatz

2 9–11 **D1 Welcher Text aus C1 passt?**

Hören Sie drei Telefongespräche und ordnen Sie zu.

Gespräch	A	B	C
Text			

2 9–11 **D2 Ordnen Sie die Telefongespräche.**

Hören Sie dann noch einmal und vergleichen Sie.

A

◯ Tut mir leid, der ist gerade nicht am Platz. Kann ich ihm etwas ausrichten?
① Exportabteilung, Kirschner, guten Tag.
◯ Grüß Gott, hier ist Al-Sayed. Könnten Sie mich bitte mit Herrn Mohr verbinden?
◯ Ja, gut. Dann auf Wiederhören.
◯ Nein, danke, nichts. Es geht um seine Abschiedsfeier. Ich bin im Juni leider auf Urlaub. Aber das möchte ich ihm gern selber sagen. Ich versuche es später noch einmal.

B

◯ Tut mir leid, sie ist noch nicht da. Soll sie zurückrufen, wenn sie kommt?
◯ Grüß Gott, Amelie Zobl spricht. Ist die Frau Lehner schon im Haus?
◯ Gut. Auf Wiederhören.
◯ Nein, danke. Ich habe nur eine Frage zu dem Seminar. Ich rufe später noch einmal an.

C

◯ Ja, gut. Dann geben Sie mir bitte die Durchwahl von der Kantine.
◯ Ja, grüß Gott, Urban spricht. Würden Sie mich bitte zu Frau Demir durchstellen?
◯ Nein, da ist im Moment niemand da. Die haben schon Feierabend. Könnten Sie vielleicht morgen in der Früh noch einmal anrufen?
◯ Die ist leider nicht mehr im Haus.
◯ Ist denn sonst jemand aus der Kantine da? Es geht um eine Veranstaltung.
◯ Vielen Dank. Auf Wiederhören.
◯ Ja, gern, die Durchwahl ist 2-6-5.

etwas ↔ nichts
schon ↔ noch nicht
jemand ↔ niemand

D3 Rollenspiel

a Wählen Sie mit Ihrer Partnerin / Ihrem Partner eine Situation. Was wollen Sie sagen? Verwenden Sie passende Sätze aus D2.

Anrufer/in
Sie möchten mit Herrn ... aus der Export-Import-Abteilung oder sonst jemanden aus der Abteilung sprechen.

Firma
Herr ... ist nicht da.
Es ist sonst niemand da. – bitte später anrufen
etwas ausrichten?

Anrufer/in
Sie wollen Frau ... sprechen.
Sie rufen später noch einmal an.

Firma
Frau ... ist nicht da.

Anrufer/in
bitte mit Frau ... verbinden
Durchwahl geben

Firma
Frau ... ist außer Haus.
Durchwahl: 253

b Spielen Sie die Telefongespräche.

E Arbeit und Freizeit

E1 Arbeitszeit und Freizeit

a Was meinen Sie? Was ist richtig? Kreuzen Sie an und sprechen Sie im Kurs.

1 Wie viele Stunden pro Woche arbeiten die österreichischen Arbeitnehmer durchschnittlich?
○ 34 Stunden ○ 41,5 Stunden ○ 43 Stunden

2 Wie viele Urlaubstage haben österreichische Arbeitnehmer durchschnittlich?
○ 14 Tage ○ 21 Tage ○ 30 Tage

3 Wie viele Feiertage gibt es durchschnittlich in Österreich?
○ 6–9 Tage ○ 10–14 Tage ○ 15–20 Tage

4 Wie viele Urlaubstage haben österreichische Arbeitnehmer, wenn sie mindestens 25 Jahre gearbeitet haben?
○ 29 ○ 36 ○ 40

Vielleicht/Wahrscheinlich arbeiten die Österreicher durchschnittlich ...
Ich glaube, die Österreicher haben ...
Ich denke, es gibt ...

Ja, das glaube/denke ich auch.
Nein, das glaube/denke ich nicht. Vielleicht ...
Keine Ahnung.

b Welche österreichischen Feiertage kennen Sie? Erzählen Sie.

Feiertage in Österreich? Keine Ahnung.

Da gibt es doch zum Beispiel den Nationalfeiertag. Ich glaube, der ist am 26. Oktober.

E2 Arbeiten in Österreich

a Was bedeutet das? Verbinden Sie.

1 Überstunden machen
2 der Arbeitnehmer
3 der Arbeitgeber
4 freihaben, z. B. an einem Feiertag
5 die Pflegefreistellung

a Man arbeitet nicht, aber man bekommt Lohn.
b Das ist eine Firma / eine Person. Sie bietet Arbeit an.
c Im Arbeitsvertrag steht zum Beispiel: Man muss 35 Stunden pro Woche arbeiten. Man arbeitet aber 40 Stunden.
d Man kann daheim bleiben, weil jemand aus der Familie krank ist.
e Er ist in einer Firma angestellt.

b Lesen Sie und vergleichen Sie mit Ihren Antworten in E1.

Arbeitszeit, Urlaubs- und Feiertage in Österreich

Österreichs Arbeitnehmerinnen und Arbeitnehmer arbeiten in der Regel 38,5 Stunden pro Woche. Die Arbeitszeit ist aber nicht überall gleich. Wie viele Stunden man arbeiten muss, steht in den Arbeitsverträgen. Viele Menschen arbeiten aber mehr und machen Überstunden. Wenn man diese mitzählt, arbeiten die Österreicherinnen und Österreicher durchschnittlich 41,5 Stunden pro Woche. Mehr Stunden arbeitet man in Europa nur in Großbritannien (42,4), in der Schweiz (43) und in Island (rund 44 Stunden). In Österreich bekommt allerdings jeder Arbeitnehmer Urlaubstage. Der Arbeitgeber muss den Mitarbeitern diese Tage bezahlen. Man hat pro Jahr 30 Tage Urlaub, nach 25 Arbeitsjahren bekommt man 36 Tage. Auch an den Feiertagen müssen die meisten Arbeitnehmerinnen und Arbeitnehmer in Österreich nicht arbeiten, Büros, Geschäfte und

Schulen sind zu. Es gibt in Österreich 13 Feiertage, die meisten sind religiöse Feiertage, wie zum Beispiel der 25. und 26. Dezember 30 oder der Ostermontag. Wenn man also die Zahl von freien Tagen anschaut, dann haben es die Arbeitnehmerinnen und Arbeitnehmer in Österreich sehr gut, denn sie haben insgesamt mindestens 43 Tage pro Jahr frei. 35 Wenn jemand in der Familie krank ist, darf man sich pro Jahr eine Woche frei nehmen. Diese freie Zeit heißt Pflegefreistellung, aber man sagt „Pflegeurlaub", auch wenn das kein Urlaub ist.

c Was ist richtig? Kreuzen Sie an.

1 ☒ In Österreich arbeitet man weniger als in anderen europäischen Ländern.
2 ○ Wenn man 25 Jahre oder mehr gearbeitet hat, bekommt man mehr Urlaub.
3 ○ Es gibt in Österreich 13 religiöse Feiertage.
4 ○ An Feiertagen müssen nur die Arbeitnehmerinnen und Arbeitnehmer in den Büros, Geschäften und Schulen arbeiten – alle anderen haben frei.
5 ○ Wenn man mit anderen Ländern vergleicht, gibt es in Österreich viele freie Tage.
6 ○ Wenn man im Urlaub krank wird, kann man Pflegeurlaub nehmen.

E3 Erzählen Sie. Recherchieren Sie auch im Internet.

Wie viele Tage Urlaub hat man durchschnittlich in Ihrem Land?
Gibt es in Ihrem Land viele Feiertage? Welche?

Bei uns in der Türkei / in ... arbeitet man / hat man / gibt es ...
Das gilt auch/nicht für ...
Es gibt ... in meinem Land.
Bei uns / in meinem Heimatland ist das anders / auch so.
Bei uns / In meinem Heimatland gibt es auch / keinen Pflegeurlaub. Wenn jemand aus der Familie krank ist ...

In Polen gibt es ungefähr 13 Feiertage, glaube ich. Ostersonntag, Ostermontag, den Nationalfeiertag, ...

Bei uns in der Türkei hat man nur 14 Tage Urlaub. Nach fünf Jahren bekommt man rund 20 Tage Urlaub.

E4 Hast du frei?

2 ◀)) 12

Hören Sie das Telefongespräch. Was ist richtig? Markieren Sie.

a Die Gesprächspartner sind ○ Arbeitskollegen ○ Freunde.
b Die Frau sagt am Telefon ○ ihren ○ seinen Namen nicht.
c Herr Wegscheider ist ○ noch immer ○ schon wieder im Pflegeurlaub.
d Bei ihm daheim sind ○ alle in seiner Familie ○ zwei Kinder krank.
e Frau Thöni ○ will ○ muss am Freitag arbeiten.
f Frau Thöni ist heute ○ noch nicht ○ schon mit ihrer Arbeit fertig.

Grammatik

1 Konjunktion: *wenn* ÜG 10.11

a Hauptsatz vor dem Nebensatz

	Konjunktion	Ende
Ich kann Ihnen kein Zimmer geben,	wenn Sie keine Bestätigung	haben.

b Nebensatz vor dem Hauptsatz

Konjunktion	Ende	⚠
Wenn Sie keine Bestätigung	haben,	(dann) kann ich Ihnen kein Zimmer geben.

Was machen Sie, wenn Sie freihaben? Schreiben Sie vier Sätze mit *wenn*.

Wenn ich freihabe, gehe ich oft spazieren.
Ich mache ..., wenn ...

2 Ratschlag: *sollen* im Konjunktiv II ÜG 5.12

ich	**sollte**
du	solltest
er/es/sie	**sollte**
wir	sollten
ihr	solltet
sie/Sie	sollten

Du solltest Detektiv werden.

ich
er/es/sie | sollte

Geben Sie Ratschläge.

Sie sollten früh ins Bett gehen.

Kommunikation

ETWAS VERMUTEN: Ich denke, es gibt ...

Vielleicht/Wahrscheinlich arbeiten die Österreicher durchschnittlich ...
Ich glaube, die Österreicher haben ...
Ich denke, es gibt ...
Ja, das glaube/denke ich auch. / Nein, das glaube/denke ich nicht.
Vielleicht ...
Keine Ahnung.

ETWAS VERGLEICHEN: Es gibt ... in meinem Land.

Bei uns in der Türkei / in ... arbeitet man / hat man / gibt es ...
Das gilt auch/nicht für ...
Es gibt ... in meinem Land.
Bei uns / In meinem Heimatland ist das anders. / auch so.

AM TELEFON: Können Sie mich mit ... verbinden?

Grüß Gott, hier ist ... / spricht ...	*..., guten Tag.*
Könnten Sie mich bitte mit Frau/ Herrn ... verbinden?	*Tut mir leid, die/der ist gerade nicht am Platz.*
Ist die Frau/der Herr ... schon im Haus? *Könnten Sie mich bitte zu Frau/ Herrn ... durchstellen?*	*... ist (noch) nicht da.* *... ist leider nicht mehr im Haus.*
Ist denn sonst jemand aus der Abteilung/Kantine da?	*Da ist im Moment niemand da.* *Die haben schon Feierabend.* *Soll sie/er zurückrufen, wenn sie/er kommt?* *Kann ich ihr/ihm etwas ausrichten?* *Können Sie vielleicht morgen in der Früh noch einmal anrufen?*
Ich versuche es später noch einmal. *Ich rufe später noch einmal an.* *Geben Sie mir bitte die Durchwahl von ...*	*Ja, gern, die Durchwahl ist 2-5-6.*
Vielen Dank. Auf Wiederhören.	

Schreiben Sie ein Telefongespräch.

Grüß Gott, hier ist ...

Lernziele

Ich kann jetzt ...

A ... Zusammenhänge ausdrücken: *Wenn Sie online reserviert haben, dann haben Sie sicher eine Reservierungsbestätigung bekommen.* ______ ☹ 😐 ☺

B ... Ratschläge geben: *Sie sollten zum Berufsberater gehen.* ______ ☹ 😐 ☺

C ... Mitteilungen am Arbeitsplatz verstehen: *Werden Sie Mitglied!* ______ ☹ 😐 ☺

D ... Telefongespräche führen: *Können Sie mich bitte mit ... verbinden?* ______ ☹ 😐 ☺

E ... einen Sachtext verstehen: *Österreichische Arbeitnehmer arbeiten in der Regel 38,5 Stunden pro Woche.* ______ ☹ 😐 ☺

Ich kenne jetzt ...

... 10 Wörter zum Thema *Arbeit und Freizeit*:

die Gewerkschaft, ...

... 5 Wörter zum Thema *Hotel*:

die Reservierung, ...

LESEN

Beim AMS

beschäftigt sein = einen Job haben
● das Arbeitslosengeld = bekommt man, wenn man arbeitslos gemeldet ist

1 Was ist richtig? Lesen Sie den Text und kreuzen Sie an.

Arbeitssuche

Das AMS hilft Ihnen bei der Suche nach einer Stelle oder einer Lehrstelle. Auch wenn Sie noch beschäftigt sind und eine neue Arbeit suchen, können wir Ihnen helfen.

Sie können
- entweder persönlich zu Ihrer AMS-Geschäftsstelle kommen oder
- über das Internet eine Arbeitslosmeldung machen. Wenn Sie das Online-Formular ausfüllen, kontaktieren wir Sie und laden Sie zu einem persönlichen Gespräch in Ihre zuständige AMS-Geschäftsstelle ein.

Bringen Sie bei Ihrem ersten AMS-Besuch bitte Ihre E-Card und einen amtlichen Lichtbildausweis mit. Wenn Sie bei uns registriert sind, informieren wir Sie über offene Stellen. In unseren Geschäftsstellen können Sie selbstständig nach offenen Stellen suchen und auf unserer Homepage finden Sie weitere Jobbörsen.

Arbeitslosengeld

Für einen Antrag auf Arbeitslosengeld müssen Sie Ihre E-Card und einen amtlichen Lichtbildausweis mitbringen.

a ○ Wenn man Arbeit sucht, kann man zum AMS gehen.
b ○ Das AMS hilft nur bei der Arbeitssuche, wenn man arbeitslos ist.
c ○ Auf der Homepage des AMS kann man auch eine Stelle suchen.
d ○ Wenn man Arbeitslosengeld beantragen möchte, muss man den Pass oder Führerschein mitbringen.

SPIEL

Beruferaten: Was bin ich von Beruf?

Wählen Sie einen Beruf und schreiben Sie ihn auf ein Kärtchen. Notieren Sie auch drei Informationen zu Ihrem Beruf. Lesen Sie im Kurs die erste Information vor. Die anderen raten. Wenn die anderen Ihren Beruf noch nicht wissen, lesen Sie die zweite Information, usw.

Altenpfleger/in | Arzt/Ärztin | Bäcker/in | Beamter/Beamtin | Blumenhändler/in | Busfahrer/in | Fotograf/in | Friseur/in | Fußballprofi | Journalist/in | Kaufmann/Kauffrau | Kellner/in | Kindergärtner/in | Koch/Köchin | Krankenpfleger/Krankenschwester | Lehrer/in | Mechaniker/in | Polizist/in | Sänger/in | Taxifahrer/in | ...

Friseur/in
1 Ihr kommt manchmal zu mir.
2 Ich arbeite oft mit einer Schere.
3 Ich mache eure Haare schön.

COMIC

Der kleine Mann: Schluckauf

Lesen Sie den Comic. Haben Sie auch einen Tipp gegen Schluckauf? Sammeln Sie alle Tipps im Kurs.

Du solltest einen Kaugummi kauen.

Sport und Fitness

1 Schauen Sie die Fotos an.

a Was meinen Sie?
Wer sagt das?
Kreuzen Sie an.

	 Sandra	 Tim	 Herr Schramml
1 Ich bewege mich zurzeit nicht genug.	○	○	○
2 Ich bin in einem Latin-Dance-Club.	○	○	○
3 Ich interessiere mich sehr für den Tanzsport.	○	○	○
4 Wann findet denn das Basketballtraining statt?	○	○	○
5 Komm, ich zeige dir jetzt den Samba-Schritt.	○	○	○

2 ◀)) 13–20 

b Hören Sie und vergleichen Sie.

2 🔊 13–20

2 Hören Sie noch einmal und korrigieren Sie.

Tim fühlt sich nicht so gut, weil er zu wenig ~~schläft~~. Sandra lädt Tim in ihren Latin-Dance-Club ein, aber Tim findet: Basketball ist kein Sport. — *Sport macht*

Das sieht seine Kollegin anders. Sie schickt Tim ein Trainingsvideo. Tim probiert den Tanz sogar aus. Doch er fällt dabei hin. Auf Tanzen hat Tim große Lust.

Er möchte lieber Basketball spielen und ruft bei einem Sportverein an. Gleich am Nachmittag kann er zum Probetraining kommen.

Am nächsten Tag erzählt Tim Sandra von dem Training und seinen Tanzversuchen und lernt den Samba-Schritt von Herrn und Frau Schramml.

3 „Übung macht den Meister." Mögen Sie Sport?

Welche Sportart können Sie besonders gut?

Ich mache nie Sport. Das macht keinen Spaß!

Ich schwimme sehr gern und kann das auch gut.

A Ich **bewege mich** zurzeit nicht genug.

Reflexive verbs

2 🔊 21 **A1 Ergänzen Sie. Hören Sie dann und vergleichen Sie.**

- ◆ Was ist los, Tim? Du schaust müde aus.
- ○ Ja. Ich fühle _mich_ auch nicht so gut.
- ◆ Vielleicht bewegst du _dich_ zu wenig?
- ○ Ja, das stimmt schon. Ich bewege _mich_ zurzeit nicht genug.

ich	bewege	mich
du	bewegst	dich
er/es/sie	bewegt	sich
wir	bewegen	uns
ihr	bewegt	euch
sie/Sie	bewegen	sich

auch so: sich fühlen, ...

A2 Bewegungstipps

a Lesen Sie den Text und ordnen Sie zu.

3 Ernährung 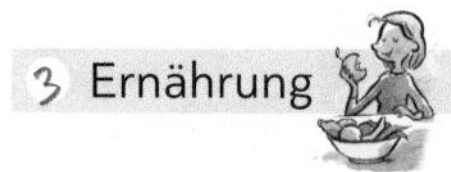 2 Entspannung  1 Bewegung

SCHLUSS MIT MÜDIGKEIT: So werden Sie wieder fit!

Sie fühlen sich immer müde? Hier unsere Tipps:

1 Bewegen Sie sich regelmäßig! Schon ein kurzer Spaziergang hilft.
Tipp: Verabreden Sie sich mit Freunden.

2 Machen Sie Pausen: Ruhen Sie sich regelmäßig aus und entspannen Sie sich. Wenn Sie schlecht einschlafen, dann legen Sie sich vor dem Schlafengehen in die Badewanne.

3 Sie sollten sich gesund ernähren. Trinken Sie viel Wasser oder Tee und essen Sie viel Obst und Gemüse. Dann fühlen Sie sich sofort besser.

b Lesen Sie noch einmal. Markieren Sie in a wie im Beispiel und machen Sie eine Liste.

sich bewegen, ...

Sie fühlen sich müde?
Bewegen Sie sich regelmäßig!
Sie sollten sich gesund ernähren.

SCHON FERTIG? Schreiben Sie eigene Tipps gegen Müdigkeit.

A3 Spielen Sie Gespräche wie in A1.

- ◆ Was ist los? Du schaust müde aus.
- ○ Ja. Ich fühle mich auch nicht so gut.
- ◆ Vielleicht ärgerst du dich zu viel.

sich zu viel ärgern | sich nicht gesund ernähren | sich zu wenig ausruhen | sich nicht genug entspannen

sich ausruhen = sich ausrasten

A4 Pantomime: Arbeiten Sie in Gruppen. Eine Person spielt, die anderen raten.

- ◆ Was mache ich?
- ○ Schminkst du dich?
- ◆ Ja, das ist richtig.

sich rasieren | sich schminken | sich umziehen | sich kämmen | sich waschen | sich beeilen | sich anziehen | sich konzentrieren | sich beschweren | sich ausrasten

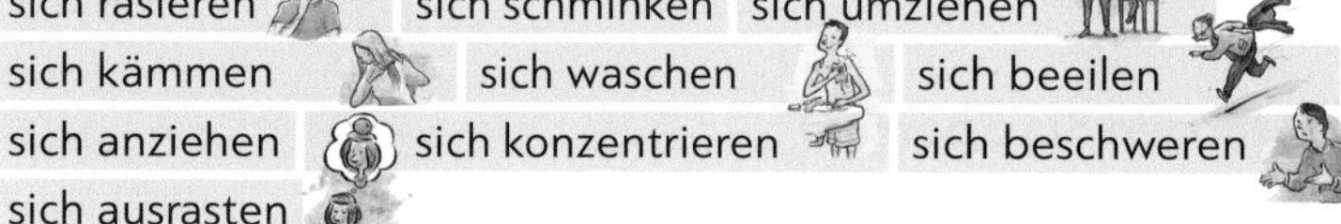

B Ich **interessiere mich** sehr **für** den Tanzsport.

5

B1 Und Sie? Interessieren Sie sich für ...? Fragen Sie und antworten Sie.

verbs + prepositions

> *Wissen Sie, ich interessiere mich sehr für den Tanzsport.*

Interessierst du dich für ...?
+ Ja, eigentlich schon. / ++ Ja, sehr.
– Nein, eigentlich nicht. / – – Nein, überhaupt nicht.

◆ Interessierst du dich für den Tanzsport?
○ Nein, überhaupt nicht.

● Modezeitschriften ● Computer
● die österreichische Geschichte
● das Theater ● die Sportnachrichten
● die Wettervorhersage ...

sich interessieren für	
	● den Tanzsport
	● das Theater
	● die Wettervorhersage
	● die Sportnachrichten

B2 Lesen Sie die Nachricht.

a Markieren Sie wie im Beispiel: Was gefällt Tim gut?

E-Mail senden

Liebe Lara,
wie geht's? Bei mir passt alles!!! Ich warte leider noch auf ein Personalzimmer im Hotel. Aber über meine Nachbarn kann ich mich wirklich nicht beschweren. Die sind alle sehr nett. Und mit meinem Job im Hotel bin ich auch sehr zufrieden. Manchmal ärgere ich mich über unhöfliche Gäste, aber meistens macht die Arbeit viel Spaß. Ich habe dir noch gar nicht von meinem neuen Hobby erzählt: Ich spiele jetzt Basketball in einem Sportverein. Morgen treffe ich mich mit ein paar Mannschaftskollegen. Wir schauen uns zusammen das Basketball-Finale an. Und du? Was machst du so? Ich freue mich schon sehr auf deinen Besuch!
Ganz liebe Grüße, Tim

b Lesen Sie noch einmal und suchen Sie die fehlenden Wörter in a. Ergänzen Sie dann die Tabelle.

warten auf	
	● den Mann
	● das Kind
	● die Frau
	● die Personen
	dich

auch so: sich beschweren über, sich freuen auf, sich ärgern über, ...

zufrieden sein mit	
	● dem Mann
	● dem Kind
	● der Frau
	● den Personen
	dir

auch so: erzählen von, sich treffen mit, ...

B3 Schreiben Sie Sätze. Wer findet die meisten Sätze in fünf Minuten?

sich kümmern um | sich interessieren für | sprechen / reden mit | telefonieren mit | sich treffen mit | träumen von | Angst haben vor | ...

Ich träume oft von meinem Urlaub.
Ich habe Angst vor Hunden.

Ich telefonieren mit meine Mutter

C Darauf habe ich keine Lust.

C1 Ordnen Sie zu.

Darauf | Worauf | Auf

- ◆ Du interessierst dich nicht so für das Tanzen, oder?
- ○ Ehrlich gesagt: nein ... ______ habe ich keine Lust.
- ◆ ______ hast du dann Lust?
- ○ Keine Ahnung. ... ______ Sport.
- ◆ Tanzen ist Sport.

Ich habe keine Lust auf Tanzen.
Ich habe keine Lust darauf.
Worauf hast du dann Lust?

C2 Sportnachrichten

2 22–24

a Hören Sie die Gespräche und ordnen Sie zu.

	Ski-Alpin	Eishockey	Handball
Gespräch			

b Ordnen Sie zu. Hören Sie dann noch einmal und vergleichen Sie.

Goldmedaille | Frauenhandball | Weltmeisterschaft | Woche | fängt ... an | finde

1
- ◆ Na, geh! Jetzt haben die verloren.
- ○ Interessierst du dich jetzt auch für ______? Wofür interessierst du dich eigentlich nicht?
- ◆ Momentan ist doch die ______. Dafür interessiere ich mich schon.

2
- ▲ Morgen ______ die Eishockey-Saison ______. Darauf freue ich mich schon die ganze ______.
- □ Na, ich weiß nicht, Eishockey ______ ich so brutal.

3
- ✚ Olympische ______ für Michaela Dorfmeister? Daran kann ich mich gar nicht mehr erinnern.
- ● Ich schon. Das war 2006.

c Markieren Sie in b wie im Beispiel und ergänzen Sie die Tabelle.

sich interessieren für	______	______ ...?
sich freuen auf	______	Worauf ...?
sich erinnern an	______	Woran ...?

SCHON FERTIG? Welche Wörter wie in C2c kennen Sie noch? Ergänzen Sie die Tabelle.

C3 Interview: Schreiben Sie fünf Fragen und notieren Sie Ihre Antworten.

Erzählen Sie dann im Kurs. Finden Sie Gemeinsamkeiten?

denken an | sich freuen über | sich ärgern über | sich erinnern an | sprechen über | Lust haben auf | zufrieden sein mit | ...

- ◆ Ich denke gern an den Sommer.
- ○ Daran denke ich auch gern.
- ◆ Ich ärgere mich oft über meine Nachbarin. Worüber ärgerst du dich oft?
- ...

D Anmeldung bei einem Sportverein

D1 Ordnen Sie zu.

◯ Gymnastik ◯ Tischtennis ◯ Yoga ◯ Volleyball G Fitnesstraining ◯ Handball ◯ Tennis

A B C D E F G

25–27 D2 Anruf beim Sportverein

In welchem Gespräch hören Sie das? Hören Sie und ordnen Sie zu.

Die Anrufer interessieren sich für ② Rückengymnastik. ① Fußball. ◯ Tennis.
Die Trainingszeiten sind ◯ freitags. ◯ mittwochs. ◯ montags oder donnerstags.
Der Mitgliedsbeitrag beträgt ◯ 5 Euro ◯ 6 Euro ◯ 23 Euro pro Monat.

D3 Rollenspiel: Lesen Sie die Broschüre und spielen Sie Telefongespräche.

Sie möchten Ihren elfjährigen Sohn zum Fußball anmelden.

Sie möchten gern Yoga machen.

Sie möchten gern Samba tanzen lernen. Sie sind Anfängerin/Anfänger.

◆ Sportverein ..., guten Tag!
○ Grüß Gott! Mein Name ist ...
○ Ich interessiere mich für ... / Bieten Sie auch ... an?
○ Ich möchte mich / meine Tochter / ... gern zu / zum/zur ... anmelden.
◆ Ja, wir bieten auch ... an.
◆ Ja, dann kommen Sie doch einfach einmal vorbei.
○ Wann findet das statt?
◆ Das ist immer am Montag / ... von ... bis ... Uhr.
◆ Es gibt verschiedene Gruppen.
◆ Bitte rufen Sie Frau/Herrn ... an. Die Telefonnummer ist ...
○ Und wie viel kostet das?
○ Gibt es eine Ermäßigung für Schüler/ Lehrlinge/Studenten?
◆ Ja/Nein, für ... kostet das ... Euro pro Monat.
◆ Die erste Stunde ist kostenlos.
○ Vielen Dank für die Information.
○ Auf Wiederhören.

MITGLIEDSBEITRAG	Erwachsene:	11 Euro pro Monat, Lehrlinge/Studenten: 6 Euro pro Monat
	Kinder bis 12 J.:	5 Euro pro Monat, erste Stunde: kostenlos
SEKTIONEN	Fußball:	je nach Gruppe Auskunft bei Herrn Kohler, Tel. 987 65
	Basketball:	Mo und Do 19:30 – 21:00
	Yoga:	Di 19:00 – 20:00, Fr 10:00 – 11:00
	Samba:	Anfänger Mo 18:00 – 19:00, Fortgeschrittene Mo 19:00 – 20:00
Sportverein Schöfens	Tennis:	Anfänger Mi 18:00 – 19:00, Fortgeschrittene Do 19:00 – 20:00 (+ zusätzliche Gebühr)

E Aktiv bleiben

E1 Wie halten Sie sich gesund und fit?

a Schauen Sie die Fotos an. Was machen die Personen? Wie oft machen Sie das? Sprechen Sie.

Die Personen auf Foto 1 joggen. Das mache ich nie. Ich finde das langweilig.

1

2

3

4

b Welches Foto aus a passt? Überfliegen Sie den Text und ordnen Sie zu.

WIE HALTEN SIE SICH GESUND UND FIT?

② Bewegung im Alltag

Nur wenn man sich genug bewegt, bleibt man gesund! Zu wenig Bewegung ist neben dem Rauchen und einer schlechten Ernährung eine 5 häufige Ursache für Krankheiten. Die meisten Menschen sitzen zu viel: am Schreibtisch, vor dem Bildschirm, vor dem Fernseher. Etwas mehr Bewegung im Alltag tut dem Körper und der Gesundheit gut. Und das ist gar nicht schwer: Wenn es 10 nicht zu weit ist, können Sie zum Beispiel zu Fuß zur Arbeit gehen. Steigen Sie außerdem öfter einmal Stiegen und fahren Sie nicht mit dem Lift. Das hält fit. Auch beim Telefonieren können Sie ein wenig hin- und hergehen, wenn es Ihre Kolle- 15 gen nicht stört. Und: Gehen Sie in der Mittagspause kurz an der frischen Luft spazieren. Danach können Sie sich auch besser konzentrieren.

○ 10.000 Schritte

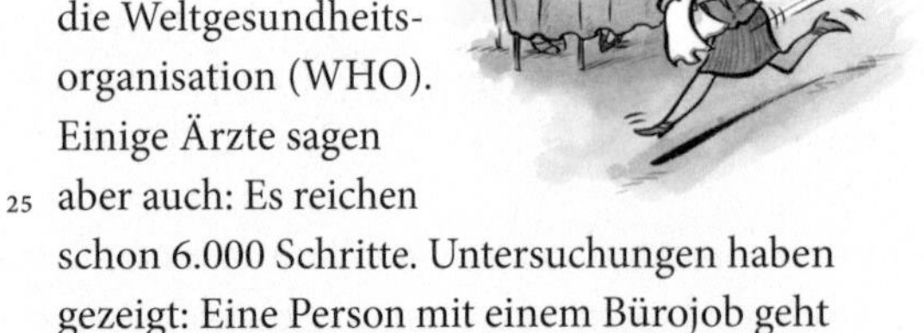

Jeder soll 10.000 20 Schritte pro Tag gehen – das empfiehlt die Weltgesundheitsorganisation (WHO). Einige Ärzte sagen 25 aber auch: Es reichen schon 6.000 Schritte. Untersuchungen haben gezeigt: Eine Person mit einem Bürojob geht ungefähr 2.000 Schritte pro Tag, eine Kellnerin in einem Restaurant 5.000. Wer schnell geht, 30 schafft 1.000 Schritte in ungefähr 10 Minuten. Sie sollten also täglich mindestens eine Stunde zu Fuß gehen. Wenn Sie tagsüber bei der Arbeit viel sitzen, können Sie am Abend einen Spaziergang machen: Schon eine halbe Stunde reicht, und Sie 35 haben 3.000 Schritte gemacht.

○ Sport muss nicht teuer sein.

Sie müssen sich nicht in einem teuren Fitnessstudio anmelden. Es geht auch preiswert. Sehr einfach und effektiv ist das Joggen: Wenn Sie 40 nicht gern laufen, können Sie auch einfach schnell gehen. Ein Trend ist das sogenannte Nordic-Walking: schnelles Gehen mit zwei Stöcken. Auch Tischtennis ist eine günstige Sportart. In einigen österreichischen Städten gibt es auf Spielplätzen 45 und in Parks Tischtennisplatten. Die kann man kostenlos nutzen. Außerdem bieten die Gebietskrankenkassen für ihre Mitglieder immer wieder kostenlose Kurse an, wie zum Beispiel Fitness- oder Rückenkurse und Lauftrainings.

50 ○ Radfahren

In Österreich ist das Radfahren sehr beliebt. 83 Prozent der 55 österreichischen Haushalte haben ein Fahrrad, durchschnittlich gibt es sogar 2,5 Fahrräder pro Haushalt. Die Österreicher benützen es vor allem auf 60 kurzen Strecken. Wer untertags neun Kilometer Rad fährt, muss am Abend nicht noch extra Sport machen. Außerdem ist man mit dem Rad flexibel und in der Stadt bei bis zu fünf Kilometern oft so schnell wie mit dem Auto. Und es ist auch noch 65 gut für die Umwelt!

c Lesen Sie den Text in b noch einmal und verbinden Sie.

1 Es ist nicht gut für die Gesundheit, wenn
2 Nach einem Spaziergang in der Mittagspause kann
3 Einige Ärzte empfehlen:
4 Bei einem 30-minütigen Spaziergang kann
5 Joggen, Walken und Tischtennis
6 Bei den Gebietskrankenkassen gibt es
7 In Österreich ist das Radfahren beliebt, weil
8 Für Kurzstrecken in der Stadt bis 5 Kilometer gilt:

a man 3.000 Schritte schaffen.
b kostenlose Sportangebote.
c es gut für die Umwelt und gesund ist.
d Mit dem Auto spart man meistens keine Zeit.
e sind günstige Sportarten.
f Man sollte 6.000 Schritte pro Tag gehen.
g man sich besser konzentrieren.
h man viel am Schreibtisch sitzt und sich zu wenig bewegt.

SCHON FERTIG? Finden Sie noch mehr Fitness-Tipps für den Alltag:
viel schlafen, ...

E2 Jetzt einmal ehrlich!

Lesen Sie die Fragen. Wie reagieren Sie? Erzählen Sie.

Sie besuchen einen Freund. Er wohnt im vierten Stock. Steigen Sie die Stiegen rauf oder fahren Sie mit dem Lift?

Normalerweise machen Sie jeden Morgen zehn Minuten Yoga. Aber heute sind Sie noch sehr müde. Was machen Sie?

Sie gehen jeden Dienstag mit Ihren beiden Freundinnen joggen. Heute haben beide keine Zeit. Joggen Sie allein?

Der Supermarkt ist gleich in Ihrer Nähe. Sie fahren immer mit dem Rad zum Einkaufen. Heute regnet es stark. Nehmen Sie das Auto?

Ehrlich gesagt ...
Wenn ich ehrlich bin, ...
Das ist doch klar.
Das ist doch selbstverständlich.
Das finde ich ein bisschen übertrieben.

Ich fahre auch bei Regen mit dem Rad. Das ist doch klar. Ich fahre nie mit dem Auto zum Einkaufen.

Bei Regen? Nein, das finde ich ein bisschen übertrieben. Ehrlich gesagt fahre ich dann mit dem Auto.

Grammatik

1 Reflexive Verben ÜG 5.24

sich bewegen		
ich	bewege	mich
du	bewegst	dich
er/es/sie	bewegt	sich
wir	bewegen	uns
ihr	bewegt	euch
sie/Sie	bewegen	sich

Sie fühlen sich müde?
Bewegen Sie sich regelmäßig!
Sie sollten sich gesund ernähren.

auch so: sich verabreden, sich ausruhen, sich ausrasten, sich entspannen, sich ärgern, sich beeilen, sich anziehen, sich schminken, sich kämmen, sich waschen, sich umziehen, sich rasieren, sich konzentrieren, sich beschweren, sich interessieren ...

Sie zieht sich an.

Sie zieht ihren Bruder an.

2 Verben mit Präpositionen ÜG 5.23

	Akkusativ			Plural
warten auf	• den Mann	• das Kind	• die Frau	• die Personen

auch so: sich beschweren über, sich freuen auf, sich ärgern über, sprechen über, sich freuen über, sich kümmern um, sich erinnern an, denken an, Lust haben auf ...

	Dativ			
zufrieden sein mit	• dem Mann	• dem Kind	• der Frau	• den Personen

auch so: erzählen von, sich treffen mit, sprechen mit, telefonieren mit, träumen von, Angst haben vor ...

Was passt? Verbinden Sie.

warten	an
sich interessieren	auf
denken	mit
Lust haben	über
sich erinnern	für
sich ärgern	von
sich verabreden	
träumen	

TIPP
Lernen Sie *warten auf*
Wortgruppen immer zusammen.

3 Präpositionaladverbien ÜG 5.23

Verb mit Präposition	Präpositionaladverb	Fragewort
sich interessieren für	dafür	Wofür ...?
sich freuen auf	darauf	Worauf ...?
(sich) erinnern an	daran	Woran ...?
sich ärgern über	darüber	Worüber ...?
zufrieden sein mit	damit	Womit ...?
träumen von	davon	Wovon ...?

Ich habe keine Lust auf Tanzen.
→ Ich habe keine Lust darauf.
→ Worauf hast du dann Lust?

Schreiben Sie Gespräche mit *Lust haben auf, sich ärgern über ...*

- ◆ Ärgerst du dich über die Musik?
- ○ Nein, darüber ärgere ich mich nicht.
- ◆ Worüber ...

⚠ da/wo + **r** + a/e/i/o/u

sich erinnern an: Wo**r**an? da**r**an

Kommunikation

JEMANDEN NACH SEINEN INTERESSEN FRAGEN: Du interessierst dich ...?

Du interessierst dich nicht so für ..., oder?
Woran denkst du gern?
Worüber ärgerst du dich oft?
Worauf hast du (dann) Lust?

ANTWORTEN ABSTUFEN: Ja, sehr.

Interessieren Sie sich für ...? | Interessierst du dich für ...?
Ja, sehr. | Ja, eigentlich schon.
Nein, eigentlich nicht. | Nein, überhaupt nicht.

SICH ANMELDEN / INFORMATIONEN ERFRAGEN: Wann findet das statt?

Ich interessiere mich für ...
Bieten Sie auch ... an?
Ich möchte mich / meine Tochter / ... gern zu/zum/zur ... anmelden.
Wann findet das statt?
Wie viel kostet das?
Gibt es eine Ermäßigung für Schüler/Lehrlinge/Studenten?
Vielen Dank für die Information.

DIE EIGENE MEINUNG AUSDRÜCKEN: Ehrlich gesagt ...

Ehrlich gesagt ... | Wenn ich ehrlich bin, ...
Das ist doch klar. | Das ist doch selbstverständlich.
Das finde ich ein bisschen übertrieben.

Und Sie? Schreiben Sie.

Ich interessiere mich für ... und für ...
Ich denke gern an ... und an ...
Ich habe oft Lust auf ... und auf ...

Wofür möchten Sie sich anmelden? Sammeln Sie Fragen.

Bieten Sie auch Surfkurse an? ...

Lernziele

Ich kann jetzt ...

A ... Gesundheitstipps verstehen: *Sie fühlen sich immer müde? Bewegen Sie sich regelmäßig!* ________ ☹ 😐 ☺
B ... meine Interessen ausdrücken: *Ich interessiere mich für Fußball.* ☹ 😐 ☺
C ... jemanden nach seinen Interessen fragen: *Du interessierst dich nicht so für das Tanzen, oder?* ________ ☹ 😐 ☺
D ... mich beim Sportverein anmelden und nach Informationen fragen: *Bieten Sie auch ... an?* ________ ☹ 😐 ☺
E ... meine Meinung sagen: *Ehrlich gesagt fahre ich dann mit dem Auto.* ☹ 😐 ☺

Ich kenne jetzt ...

... 6 Sportarten:
Tanzen, ...
____
____

... 5 Gesundheits- und Fitnesstipps:
sich gesund ernähren, ...
____
____

LESEN

Österreich und das runde Leder

○ Viele Österreicher interessieren sich für Fußball: Es gibt in jedem Bundesland mehrere Vereine und Clubs und fast jeder Ort hat einen Fußballplatz. Dort treffen sich besonders am Wochenende Jung und Alt: Manche sind selber aktiv, andere schauen lieber zu. Bei vielen Buben, aber auch Mädchen ist Fußball sehr beliebt. Fußball ist also Nationalsport in Österreich – oder doch nicht?

○ Österreich ist im internationalen Vergleich in der Mitte. An einige Spiele erinnern sich viele nicht so gern. So hat zum Beispiel das Nationalteam im Jahr 1990 gegen die kleinen Faröer-Inseln verloren.

○ Aber manchmal können sich die Fans auch freuen: Wenn man in Österreich über Fußball redet und ‚Córdoba' sagt, kennen fast alle diesen Begriff. Córdoba ist eine Stadt in Argentinien und dort hat 1978 die Fußballweltmeisterschaft stattgefunden. Österreich war zusammen mit Deutschland in einer Gruppe und hat am 21. Juni 3:2 gegen das Nachbarland gewonnen. Darüber hat man sich in Österreich sehr gefreut und noch heute denkt man gern an dieses berühmte Fußballmatch.

○ Viele Österreicher träumen davon, dass das ‚Wunder von Cordoba' wieder passiert. Doch sie warten schon lange und bis jetzt ist kein zweites Wunder passiert. Besser ist es, wenn man sich andere Sportarten im Fernsehen anschaut. Im Skifahren zum Beispiel sind die Österreicher wirklich gut und über die Ergebnisse muss man sich selten ärgern.

1 Lesen Sie und ordnen Sie zu.

3:2 = drei zu zwei

A Ein Spiel vor mehr als 35 Jahren
B Österreich – ein Fußballland?
C Das einzige und letzte Mal?
D Keine besonderen Erfolge

2 Lesen Sie noch einmal und korrigieren Sie.

a In Österreich gibt es in jedem ~~Ort~~ mehrere Fußballclubs. Bundesland
b 1990 hat Österreich gegen die Faröer-Inseln gewonnen. ______
c Österreich hat 1978 gegen Córdoba gespielt. ______
d Dieses Match hat am 21. Juli stattgefunden. ______
e Im Eishockey sind die Österreicher sehr gut. ______

3 Was ist Ihre Meinung zum Thema Fußball?

Für mich ist Fußball nicht so wichtig. Ich interessiere mich mehr für ...

Ich spiele selber gern Fußball. Mein Verein heißt ...

PROJEKT

Sportangebote

Darauf freu' ich mich:

GymnastiXXX

Für Anfänger und Fortgeschrittene.

- Tanzgymnastik
- Rückengymnastik
- Wassergymnastik
- Gymnastik für Senioren
- Gymnastik für Schwangere
- Kurse für Babygymnastik

Worauf haben Sie Lust?

www.gymnastixxx.com

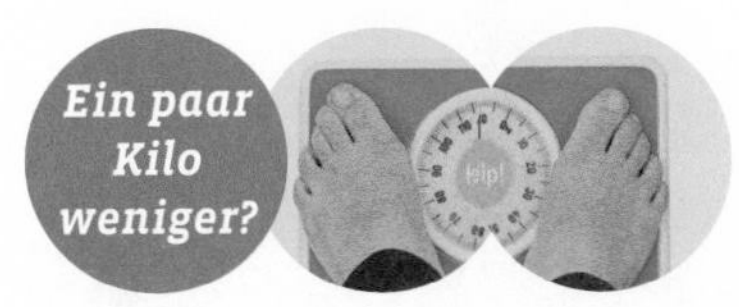

Davon träumen viele. Aber Träumen hilft nicht. Du brauchst Bewegung in unserer **Trainingsgruppe**. Mach mit und fühl dich sofort besser. Wir treffen uns jeden Dienstag und Donnerstag von 18:00 bis 19:30 Uhr. Wir gehen schwimmen, wir joggen, wir fahren Rad oder machen Gymnastik. Je nach Jahreszeit und Wetter. Ruf an: **Marion 174 237**

Wasserball macht Spaß und hält fit.

Bewegung für den ganzen Körper. Super für die Fitness. Spaß im Team.

In unserer Wasserball-Herren-Amateur-Mannschaft sind noch ein paar Plätze frei. Haben Sie Interesse? Wir treffen uns jeden Samstag um 11 Uhr im Hallenbad an der Linzer Straße. Kommen Sie doch einfach vorbei. Wir freuen uns auf Sie. Info unter: 2 298 976

Wir organisieren Wochenendwanderungen. Gemeinsam draußen sein. Sich in der Natur bewegen. Nur dort übernachten, wo Hunde willkommen sind. Alles ohne Stress, aber mit viel Spaß. Informieren Sie sich: www.wandern-mit-hund.at
Neu: 14 Tage Bergwanderurlaub für Mensch & Hund in Südtirol

1 Lesen Sie die Anzeigen. Was würden Sie gern machen?

2 Suchen Sie im Internet Sportangebote in Ihrer Stadt. Was finden Sie interessant?

Mich interessiert Wasserball. Das würde ich gern einmal versuchen.

HÖREN

2 28

Der Hampelmann

1 Hören Sie und bringen Sie die Bilder in die richtige Reihenfolge.

2 Hören Sie noch einmal und machen Sie mit.

○ 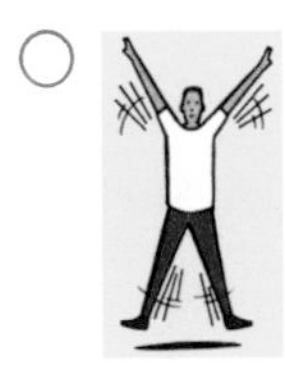 ①   ○  ○  

Schule und Ausbildung

1 Schule und Studium

a Ordnen Sie zu.

◯ • das Zeugnis
◯ • das Fach Geografie
◯ • die gute Note
◯ • die schlechte Note

BRG Walthergasse

A **Schulnachricht**

Niki Kaiopoulos

Deutsch	3	**Musikerziehung**	2
D **Geografie** C	5	**Bewegung und Sport** .... B	1

b Verbinden Sie.

1 ein Schuljahr schaffen
2 das Gymnasium
3 ein Referat halten
4 die Matura

a Wer diese Schule besucht, kann später an der Universität studieren.
b Man spricht vor der Klasse / dem Kurs über ein Thema.
c Das ist die Abschlussprüfung an einem Gymnasium.
d Man muss eine Klasse nicht wiederholen.

• die Schulnachricht =
• das Halbjahreszeugnis

c Wie heißt das Gegenteil? Ordnen Sie zu. ~~dumm~~ faul furchtbar

1 fleißig – .... 2 intelligent – dumm 3 super – ....

2 29–36

2 Schauen Sie die Fotos an. Lesen Sie die Fragen. Was meinen Sie? Sprechen Sie.
Hören Sie dann und vergleichen Sie.

Foto 2: Warum streiten Eva und Niki?
Foto 6: Was machen Tim und Niki?
Foto 7: Wo ist Niki? Was macht er?
Foto 8: Was feiern Tim und die Familie?

2 29–36

3 Was ist richtig? Hören Sie noch einmal und kreuzen Sie an.

a ☒ Eva ärgert sich, weil Niki schon wieder einen Fünfer in Geografie bekommen hat.
b ○ Niki wollte ins Gymnasium gehen.
c ○ Tim meint, dass Niki zu dumm für das Gymnasium ist.
d ○ Tim glaubt, dass Niki in Geografie leicht einen Vierer schaffen kann.
e ○ Niki holt seine Schulsachen und lernt zusammen mit Tim.
f ○ Niki hält ein Referat, weil er seine Note in Geografie verbessern möchte.
g ○ Eva und Dimi freuen sich, weil Niki das Schuljahr nun doch nicht wiederholen muss.

4 Wie finden Sie das Verhalten von Eva, Niki und Tim?

Ich finde, Tim macht das gut. Er ist nett, aber auch ein bisschen streng. Das ist wichtig, weil ...

A Ich **wollte** in meiner Schule bleiben.

2 ◀)) 37 **A1 Ordnen Sie zu. Hören Sie dann und vergleichen Sie.**

~~wollte~~ musste durfte

◆ Ich *wollte* in meiner Schule bleiben.
○ Was!?
◆ Aber ich .... nicht.
Ich .... ja ins Gymnasium gehen.

wollen		wollte
können		konnte
sollen	ich	sollte
dürfen		durfte
müssen		musste

A2 Wünsche und Pläne: Sprechen Sie.

Frau Aigner

wollen: Friseurin werden
aber sollen: eine Lehre als Sekretärin machen
nicht wollen: in einem Büro arbeiten
können: eine Lehre als Schneiderin machen

Dimi

wollen: Architekt werden
aber nicht dürfen: studieren
müssen: eine Lehre in einer Spedition machen
können: später Logistikmanagement studieren

Frau Aigner wollte Friseurin werden, aber sie sollte ...

ich	wollte
du	wolltest
er/es/sie	wollte
wir	wollten
ihr	wolltet
sie/Sie	wollten

auch so: konnte, sollte, durfte, musste

A3 Was wollten Sie früher werden?

a Machen Sie Notizen zu den Fragen.

1 Was wollten Sie als Kind / mit ... Jahren werden?
2 Was wollten Sie als Jugendliche/Jugendlicher werden?
3 Was machen Sie jetzt?

1 Astronaut
2 Musiker

b Schreiben Sie. Sammeln Sie die Texte ein und verteilen Sie sie neu. Lesen Sie und raten Sie: Wer hat das geschrieben?

als	Kind/Jugendliche/Jugendlicher
mit	11 (Jahren)

Mit neun wollte ich Astronaut werden und als Jugendlicher wollte ich am liebsten Musiker werden. Nach der Schule musste ich aber ein Handwerk lernen. Später ... Jetzt arbeite ich als ...

◆ Hast du das geschrieben, Malek? Du wolltest doch Astronaut werden.
○ Ja, das stimmt. Aber ich habe den Text nicht geschrieben.
▲ Ich glaube, der Text ist von ...

B Es ist wichtig, **dass** …

B1 Wer sagt was? Verbinden Sie.

a Es ist wichtig, dass man einen guten Schulabschluss hat.
b Es tut mir leid, dass ich das vorhin gesagt habe.
c Mir tut es ja auch leid, dass ich immer gleich laut werde.
d Es ist so schön, dass du das Schuljahr nun doch nicht wiederholen musst.
e Ich glaube, dass Geografie ab sofort mein Lieblingsfach ist.

Es ist wichtig, dass man einen guten Schulabschluss hat.

auch so: Ich glaube, dass … / Es tut mir leid, dass … / Es ist schön, dass …

2 🔊 38 B2 Schulstress

a Was sagen Felix, Mika und Nurhan? Hören Sie und kreuzen Sie an.

	hat … Stress			hat … Noten		
	keinen	ein bisschen	viel	gute	mittlere	schlechte
Felix	○	○	☒	○	○	○
Mika	○	○	○	○	○	○
Nurhan	○	○	○	○	○	○

b Was ist richtig? Hören Sie noch einmal und kreuzen Sie an.

Felix: Gute Noten sind ☒ sehr ○ nicht wichtig.
Ich möchte später ○ studieren. ○ eine Lehre machen.
Aber ich habe ○ zu wenig ○ genug Zeit für Hobbys.

Mika: Freizeitaktivitäten und Hobbys sind ○ nicht so ○ sehr wichtig.
Man muss herausfinden, welche Interessen man hat. Man kann sonst später nicht ○ den richtigen Beruf ○ das richtige Hobby finden.

Nurhan: Zu viel Stress ist nicht gesund. Man muss regelmäßig ○ die Hausübung ○ Pausen machen. Man kann sonst ○ müde ○ krank werden.

Felix

Mika

Nurhan

c Vergleichen Sie mit Ihrer Partnerin / Ihrem Partner.

◆ Felix meint, dass gute Noten sehr wichtig sind.
○ Ja, genau. Und er sagt, dass er später studieren möchte.
◆ Er findet, dass er …

Er/Sie	sagt/meint/ denkt/glaubt/ findet, ist sicher,	dass …

B3 Wählen Sie zwei Themen. Machen Sie Notizen und sprechen Sie dann in Gruppen.

- Sind Noten in der Schule wichtig?
- Sollen Mädchen und Buben in verschiedene Klassen gehen?
- Sollen Schüler den ganzen Tag in der Schule bleiben?
- Sollen Schüler auch am Samstag in die Schule gehen?

Ja, Noten sind wichtig; ohne Noten lernt mein Sohn nicht.

◆ Ich finde Noten wichtig. Wenn mein Sohn in der Schule keine Noten bekommt, dann lernt er nicht.
○ Ich finde Noten nicht so wichtig.
▲ Meinst du, dass Mädchen und Buben in verschiedene Klassen gehen sollen?
◆ Ja, gute Idee! / Keine schlechte Idee!

Meinst du (auch), *Findest du (auch),* *Glaubst du (auch),* *Bist du (auch) sicher,*	*dass …?*

C Schule

C1 Das österreichische Schulsystem: Schauen Sie das Schema an. Welche Schulen kennen Sie?

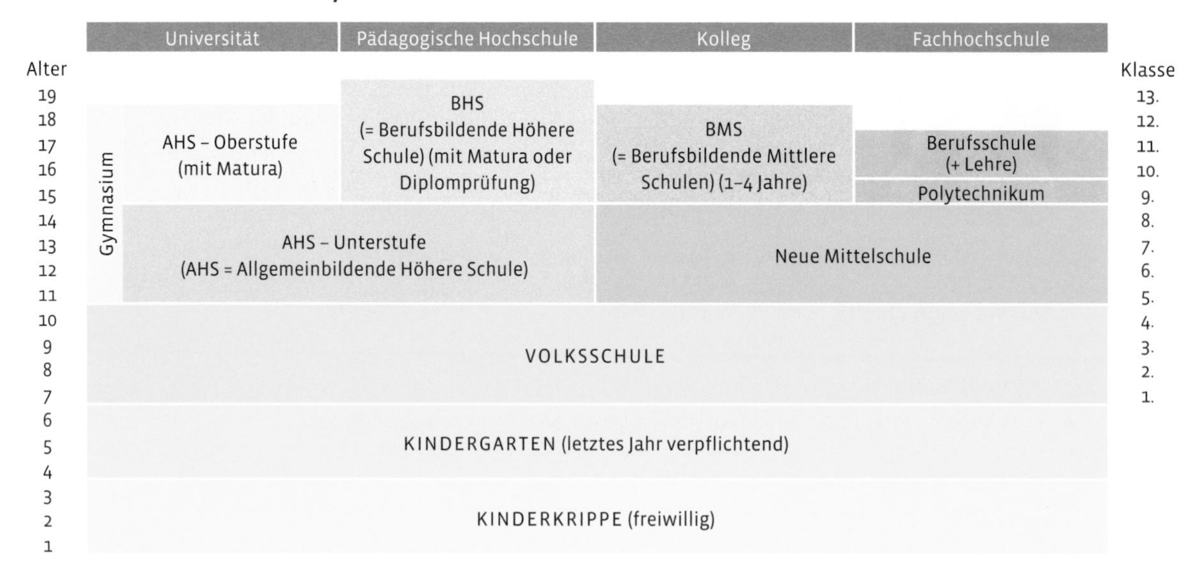

2 🔊 39–41 **C2 Unsere Schulzeit**

- die Matura machen
= maturieren

a Welche Aussage passt? Hören Sie die Interviews und ordnen Sie zu.

1 Fatma Elmas, 32

2 Cosmin Vasile, 42

3 Daniel Holzer, 19

◯ Er wollte keine Matura machen und ist jetzt Mechatroniker.
◯ Seine Schulzeit war sehr schön, findet er. Er und seine Freunde hatten viel Spaß.
◯ Sie ist immer gern in die Schule gegangen. Ihre Lieblingsfächer waren Mathematik und Physik.

b Hören Sie noch einmal und ergänzen Sie.

	Vor der Schule?	Welche Schule?	Ausbildung/Beruf?
Fatma			
Cosmin	/		Tischler
Daniel			

Schulfächer = Unterrichtsgegenstände
Biologie, Physik, Chemie, Geografie und Wirtschaftskunde, Deutsch/Englisch/Französisch ..., Mathematik, Sport, Musik, Geschichte und Sozialkunde

C3 Ihre Schulzeit

Ergänzen Sie den Fragebogen. Sprechen Sie dann mit Ihrer Partnerin / Ihrem Partner.

	Ich	Meine Partnerin / Mein Partner
1 Wann in die Schule gekommen?	mit 7	
2 Lieblingsfächer? Warum?	Mathematik, Noten gut, ...	
3 Welche Fächer nicht gefallen? Warum?		

◆ Ich bin mit sieben Jahren in die Schule gekommen. Und du?
○ Ich bin schon mit fünf in die Schule gekommen.

Ich bin mit ... in die Schule gekommen. | Mein Lieblingsfach / Mein Lieblingslehrer war ... . habe ich gehasst/geliebt. | Schön/Langweilig/Fad war auch immer ... Im Unterricht mussten/durften wir ... | Die Lehrer waren streng/sehr nett/super. | Wenn wir ...

D Aus- und Weiterbildung

D1 Lesen Sie die Kursangebote und markieren Sie die Kurstitel: Sport = blau, Sprache = grün, Computer = grau, Beruf = rot, Gesundheit = gelb.

Kursangebot FRÜHJAHR

A **Radfahren für Frauen – für Anfängerinnen**
Sie sind noch nie auf einem Fahrrad gesessen und Sie wollen gern Radfahren lernen? Dann sind Sie bei uns genau richtig!
15 Termine, Mo bis Fr, 9:00 – 11:15 Uhr, Beginn: 8. März, 5 – 7 TN*

B **Sprachprobleme bei der Führerscheinprüfung?**
Sie möchten den Führerschein machen, verstehen aber die Fragen für die Theorieprüfung nicht richtig? In diesem Kurs lernen Sie die sprachliche und inhaltliche Bedeutung der Fachbegriffe. Außerdem helfen wir Ihnen beim Umgang mit den Lehrmaterialien.
14 Termine, Mo bis Fr, 18:00 – 19:30 Uhr, Beginn: 10. März, 8 – 12 TN

C **Einführung in den PC: Keine Angst mehr vor Computern!**
Lernen Sie den sicheren Umgang mit „Word“: schreiben, speichern, drucken, aber auch die Arbeit mit Digitalfotos und vieles mehr.
4 Termine, Mo, 17:45 – 19:00 Uhr, Beginn: 1. März, 7 – 12 TN

D **Computerkurs für Fortgeschrittene**
Sie haben schon Erfahrung mit dem Internet? Hier lernen Sie mehr über den Umgang mit Suchmaschinen und Web-Katalogen.
1 Termin, So, 8. Mai, 10:00 – 17:00 Uhr, 7 – 12 TN

E **Berufsvorbereitungsjahr für Migrantinnen und Migranten**
In diesem einjährigen Lehrgang können junge Menschen (ab 16 Jahren) aus allen Ländern der Welt Deutsch für den Beruf lernen und berufliche und soziale Kompetenzen erwerben.
Mo – Fr, 9:00 – 14:30 Uhr (30 Stunden pro Woche), Beginn: 1. Februar, 12 – 20 TN

F **Vortrag Bewerbungstraining**
Wie bewirbt man sich richtig? Wie formuliert man das Bewerbungsschreiben? Wie präsentiert man sich beim Vorstellungsgespräch? Unsere Expertin zeigt Ihnen die besten Tipps und Tricks.
2 Termine, Sa/So, 5./6. Juni, 9:00 – 14:00 Uhr, 7 – 20 TN

G **Fit in Englisch!**
Lesen, Hören, Sprechen, Schreiben für Kinder ab der 3. Klasse
10 Termine, Do, 14:30 – 15:45 Uhr, Beginn: 19. Februar, 8 – 12 TN

H **Deutsch als Zweitsprache: Vorbereitungskurs zur „Staatsbürgerschaftsprüfung“**
In diesem Kurs lernen Sie, die Prüfungsfragen zu verstehen und erfahren auch etwas über den Ablauf der Prüfung.
2 Termine, 21. April und 3. Mai, 19:00 – 21:30 Uhr, 5 – 12 TN

I **Lehrgang zur beruflichen Qualifizierung**
Gesundheitsberufe/Pflege: Halbjähriger Lehrgang mit Abschlusszertifikat. Mit zweimonatigem Praktikum im Pflegebereich. Förderung durch AMS oder WAFF möglich.
Anmeldung und Beratung:
Frau Müller-Siechenender, Tel. 45 01 720
Mo – Fr, 8:30 – 15:00 Uhr, Beginn: 2. Februar, 12 – 20 TN

J **Erste-Hilfe-Kurs**
Ihr Kind hat sich verletzt. Es blutet stark. Der Notarzt ist noch nicht da! Was tun? Wir zeigen Ihnen die richtigen Handgriffe in Notsituationen.
5 Termine, Di, 9:00 – 11:30 Uhr, Beginn: 17. Februar, 7 – 12 TN

* TN= Teilnehmerinnen / Teilnehmer

SCHON FERTIG? Welche Kurse möchten Sie gern machen? Warum? Schreiben Sie.

• die Weiterbildung = • die Fortbildung

2 ◀)) 42–46 **D2** Hören Sie fünf Gespräche. Welcher Kurs aus D1 passt zu welchem Gespräch? Ordnen Sie zu.

Gespräch	1	2	3	4	5
Kurs	G				

E Mein Berufsweg

E1 Beruflicher Werdegang

a Was passt? Lesen Sie die Texte und ordnen Sie zu.

Schule ~~Praktikum~~ Berufsabschluss Studium

1 **Ayşe Gül – eine junge Ärztin mit türkischen Wurzeln**

Ayşe Gül hat schon als Schülerin gewusst, dass sie Ärztin werden wollte. In der fünften Klasse Gymnasium hat sie in den Ferien ein Schülerpraktikum in einem Krankenhaus gemacht. „Dort habe ich zum ersten Mal den Tagesablauf in einem Krankenhaus kennengelernt", sagt die 28-Jährige. „Das war super." — Praktikum

Ihr Weg zur Ärztin war nicht einfach. Ayşes Eltern sind vor 35 Jahren aus der Türkei nach Österreich gekommen, beide haben nur acht Jahre eine Schule besucht. Ihr Vater ist Taxifahrer, ihre Mutter Reinigungskraft in einer großen Firma. Dass Ayşe eine gute Ausbildung bekommt, war ihnen immer wichtig. Nur helfen konnten sie nicht viel. Ayşe musste es allein schaffen. Zuerst ist sie in die Mittelschule gegangen. Sie war eine fleißige Schülerin und hatte gute Noten. In der dritten Klasse konnte sie ins Gymnasium wechseln. „Biologie und Chemie waren meine Lieblingsgegenstände", sagt sie. Die Matura hat sie sehr gut bestanden. — ....

Nach der Matura hat sie sechs Jahre lang in Wien Medizin studiert. Das Studium war sehr schwer. „Ich musste sehr viel lernen, vor allem in den ersten zwei Jahren", erinnert sie sich. Freizeit hatte sie fast keine. In den sechs Jahren an der Universität musste sie mehrere Praktika in Spitälern machen. Auch das gehört zum Medizinstudium. — ....

Jetzt ist sie endlich mit dem Studium fertig und ist „Turnusärztin", das bedeutet Ärztin in praktischer Ausbildung. Die praktische Ausbildung dauert noch einmal dreieinhalb Jahre. Ihre Eltern sind sehr stolz auf Ayşe. „Sie erzählen allen Leuten, dass ich studiert habe und Ärztin bin", sagt sie. — ....

Berufserfahrung ~~Deutschkurs und Berufsanerkennung~~ Interessen Lehre

2

Vilhelm Konstantinov – Elektrotechniker aus Bulgarien

Elektrische Geräte haben Vilhelm Konstantinov schon immer interessiert. Als Kind hat er das Telefon seiner Eltern auseinandergeschraubt und wollte sehen, wie es funktioniert. — ....

Nach der Schule war klar: Er möchte Elektrotechniker werden. Er hat eine Lehre bei der größten Telekommunikationsfirma in Bulgarien gemacht. Sie hat vier Jahre gedauert. Er ist auch auf eine Berufsschule gegangen und hat schon im dritten und vierten Lehrjahr im Betrieb an großen Telefonanlagen gearbeitet. — ....

Acht Jahre war er in der Firma. „Mein Beruf hat mir von Anfang an Spaß gemacht", sagt er. „Ich habe mit Technik zu tun, arbeite auch mit den Händen und habe oft Kontakt zu Kunden. Das ist genau richtig für mich."

Deutschkurs und Berufs-anerkennung

Vilhelm Konstantinov ist 30 Jahre alt und vor drei Jahren nach Österreich gekommen. Seine Frau ist Österreicherin, er hat sie im Urlaub am Schwarzen Meer kennengelernt. Der Anfang in Österreich war nicht einfach für ihn. Zuerst musste er Deutsch lernen und hat einen Sprachkurs besucht. Danach wollte er schnell wieder in seinem Beruf arbeiten. Dafür musste er aber seine Berufsausbildung in Österreich anerkennen lassen, das heißt, dass eine Behörde geprüft hat: Ist seine Ausbildung in Bulgarien mit der in Österreich identisch? Das war ziemlich kompliziert und hat sehr lange gedauert. Doch es hat funktioniert. Er hat noch eine Fortbildung gemacht und arbeitet jetzt in einem großen Mobilfunkunternehmen.

(eine Berufsausbildung) anerkennen lassen = nostrifizieren lassen

b Lesen Sie noch einmal und notieren Sie die Antworten.

1 Wann hat Ayşe das erste Mal in einem Krankenhaus gearbeitet?
2 Was machen ihre Eltern beruflich?
3 Welche Fächer hat Ayşe besonders gern gemocht?
4 Wie lange hat das Medizinstudium gedauert?
5 Wie finden die Eltern es, dass Ayşe Ärztin ist?

1 In der fünften Klasse.
2 …

6 Wofür hat sich Vilhelm schon als Kind interessiert?
7 Wie lange hat seine Lehre gedauert?
8 Warum gefällt ihm sein Beruf?
9 Warum ist er nach Österreich gekommen?
10 Er wollte schnell wieder arbeiten. Was musste er dafür tun?

c Schreiben Sie mit Ihrer Partnerin / Ihrem Partner zwei weitere Fragen zum Text und fragen Sie dann ein anderes Paar.

1 Wann ist Vilhelm nach Österreich gekommen?
2 …

Wann ist Vilhelm nach Österreich gekommen?

Vor drei Jahren.

E2 Mein Traumberuf

a Notieren Sie.

1 Was ist Ihr Traumberuf?
2 Was gefällt Ihnen daran?
3 Was finden Sie nicht so gut?

1 Bäcker
2 kreativ sein, im Team arbeiten
3 viel Stress, früh aufstehen, …

b Arbeiten Sie in Gruppen. Erzählen Sie. Die anderen raten Ihren Traumberuf.

◆ In meinem Traumberuf muss man sehr kreativ sein. Das finde ich sehr gut.
○ Ist dein Traumberuf Schauspieler?
◆ Nein. Leider hat man in meinem Traumberuf viel Stress und muss früh aufstehen.
○ Ist Bäcker dein Traumberuf?
◆ Ja, genau.

Grammatik und Kommunikation

Grammatik

1 Modalverben: Präteritum ÜG 5.09 - 5.12

	müssen	können	wollen	dürfen	sollen
ich	musste	konnte	wollte	durfte	sollte
du	musstest	konntest	wolltest	durftest	solltest
er/es/sie	musste	konnte	wollte	durfte	sollte
wir	mussten	konnten	wollten	durften	sollten
ihr	musstet	konntet	wolltet	durftet	solltet
sie/Sie	mussten	konnten	wollten	durften	sollten

Was mussten/wollten/konnten Sie letztes Wochenende machen? Schreiben Sie.

Am Samstag musste ich früh aufstehen. Ich wollte ...

2 Konjunktion: *dass* ÜG 10.06

	Konjunktion	Ende
Es ist wichtig,	dass man einen guten Schulabschluss	hat.

auch so: Ich denke/finde/meine/glaube/bin sicher/ ..., dass ...
Es tut mir leid, dass ...
Es ist schön, dass ...

TIPP
dass steht nach bestimmten Ausdrücken. Machen Sie eine Liste.

Es ist schön, dass ...

Kommunikation

ÜBER DEN BERUFSWEG SPRECHEN: Als Kind wollte ich ...

Was wollten Sie als Kind / mit ... Jahren werden?
Was wollten Sie als Jugendliche/Jugendlicher werden?
Was machen Sie jetzt?

Als Kind / Mit neun / Als Jugendliche/r wollte ich ... werden.
Ich wollte ..., aber ich konnte/durfte nicht. Ich musste/sollte ...
Später / Nach der Schule / Nach der Matura habe ich dann studiert / eine Lehre als ... gemacht.
Jetzt bin ich ... von Beruf. / Jetzt arbeite ich als ...

Ihr Beruf: Zeichnen Sie und/oder schreiben Sie.

Als Kind ...

Als Jugendliche(r) ...

Jetzt ...

Später ...

Als Kind wollte ich Tänzerin werden.

JEMANDEN NACH SEINER MEINUNG FRAGEN: Findest du (auch), dass ...?

Meinst du / Findest du / Glaubst du (auch), dass ...?
Bist du (auch) sicher, dass ...?

SEINE MEINUNG SAGEN: Ich finde, dass ...

Ich denke/finde/meine/glaube/bin sicher, dass ...
Es ist wichtig, dass ...

GEFÜHLE/VERSTÄNDNIS AUSDRÜCKEN: Es tut mir leid, dass ...

Es tut mir (so) leid / Mir tut es leid, dass ...
Es ist schön, dass ...

ÜBER DIE SCHULZEIT SPRECHEN: Ich bin mit ... in die Schule gekommen.

Ich bin mit ... in die Schule gekommen.
Mein Lieblingsfach / Mein Lieblingslehrer war ...
... habe ich gehasst/geliebt.
Schön/Langweilig/Fad war auch immer ....
Im Unterricht mussten/durften wir ...
Die Lehrer waren streng/sehr nett/super.
Wenn wir ...

ZUSTIMMEN: Gute Idee!

Ja, das stimmt.
Ja, genau.
Gute Idee!
Keine schlechte Idee!

Was ist im Deutschkurs wichtig? Schreiben Sie.

Ich finde, dass man viel sprechen muss. ...

Was sagen die Personen? Schreiben Sie Sätze.

Es tut mir leid, dass du krank bist.
...

Mein Lieblingslehrer. Warum? Schreiben Sie fünf Sätze.

Meine Lieblingslehrerin war Frau Saidi.
Sie war meine Lehrerin in der Volksschule.
Sie war sehr nett und nicht streng. ...

Lernziele

Ich kann jetzt ...

A ... über Wünsche und Pläne aus meiner Kindheit/Jugend erzählen: *Mit neun wollte ich Astronaut werden.* ________ ☹ 😐 ☺

B ... meine Meinung ausdrücken: *Es ist wichtig, dass man einen guten Schulabschluss hat.* ________ ☹ 😐 ☺

C ... von meiner Schulzeit erzählen: *Mein Lieblingsfach war Mathe.* ________ ☹ 😐 ☺

D ... Aus- und Weiterbildungsangebote verstehen: *Berufsvorbereitungsjahr für Migrantinnen und Migranten* ________ ☹ 😐 ☺

E ... erzählen: Das habe ich beruflich gemacht: *Meine Ausbildung hat vier Jahre gedauert.* ☹ 😐 ☺

Ich kenne jetzt ...

... 10 Wörter zum Thema *Ausbildung und Beruf*:

das Studium, ...

... 5 Schulfächer:

Geografie, ...

LIED

① Und noch eine Übung und noch ein Test.
Mein Kopf ist schon voll, ich bin super gestresst.
Und noch eine Prüfung und noch ein Schein.
Weiter, weiter, weiter! Da geht noch was rein.

② ______________ genau, dass Bildung für mich wichtig ist.
______________, dass Lernen für mich richtig ist.
______________, dass es hier um meine Zukunft geht.
Ich habe das verstanden. Ich bin ja nicht blöd.

③ Und noch eine Übung und noch ein Test.
Mein Kopf ist schon voll, ich bin super gestresst.
Und noch eine Prüfung und noch ein Schein.
Weiter, weiter, weiter? Nein, nein, nein, nein!

④ Ich glaube, es ist besser, ich mach jetzt mal Schluss.
______________, dass man immer lernen muss?
______________, dass es im Leben nur um Arbeit geht?
Für heute ist's genug. Ich bin ja nicht blöd.

⑤ Ich mach' keine Übung und auch keinen Test.
Mein Kopf ist zu voll, ich bin super gestresst.
Ich mach' keine Prüfung und auch keinen Schein.
Ich mach' jetzt 'ne Pause. Es geht nichts mehr rein.

Super gestresst!

2 🔊 47 **1** Hören Sie das Lied und ergänzen Sie.

2 Sind Sie auch manchmal „super gestresst“? Was machen Sie dann? Was hilft am besten?

Ich trinke immer Tee. Das hilft.

LANDESKUNDE

Glück und Erfolg für Ihr Kind!

Bildung ist so wichtig wie noch nie. Für die meisten Berufe braucht man heute einen guten Schulabschluss. Sie können Ihrem Kind dabei helfen. Arbeiten Sie von Anfang an mit der Schule, den Lehrern und den anderen Eltern zusammen. Das geht ganz leicht. Lesen Sie vier Beispiele:

Der Elternabend
Am Elternabend lernen Sie die Lehrerinnen und Lehrer kennen und bekommen Informationen über die Schule, die Klasse und den Unterricht.

Der Elternsprechtag
Am Elternsprechtag können die Eltern mit den Lehrerinnen und Lehrern Schulfragen und Probleme besprechen. Er findet nur einmal im Semester statt. Sie können aber immer auch zu den wöchentlichen Sprechstunden kommen.

Das Mitteilungsheft
Im Mitteilungsheft können sich Eltern und Lehrer kurze Nachrichten schicken.

Der Elternverein
In jedem Schuljahr wählen die Eltern für jede Klasse zwei Elternvertreter. Alle Eltern können und sollen bei dieser Wahl mitmachen. Die Elternvertreter erfahren Neuigkeiten aus der Schule besonders schnell, sie informieren die Eltern, helfen bei der Lösung von Problemen und bei der Organisation von Veranstaltungen. Man kann auch mit allen Schulfragen zu den Elternvertretern gehen. Alle Elternvertreter sind Mitglieder im Elternverein.

Lesen Sie den Text auf Seite 80. Was ist richtig? Kreuzen Sie an.

a ○ Für die meisten Berufe braucht man heute keine gute Schulbildung.
b ○ Am Elternabend müssen die Eltern lernen.
c ○ Wenn Eltern mit einem Lehrer sprechen möchten, gehen sie zum Elternsprechtag oder in die Sprechstunde..
d ○ Mitteilungen an Lehrer soll man mit der Post schicken.
e ○ Die Schülerinnen und Schüler wählen die Elternvertreter.
f ○ Der Elternverein bekommt Informationen meist sofort.

SCHREIBEN

Als Kind ...

wollte ...

durfte ...

musste ...

sollte ...

konnte ...

ich ...

A Als Kind musste ich Gitarrespielen lernen. Zuerst wollte ich nicht. Aber dann konnte ich schon bald ganz gut spielen und sollte sogar bei einem Konzert mitmachen. Aber dann bin ich krank geworden und durfte nicht dabei sein.

B Als Kind sollte ich immer Gemüse essen. Ich wollte aber lieber etwas Süßes haben. Aber das durfte ich nicht. Ich musste zuerst das Gemüse aufessen. Dann konnte ich mir ein Stück Schokolade holen.

1 Schauen Sie die Fotos an und lesen Sie die Geschichten. Welches Foto passt? Zeigen Sie.

2 Wählen Sie dann ein Foto und schreiben Sie eine Geschichte mit *wollen, sollen* ... Oder schreiben Sie eine Geschichte aus Ihrer Kindheit.

Als Kind wollte ich so gern ein Haustier haben. Aber ich ...

Feste und Geschenke

1 Ein Fest mit den Nachbarn

a Schauen Sie die Fotos an. Was meinen Sie?

– Warum feiern Tim und seine Freunde ein Fest?
– Wer ist der unbekannte Mann auf den Fotos 6 bis 8?

2 48–55 **b** Hören Sie und vergleichen Sie.

2 48–55

2 Was ist richtig? Hören Sie noch einmal und kreuzen Sie an.

a Was ist Tims Problem?
- ○ Er weiß nicht: Soll er ins Hotel ziehen?
- ○ Er weiß nicht: Darf er Lara zum Hoffest einladen?

b Was bereiten die Freunde für das Fest vor?
- ○ Frau Aigner kauft Stühle und einen Tisch. Tim kocht das Essen und Eva organisiert die Getränke.
- ○ Paul backt einen Kuchen, Lisi bastelt eine Karte, Eva und Dimi organisieren das Essen und die Getränke.

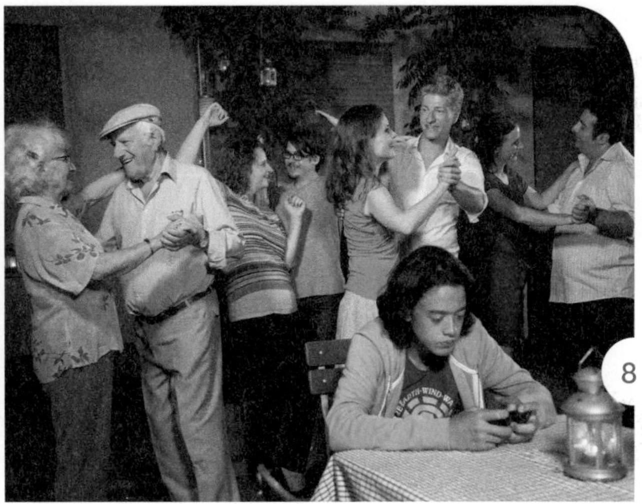

c Was feiern die Freunde auch?
- ○ Nikis Noten sind jetzt besser.
- ○ Lara kommt auf Besuch.

d Wer hat das Tzatziki gemacht und wie schmeckt es?
- ○ Dimi. Das Tzatziki schmeckt nicht, weil zu viel Knoblauch drin ist.
- ○ Tim. Das Tzatziki schmeckt sehr gut.

e Wie entscheidet sich Tim?
- ○ Er zieht um.
- ○ Er bleibt in der Schöckelstraße.

3 Feste planen und feiern: Erzählen Sie.

- Was haben Sie zuletzt gefeiert und mit wem?
- Was haben Sie für das Fest vorbereitet?
- Haben Sie etwas mitgebracht? Ein Geschenk? Essen?

Vor zwei Wochen war in der Schule von meiner Tochter Schulfest. Alle Eltern haben etwas vorbereitet. Ich habe Hummus gemacht.

A Ich habe **meinem Mann** ... gekauft.

A1 Geschenke

Lesen Sie die Aussagen und ergänzen Sie die Tabelle.

Früher haben wir jedes Jahr ein Hoffest gemacht. Ich habe meinem Mann Gartenstühle gekauft.

Was ich gerade mache? Ich backe meiner Nachbarin einen Kuchen. Sie hat morgen Geburtstag.

Wer?		Wem? (Person)	Was? (Sache)
Ich	habe	● meinem Mann	Gartenstühle gekauft.
Ich	kaufe	● meinem Baby	einen Teddy.
Ich	backe	● meiner Nachbarin	einen Kuchen.
Ich	schenke	● meinen Freunden	ein Buch.

auch so: dein-, sein-, ihr-, ...; ein-, kein-

Dative Plural

A2 Was schenken/kaufen Kristina und Leo ihrer Familie?

Schreiben Sie. Vergleichen Sie dann mit Ihrer Partnerin / Ihrem Partner.

Mama und Papa

Nachbarn: Maria und Harald

Leos Freundin Lena

Baby von Familie Müller

Kristina schenkt ihren Eltern eine Espressomaschine. Leo kauft ihnen Konzertkarten.

einen Teddy

WIEDERHOLUNG

Wem? (Person)
mir, dir, ihm/ihm/ihr, uns, euch, ihnen/Ihnen

A3 Spiel: *Geschenke raten*

Wer bekommt was? Ordnen Sie jeder Person ein Geschenk zu und notieren Sie. Spielen Sie mit Ihrer Partnerin / Ihrem Partner: Wer hat zuerst alle Geschenke erraten?

● die Tante ● der Bruder ● die Schwester ● der Vater ● die Mutter ● der Opa

● die Puppe ● das Parfum ● das Motorrad

● der DVD-Player ● die Handcreme ● die Geldbörse

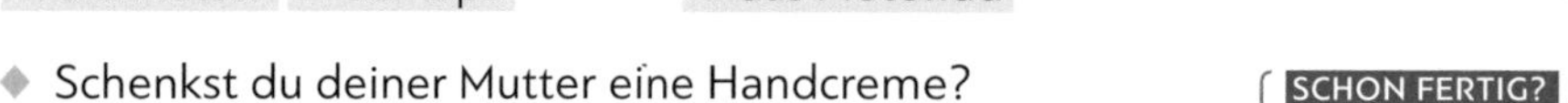

◆ Schenkst du deiner Mutter eine Handcreme?
○ Nein. Aber kaufst du ihr ein Parfum?
◆ Ja.

SCHON FERTIG? Sammeln Sie Geschenkideen für Ihre Familie oder Ihre Freunde.

~~meiner Mutter: ein Parfum~~	meiner Schwester: eine Puppe
meiner Tante: eine Handcreme	meinem Opa: ein Motorrad

B Ich kann **es Ihnen** nur empfehlen.

B1 Wer oder was ist hier gemeint? Kreuzen Sie an.

◆ Probieren Sie doch einmal das Tzatziki, Herr Wagner.
○ Ich kann es Ihnen nur empfehlen.

a es = ○ Joachim Wagner ⊗ das Tzatziki
b Ihnen = ⊗ Joachim Wagner ○ das Tzatziki

Dimi empfiehlt Joachim Wagner das Tzatziki.
Dimi empfiehlt es ihm.

B2 Serviceangebote

a Welche Anzeige passt? Ordnen Sie zu.

1 Ⓑ Zehrudin soll ein Fest organisieren, aber er hat keine Lust.
2 Ⓐ Zehrudin hat Hunger, aber er kann nicht kochen.

A
Keine Lust auf Kochen?
Pizza, Nudeln, feine Weine – Sie bestellen Ihr Wunschgericht und wir liefern es Ihnen schnell und zuverlässig.
www.lieferalles.at

B
HOCHZEIT, KINDERGEBURTSTAG ODER GRILLPARTY:
Wir kümmern uns um Ihre Feier.
Sie haben einen Sonderwunsch?
Nennen Sie ihn uns einfach.
Wir finden immer eine Lösung.
www.partyservice-meingast.at

b Schauen Sie die grünen und roten Wörter in a an und markieren Sie wie im Beispiel.

B3 Arbeiten Sie zu zweit. Fragen Sie und antworten Sie.

◆ Kannst du mir die Schachtel da rübergeben?
○ Moment, ich gebe sie dir gleich. Ich muss nur noch schnell die Rechnung ausdrucken.

● der Aufkleber = ● das Pickerl

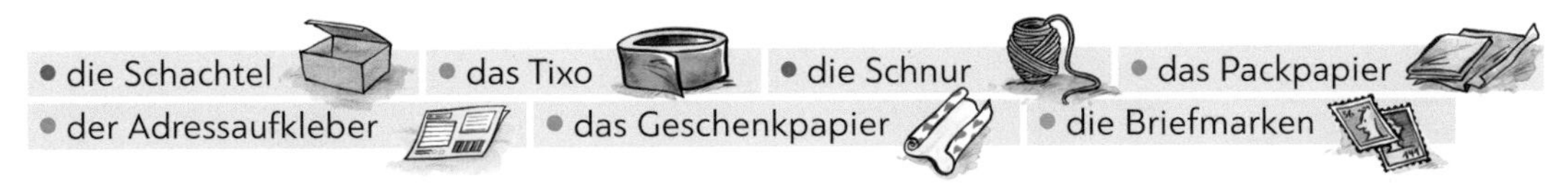

B4 Sätze bilden

a Schreiben Sie mit Ihrer Partnerin / Ihrem Partner drei Sätze auf Kärtchen wie im Beispiel.

~~zeigen~~ (mit-)bringen geben bestellen holen kaufen empfehlen anbieten erklären

Wir | zeigen | unseren | Freunden | Fotos | .

Wir | zeigen | ihnen | Fotos | .

Wir | zeigen | sie | ihnen | .

b Mischen Sie die Kärtchen und geben Sie sie einem anderen Paar. Es ordnet die Sätze. Vergleichen Sie.

C Hochzeit

C1 Schauen Sie die Fotos an.
Über welches Fest schreiben Katrin und Miriam? Was machen die Leute auf dem Fest? Sprechen Sie.

12. März

Hey Miriam, gleich geht's los. Wir sind schon in der Kirche und in zehn Minuten beginnt die Trauung. Wahnsinnig viele Leute sind da und die Stimmung ist ganz feierlich. 13.50 Uhr

Huhu Katrin! So blöd, dass ich krank bin! Grüß alle von mir!!! Viel Spaß, Miriam 13.55 Uhr

Jetzt ist die Trauung schon vorbei. Es war wunderschön. Stell dir vor, ich habe sogar geweint. Fast alle haben geweint, nur die Braut nicht. Da, schau! 15.15 Uhr

Ich weine auch immer auf Hochzeiten! Und ja: Typisch Celia! 15.30 Uhr

Wow, das ist wirklich eine große Feier – sicher 200 Gäste! 15.50 Uhr

Hmmm, einmalig, die Hochzeitstorte! 16.02 Uhr

Oje, Panne: Die beiden haben die Torte angeschnitten, dabei ist sie fast runtergefallen. Celias Kleid – voller Schlagobers! 16.04 Uhr

Übrigens haben sich Celia und Valentin total über dein Geschenk gefreut. Super Idee, die Espressomaschine! 16.06 Uhr

Juhu! Jetzt esst ihr sicher schon, oder? Wie schmeckt es denn? 18.32 Uhr

Ja, wir essen! Echt gut! 18.45 Uhr

Mein Abendessen: Suppe! 18:59 Uhr

Der Brautwalzer! 20.10 Uhr

Valentin ist Celia auf das lange weiße Kleid getreten und beide sind fast hingefallen. Hahaha! 20.17 Uhr

Ups! Da war Valentin wohl ein bisschen nervös, oder? 20.19 Uhr

Und nachher haben sie auch noch einen Walzer mit ihren Eltern getanzt: Wenigstens die Eltern können tanzen!
20.46 Uhr

Übrigens: Ich sitze neben Hannes!
Du erinnerst Dich?
21.00 Uhr

Hannes?!?! Den würde ich auch gern einmal wieder sehen!
21.07 Uhr

Seine Frau ist auch da!
21.10 Uhr

Schade! So, ich gehe jetzt ins Bett. Mir geht's echt nicht gut!
21.11 Uhr

13. März

Miri, bist du schon wach? Geht's dir schon besser? Du, das war noch eine wilde Feier. Alle haben getanzt: Jung und Alt. Gute Musik, super Stimmung. Ich war erst um fünf Uhr daheim. Lass uns bald einmal einen Kaffee trinken gehen, dann erzähle ich dir alles, auch über den Hannes.
12.00 Uhr

C2 Lesen Sie die Nachrichten in C1.

a Was passt? Verbinden Sie.

1 Zuerst — hat das Brautpaar einen Walzer getanzt.
2 Dann — hat die Trauung stattgefunden.
3 Später — haben bis spät in die Nacht getanzt und gefeiert.
4 Nach dem Abendessen — haben alle zu Abend gegessen.
5 Alle — hat es die Hochzeitstorte gegeben und das Brautpaar hat die Geschenke ausgepackt.

SCHON FERTIG? Diese Feste waren echt schön! Schreiben Sie.
Geburtstag von Klara: …

b Was ist richtig? Kreuzen Sie an.

1 ○ Auf der Feier waren wenige Gäste.
2 ○ Celia hat in der Kirche geweint.
3 ○ Die Torte ist auf den Boden gefallen.
4 ○ Das Brautpaar hatte Probleme beim Brautwalzer.
5 ○ Hannes ist nicht verheiratet.
6 ○ Das Fest hat Katrin sehr gut gefallen.

C3 Eine Hochzeit von einem Verwandten / Freund oder Ihre eigene Hochzeit

Notieren Sie Informationen und erzählen Sie.

a Wer hat geheiratet? Wann und wo war die Hochzeit?
b Was hat die Braut / der Bräutigam getragen?
c Was hat es zu essen und zu trinken gegeben?
d Was für Geschenke hat das Brautpaar bekommen?
e Was war besonders lustig oder komisch?

a meine Schwester, letztes Jahr in …

Das sind meine Schwester Bhavya und ihr Mann. Sie haben letztes Jahr in Bangalore geheiratet. Das Fest war sehr schön, ….

D Geschenke

2 ◀)) 56 **D1 Eine Einladung**

a Was wünscht sich Martin von seinen Gästen?
Hören Sie das Gespräch und kreuzen Sie an.

○ Einen Gutschein. ○ Ein Glas Marmelade.

○ Geld. ○ Ein Fußballtrikot. ○ Eine Uhr.

Martin wünscht sich von seinen Kollegen ...

von	• meinem Kollegen
	• meiner Kollegin
	• seinen Kollegen

b Hören Sie noch einmal. Welche Aussagen hören Sie?
Kreuzen Sie an.

1 ○ In Österreich schenkt man Kollegen am besten Pralinen oder eine Flasche Wein.
2 ☒ Ich schenke ihm einen Gutschein. Ein Gutschein passt immer.
3 ○ Ein Gutschein ist nicht persönlich genug, finde ich.
4 ○ Ein Gutschein ist nicht besonders originell.
5 ○ Man sollte den Kollegen nach seinen Wünschen fragen.
6 ○ Ich schenke gern etwas Selbstgemachtes, weil das persönlich ist.
7 ○ Ich glaube, ich bringe ihm ein Glas von meiner Zwetschkenmarmelade mit. Die kommt immer gut an.
8 ○ Ist ein Glas Marmelade nicht ein bisschen wenig?
9 ○ Ein Geschenk muss ja nicht teuer sein. Hauptsache, es kommt von Herzen.
10 ○ Uhren sind in meinem Land als Geschenk tabu, weil sie den Tod symbolisieren.
11 ○ Man kann doch zum Geburtstag kein Geld schenken!
12 ○ Für ein Geschenk sollte man nicht zu viel Geld ausgeben.

c Zu welchen Fragen passen die Sätze aus b? Ordnen Sie zu.

A Was schenkt man einem Kollegen? 1, 5
B Wie finden Sie Gutscheine oder Selbstgemachtes als Geschenk? ____
C Wie teuer darf ein Geschenk sein? 8, ____
D Was sollte man auf keinen Fall schenken? ____

SCHON FERTIG? Das schenke ich nie. Machen Sie eine Liste.

D2 Ihre Meinung, Ihre Vorlieben

Was schenken Sie Ihren Kollegen / Ihrer Familie / Ihren Freunden ... gern? Machen Sie Notizen und erzählen Sie.

Ich finde, ...
Ich schenke (nicht) gern ..., weil ...
Am wichtigsten ist, dass ... / Hauptsache, ...
In meinem Land ... / In meiner Heimat ...
... darf man auf keinen Fall schenken. / ... ist tabu.

Kollegen → Gutscheine

Ich schenke meinen Kollegen gern Gutscheine, weil ...

E Ein Fest planen

2 ◀)) 57 E1 Sabine und Khaled planen ein Fest.

a Für welches Fest entscheiden sie sich? Hören Sie das Gespräch und kreuzen Sie an.

○ 1

○ 2

b Hören Sie noch einmal. Wer sagt was?
Ordnen Sie zu: Sabine (S) oder Khaled (K).

1 Ⓚ Man kann die Gäste per SMS einladen.
2 ○ Ich möchte mit Kollegen feiern.
3 ○ Ich möchte eine Tanzparty machen.
4 ○ Hauptsache, das Essen ist gut und wir unterhalten uns gut.
5 ○ Mir ist wichtig, dass der Raum groß ist und wir genug Platz haben.
6 ○ Man sollte eine Party daheim feiern.
7 ○ Ich finde es super, wenn die Leute Spaß haben und die Stimmung gut ist.
8 ○ Ich finde, wir müssen den Raum nicht dekorieren.

E2 Unser Fest

a Planen Sie in kleinen Gruppen ein Fest mit einem Motto, z. B. Tänze und Musik aus aller Welt, internationale Spezialitäten, Picknick im Grünen ... Was ist Ihnen wichtig? Was nicht? Einigen Sie sich und machen Sie ein Plakat.

● das Budget ● die Gäste ● die Uhrzeit ● der Raum ● die Dekoration ● die Unterhaltung (● die Musik, ● das Feuerwerk ...) ● das Essen / ● die Getränke ...

Ich finde es gut/super, wenn ...
Mir ist ... wichtig. Mir ist wichtig, dass ...
Die Hauptsache ist / Hauptsache, dass ...
Ich finde das nicht so gut.
Ist das wirklich so wichtig?
Am wichtigsten ist, dass ...
Muss das sein?

b Stellen Sie Ihr Fest vor und überzeugen Sie die anderen im Kurs: Sie sollen zu Ihrem Fest kommen.

Unser Motto ist ...
Wir feiern in/im ... / bei ... daheim
Unser Raum ist so dekoriert: ...
Und natürlich haben wir auch Musik: ...
Unser Fest findet am ... um/ab ... Uhr statt.
Ihr müsst ...
Zu essen/trinken gibt es ...

Grammatik und Kommunikation

Grammatik

1 Dativ als Objekt: Possessivartikel und unbestimmter Artikel ÜG 1.03, 2.04, 5.22

Wer?		Wem? (Person)		Was? (Sache)
Ich	habe	• meinem	Mann	einmal Gartenstühle gekauft.
Ich	kaufe	• meinem	Baby	einen Teddy.
Ich	backe	• meiner	Nachbarin	einen Kuchen.
Ich	schenke	• meinen	Freunden	ein Buch.

auch so: dein-, sein-, ihr-, ...; ein-, kein-

Wem haben Sie schon einmal etwas Selbstgemachtes geschenkt? Schreiben Sie.

Ich habe meiner Freundin ...

2 Syntax: Stellung der Objekte ÜG 5.22

	Dativ(pronomen)	Akkusativ
Jan schenkt	ihnen	Konzertkarten.
Dimi empfiehlt	Joachim Wagner	das Tzatziki.
	Akkusativpronomen	Dativpronomen
Dimi empfiehlt	es	ihm.

3 Präposition: *von* + Dativ ÜG 6.04

von	• meinem Kollegen
	• meinem Kind
	• meiner Kollegin
	• meinen Kollegen
	mir

Mein Lieblingsgeschenk: Was haben Sie bekommen? Von wem haben Sie das bekommen? Schreiben Sie.

Mein Lieblingsgeschenk ist eine Kette. Ich habe sie von meiner Oma bekommen.

Kommunikation

EMPFEHLUNG: Probieren Sie doch einmal ...

Probieren Sie doch einmal das Tzatziki.
Ich kann es Ihnen nur empfehlen.

Geben Sie eine Empfehlung. Schreiben Sie Gespräche.

• der Fisch • der Salat • der Kuchen • das Brot • die Wurst

◆ *Was soll ich essen?*
○ *Probier doch den Fisch. Ich kann ihn dir nur empfehlen.*

VORLIEBEN AUSDRÜCKEN: Ich schenke gern ...

Ich finde, ...
Ich schenke (nicht) gern ..., weil ...
In meinem Land ... / In meiner Heimat ...
... darf man auf keinen Fall schenken. / ... ist tabu.

WICHTIGKEIT AUSDRÜCKEN: Hauptsache, ...

Ich finde es gut/super, wenn ...
Mir ist ... wichtig. / Mir ist wichtig, dass ...
Die Hauptsache ist, / Hauptsache, dass ...
Muss das sein?
Ich finde das nicht so gut.
Ist das wirklich so wichtig?
Am wichtigsten ist, dass ...

ÜBER EIN FEST BERICHTEN: Unser Fest findet ... statt.

Unser Motto ist ...
Unser Fest findet am ... um/ab ... Uhr statt.
Wir feiern in/im ... / bei ... daheim
Ihr müsst ...
Unser Raum ist so dekoriert: ...
Zu essen/trinken gibt es ...
Und natürlich haben wir auch Musik: ...

Was schenken Sie gern?
Was schenken Sie auf keinen Fall?
Schreiben Sie.
Ich schenke gern ..., weil ...
Ich schenke auf keinen Fall / nicht gern ..., weil ...

Was finden Sie bei einem Fest besonders wichtig? Kreuzen Sie an.

- O viel Essen
- O Musik
- O Partyspiele
- O Geschenke
- O Dekoration
- O viele Gäste

Mir ist Musik wichtig.

Lernziele

Ich kann jetzt ...

A ... über Geschenkideen sprechen: *Schenkst du deiner Mutter eine Handcreme?* ______ ☹ 😐 ☺

B ... Bitten und Empfehlungen ausdrücken: *Probieren Sie doch einmal das Tzatziki. Ich kann es Ihnen nur empfehlen.* ______ ☹ 😐 ☺

C ... Kurznachrichten über eine Hochzeit verstehen: *In zehn Minuten beginnt die Trauung.* ______ ☹ 😐 ☺

... von einem Fest erzählen: *Das sind meine Schwester und ihr Mann. Sie haben letztes Jahr geheiratet.* ______ ☹ 😐 ☺

D ... meine Meinung und meine Vorlieben zu Geschenken ausdrücken: *Ich schenke gern etwas Selbstgemachtes, weil das persönlich ist..* ______ ☹ 😐 ☺

E ... ein Fest planen: *Unser Fest findet am 20. Juli statt.* ______ ☹ 😐 ☺

Ich kenne jetzt ...

... 5 Wörter zum Thema *Schenken*:
der Gutschein, ...

... 5 Wörter zum Thema *Hochzeit*:
die Braut, ...

SPIEL

Abschlussspiel

Spielanleitung

Spielen Sie in der Gruppe (3–4 Spieler). Sie brauchen: 1 Spielfigur pro Person und 1 Würfel pro Gruppe. Beginnen Sie bei „START“. Würfeln Sie und fahren Sie 1–3 Felder vor.

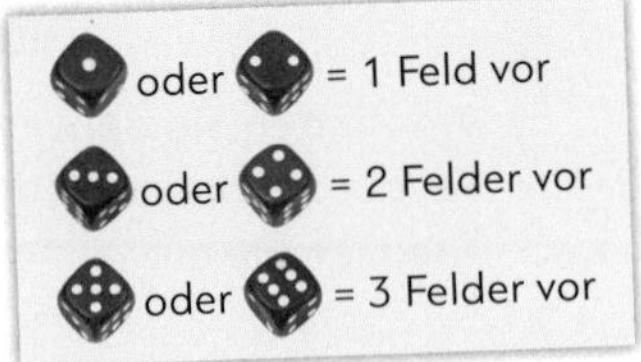

Würfeln Sie noch einmal. Bei oder müssen Sie selber antworten. Bei oder fragen Sie Ihren linken Nachbarn, bei oder fragen Sie Ihren rechten Nachbarn. Dieser muss dann antworten. Bei fahren Sie direkt zum nächsten Feld.

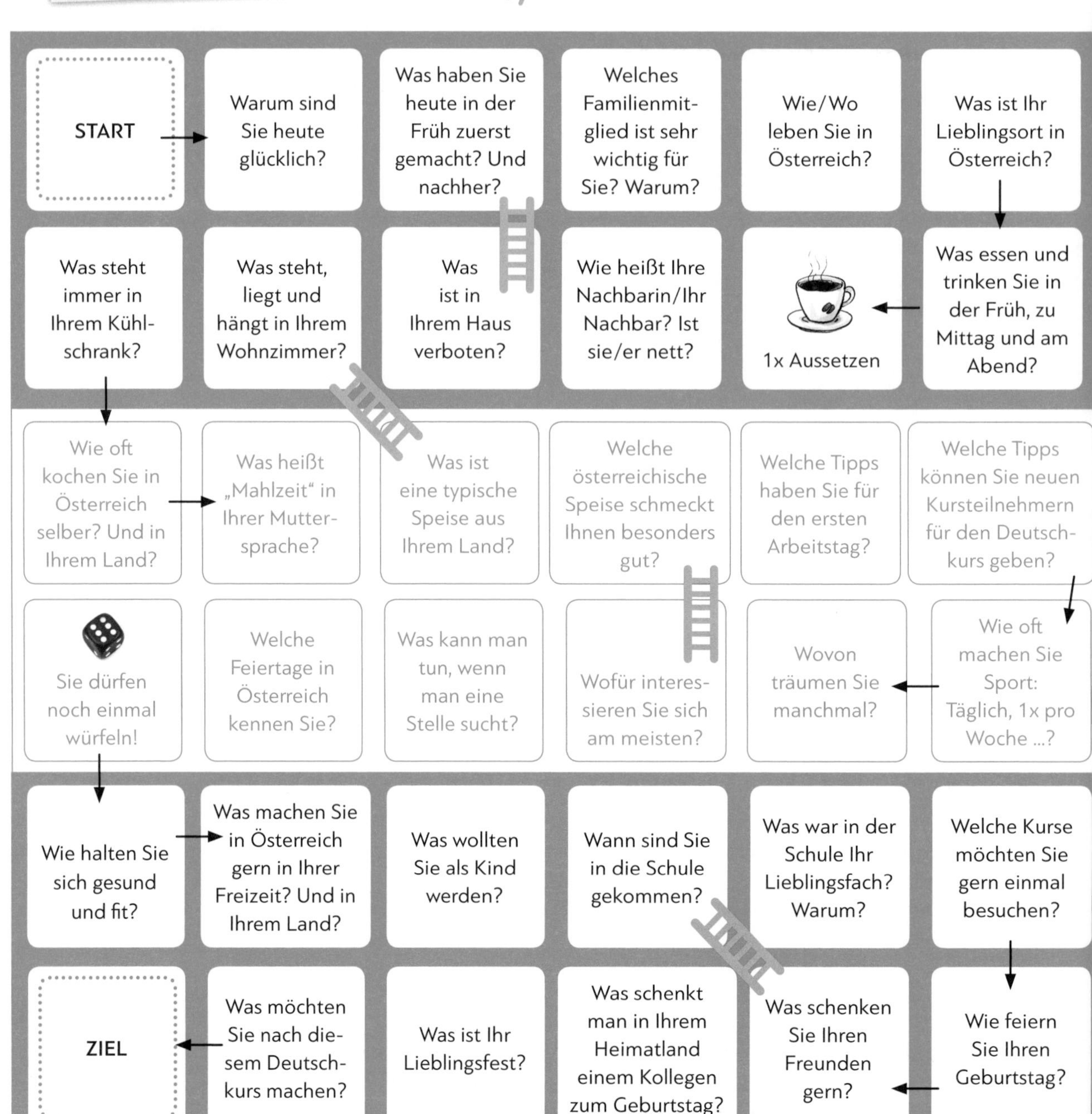

HÖREN

Wer ist wer ... und was ist los?

Sie sind auf einer Party. Sie kennen niemanden. Sie wissen nichts. *Noch* nicht. Denn Sie schauen genau hin und hören gut zu. Schon bald wissen Sie alles und können jede Frage beantworten.

1 Schauen Sie das Bild an. Was meinen Sie?

Worüber unterhalten sich die Leute? Was sind typische Party-Themen?

58–63 **2** Hören Sie die Gespräche und ordnen Sie die Namen im Bild zu.

Frauen: Beate Anna Lisi Barbara Irene Laura Renate ~~Katharina~~
Männer: Paul Hubert Thomas Georg Martin ~~Günther~~ Sebastian

58–63 **3** Hören Sie noch einmal und kreuzen Sie an.

a Wie findet Paul die Party? ○ Langweilig. ○ Nett. ○ Super.
b Finden Lisi und Katharina das Essen gut? ○ Ja. ○ Nein.
c Findet Anna es schön, wie Laura singt? ○ Ja. ○ Nein.
d Was ist mit Günther los? Günther ... ○ ist müde. ○ hat Kopfschmerzen.
e Mag Renate Irenes Frisur? ○ Ja. ○ Nein.
f Welchen Sport macht Martin? ○ Fußball. ○ Joggen. ○ Tennis. ○ Golf.
g Wie heißen die beiden Gastgeber? Sie heißen ○ Anna und Hubert. ○ Katharina und Thomas.
h Was wird auf der Party gefeiert? ○ Silvester. ○ Geburtstag. ○ nichts Besonderes.

Arbeitsbuch

A Ich bin traurig, **weil** ich ...

A1 **1 Warum lernen Sie Deutsch? Ordnen Sie zu.**

meine Schwester in Bregenz lebt. ~~ich in Österreich arbeite.~~ ~~mein Ehemann aus Österreich kommt.~~ ~~mir die Sprache gefällt.~~

a Amir: Ich lerne Deutsch, weil ich in Österreich arbeite.
b Ewa: Ich lerne Deutsch, weil mein Ehemann aus Österreich kommt
c Paula: Ich lerne Deutsch, weil mir die Sprache gefällt.
d Hakan: Ich lerne Deutsch, weil meine Schwester in Bregenz lebt.

A2 **2 Markieren Sie und ergänzen Sie.**

Grammatik entdecken

a Hashem schaut sich oft Fotos von seiner Familie an. Er vermisst sie sehr.
Hashem schaut sich oft Fotos von seiner Familie an, weil er sie sehr vermisst.
b Arif ist glücklich. Er hat ein Zimmer gefunden.
Arif ist glücklich, weil er ein Zimmer gefunden hat.
c Jamal ist traurig. Seine Freundin ruft nicht an.
Jamal ist traurig, weil ________ ________.
d Julika macht eine Party. Sie möchte ihre Nachbarn einladen.
Julika macht eine Party, weil ________ ________ ________.

A2 **3 Schreiben Sie Sätze.**

a ◆ Warum hast du kein Auto? ○ Weil ich im Zentrum wohne.
(im Zentrum – wohne – ich)

b ◆ Warum wohnt ihr jetzt in Hamburg? ○ Weil mein Mann dort einen neuen Job gefunden hat
(dort – gefunden – hat – einen neuen Job – mein Mann)

c ◆ Warum bist du so traurig? ○ Weil ich noch keinen Menschen in Zürich kenne
(noch keinen Menschen – kenne – ich – in Zürich)

d ◆ Warum hast du ein Fahrrad gekauft? ○ Weil ich mit dem Rad meine Einkäufe machen will.
(meine Einkäufe – machen – mit dem Rad – will – ich)

e ◆ Warum fahrt ihr zum Bahnhof? ○ Weil wir Antonio abholen möchten
(wir – abholen – Antonio – möchten)

A3 **4 Ordnen Sie zu und ergänzen Sie in der richtigen Form.**

~~Er ist sauer~~ Er ist traurig Sie sind glücklich

A Aljona ist nicht gekommen.

Er ist sauer, weil Aljona nicht gekommen ist.

B Heute holen wir Bayar ab.

Sie sind glücklich,
weil sie heute ihren Bayar abholen

C Ich sehe Edina zwei Monate nicht.

Er ist traurig,
weil er zwei Monate Edina nicht siehst

◇ A3 **5 Schreiben Sie Sätze mit *weil*.**

a Sie hat keine Zeit. Sie muss heute Deutsch lernen.
Sie hat keine Zeit, weil sie heute Deutsch lernen muss.

b Er ist mit seinem neuen Job zufrieden. Sein Arbeitgeber ist sehr nett.
zufrieden, weil sein Arbeitgeber sehr nett ist.

c Er schreibt seiner Freundin jeden Tag ein E-Mail. Er vermisst sie sehr.
, weil er sehr sie vermisst.

d Sie ist glücklich. Sie hat ein Zimmer gefunden.
, weil sie ein Zimmer gefunden hat.

e Er fährt zum Flughafen. Er will seinen Nachbarn Emilio abholen.
, weil er seinen Nachbarn Emilio abholen will

f Ana fährt ins Zentrum. Sie muss ein paar Einkäufe machen.
, weil sie ein paar Einkäufe machen muss.

g Aviva ruft Christina an. Sie möchte ins Kino gehen.
, weil sie ins Kino gehen möchte

A

Leider: unfortunately
erst: not until

6 Lesen Sie und schreiben Sie die Antwort.

Liebe Ludovika, lieber Max,
ich bin so glücklich –
ich habe eine neue Wohnung gefunden! Nächste Woche ziehe ich um und am Samstag lade ich euch ein: um 20 Uhr zum Abendessen. Es gibt Pizza.
Kommt ihr?

Liebe Grüße
Leonie

~~meine Eltern – mich besuchen – am Wochenende~~
für Samstag – auch schon Theaterkarten
~~Max – leider auch keine Zeit: in Villach~~
~~kommt erst am Sonntag zurück~~

E-Mail senden

Liebe Leonie,
vielen Dank für deine Einladung. Es tut mir sehr leid, aber wir können nicht kommen, weil meine Eltern mich am Wochenende mich besuchen.
Wir habe auch schon Theaterkarten für Samstag.
Leider hat Max keine Zeit, weil er in Villach ist. Er kommt erst am Sonntag zurück
Viele Grüße Ludovika

7 Satzmelodie und Satzakzent

Phonetik

a Hören Sie und achten Sie auf die Betonung ___ und die Satzmelodie ↗ ↘ →.

- Warum wohnst du nicht im Zentrum? ↘
- Weil die Wohnungen dort teuer sind. ↘ Und weil ich nicht so viel Geld verdiene. ↘
- Und warum suchst du keine andere Arbeit? ↗
- Weil mir meine Arbeit gefällt → und weil ich sie gern mache. ↘

b Hören Sie noch einmal und sprechen Sie nach.

8 Hören Sie und markieren Sie die Betonung: ___.

Phonetik

a
- Ich muss unbedingt noch Blumen kaufen. ↘
- Warum? ↘
- Weil meine Mutter Geburtstag hat. ↘

b
- Franziska kommt heute nicht in den Unterricht. ↘
- Warum denn nicht? ↘
- Weil ihre Tochter krank ist. ↘

c
- Gehen wir morgen wirklich joggen? ↗
- Warum nicht? ↗
- Na ja, → weil doch dein Bein wehtut. ↘

d
- Ich gehe nicht mit ins Kino. ↘
- Weil dir der Film nicht gefällt → oder warum nicht? ↘
- Ganz einfach, → weil ich kein Geld mehr habe. ↘

9 Wählen Sie vier Themen und stellen Sie Fragen.

Prüfung

Ihre Partnerin / Ihr Partner antwortet.

Land?	Geburtsort?
Wohnort?	Sprachen?
Beruf?	Familie?
Hobby?	

Woher kommst du?

Ich komme aus der Türkei. Jetzt lebe ich in ...

LERNTIPP Diese Themen sind auch im Alltag wichtig. Schreiben Sie die Fragen und Antworten auf und lernen Sie sie.

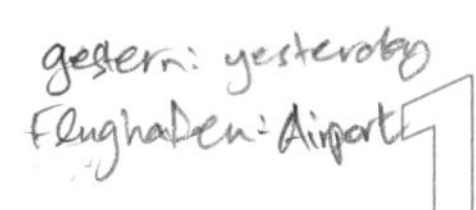

B Ich **habe** schon ... **kennengelernt**.

Wiederholung A1, L7

10 Ordnen Sie zu und ergänzen Sie in der richtigen Form.

essen fragen lesen schlafen machen antworten finden lernen kochen sagen schreiben holen

ge...t	er/sie	er/sie
kochen	kochte	hat gekocht
sagen	sagt	hat gesagt
holen	holt	hat geholt
fragen	fragt	hat gefragt
schlafen	schlaft	hat geschlaft
machen	macht	hat gemacht
antworten	antwortet	hat antwortet
lernen	lernt	hat gelernt

ge...en	er/sie	er/sie
essen	isst	hat gegessen
lesen	liest	hat gelesen
finden	findet	hat gefunden
schreiben	schrieb	hat geschrieben

Wiederholung A1, L7

11 Was ist richtig? Kreuzen Sie an.

a Er ☒ hat ○ ist gespielt.
b Sie ○ hat ☒ ist gegangen.
c Er ○ hat ☒ ist geflogen.
d Sie ○ hat ☒ ist gefahren.
e Sie ○ hat ☒ ist gewandert.
f Sie ○ hat ☒ ist gekommen.
g Er ☒ hat ○ ist gesucht.
h Sie ☒ hat ○ ist gearbeitet.
i Er ☒ hat ○ ist gehört.
j Sie ☒ hat ○ ist gekauft.

B2

12 Ordnen Sie zu.

sind ... heimgefahren (drive home) | bin ... eingeschlafen (fall asleep) | habe ... ausgepackt (unpacked) | bin ... angekommen (arrive) | hat ... abgeholt (picked up) | haben ... gegessen (eat) | bin ... gegangen (go)

Ich bin gestern um 20.40 Uhr am Flughafen in Antalya angekommen.
Dort hat Sevgi mich abgeholt und
wir sind direkt heimgefahren.
Ich habe meine Sachen ausgepackt
und wir haben noch etwas gegessen.
Dann bin ich gleich ins Bett eingeschlafen.
Nach der langen Reise (travel) war ich sehr müde (tired) und ich bin sofort
gegangen.

B2

13 Verbinden Sie und ergänzen Sie dann mit *sein* oder *haben* in der richtigen Form.

a Im Deutschkurs habe ich sehr nette Menschen kennengelernt.
b ...... Sie Ihre Sachen schon ......?
c Wir ...... die Fotos vom Familienfest ....
d ...... du den Wecker nicht ......?
e Er ...... gestern viele Lebensmittel ....
f Der Bus ...... pünktlich ....
g Wir ...... am 30.4. ....
h Beim Umzug ...... alles super ....

1 umziehen
2 funktionieren
3 ankommen
4 auspacken
5 anschauen
6 hören
7 einkaufen
8 kennenlernen

B2

14 Wie heißt das Gegenteil? Verbinden Sie.

a Er hat die Tür aufgemacht.
b Er ist aufgestanden.
c Er ist angekommen.
d Er ist eingestiegen.

1 Er ist ausgestiegen.
2 Er hat die Tür zugemacht.
3 Er ist ins Bett gegangen.
4 Er ist abgefahren.

B

B2 **15 Ordnen Sie zu und ergänzen Sie in der richtigen Form.**

ankommen | aufstehen | gehen | fahren | einsteigen | trinken | essen | heimfahren | anfangen

Ivana ist um 7 Uhr aufgestanden. Dann hat sie ein Brot mit Käse gegessen und Tee getrunken. Danach ist sie zur Bushaltestelle gegangen. Um 8.10 Uhr ist sie in den Bus eingestiegen und ist ins Büro gefahren. Um 8.30 Uhr ist sie im Büro angekommen und hat gleich mit der Arbeit angefangen. Um 17.30 Uhr ist sie mit dem Bus heimgefahren.

◇ **B2** **16 Ergänzen Sie mit *sein* oder *haben* in der richtigen Form.**

Letzten Samstag war Kirils Umzug. Leider hat er am Morgen seinen Wecker nicht gehört (hören). Sein Freund Andrej .... vor Kirils Haus .... (warten) und er .... Kiril immer wieder .... (anrufen). Aber Kiril .... auch sein Telefon nicht .... (hören). Dann .... Andrej .... (heimgehen). Um 12 Uhr .... Kiril .... (aufstehen) und .... schnell einen Kaffee .... (trinken). Dann .... er Andrej mit dem Auto .... (abholen) und sie .... zusammen den Umzug .... (machen). Am Abend waren sie müde. Aber Kiril .... zum Schluss sogar noch alle seine Sachen .... (auspacken) und Andrej .... im Supermarkt .... (einkaufen) und .... (kochen).

❖ **B2** **17 Schreiben Sie eine Postkarte.**

leider zu spät aufstehen →
dann schnell Kalina abholen →
mit ihr mit dem Bus zum Bahnhof fahren →
um 11 Uhr in Eisenstadt ankommen →
dort umsteigen →
den Bus nach Rust nehmen →
am Nachmittag um 14 Uhr endlich ankommen →
eine Käsesemmel essen und
einen Spaziergang am Strand machen

Liebe Zorica,
wie geht es dir?
Gestern bin ich mit Kalina an den Neusiedler See gefahren. Leider bin ich zu spät …
…
…
Viele Grüße und bis bald
Radka

90

Zorica Horvat
Dirschauer Str. 11
10245 Berlin
Deutschland

ganzen: whole
daheim: at home

B3 **18 Lesen Sie und ergänzen Sie in der richtigen Form.**

Schreib-training

E-Mail senden
An: miku@aol.com
Betreff: Gestern Abend

Hallo Michael,
wo warst du denn gestern Abend? Ich habe den ganzen Abend daheim gewartet und dich dreimal auf dem Handy angerufen. Hast du es nicht gehört oder ist etwas passiert? Schreib mir bitte.
Liebe Grüße
Antonio

heimfahren | ~~zusammen etwas trinken~~ | sofort einschlafen | in ein Lokal gehen | aussteigen | ~~Freundin treffen~~ | ~~spazieren gehen~~

E-Mail senden
An: a.banderas@freenet.de
Betreff: Re: Gestern Abend

Lieber Antonio,
es tut mir wirklich sehr leid. Du hast den ganzen Abend auf mich gewartet und ich bin nicht gekommen. Aber weißt du, warum?
Zuerst habe ich im Bus *eine Freundin getroffen*. Ich habe sie lange nicht gesehen. Am Marktplatz *sind wir ausgesteigen* .... und wir *sind in ein Lokal gegangen*. Dort haben wir *zusammen etwas getranken*.
Danach *sind* wir noch ein bisschen durch die Stadt *spazieren gegangen*.
Um halb zwei in der Nacht *bin ich heimgefahrt* .... Schließlich war ich um zwei daheim und *habe ich sofort eingeschlaft.* .
Heute bin ich sehr müde, aber auch sehr glücklich! Sei also bitte nicht sauer!
Bis bald!
Liebe Grüße
Michael

A

B

C

D

E

C So was **hast** du noch nicht **erlebt**!

C1 **19 Ordnen Sie zu.**

erlebt ~~vermisst~~ passiert verstanden

a In Österreich habe ich am Anfang meine Familie sehr vermisst.
b So etwas hast du noch nicht ....!
c Diese Übung habe ich nicht ....
d Was ist los? Was ist denn ....?

C2 **20 Machen Sie vier Tabellen. Ordnen Sie zu und ergänzen Sie in der richtigen Form.**
Grammatik entdecken
Arbeiten Sie auch mit dem Wörterbuch.

~~bestellen~~ ~~erklären~~ erzählen besichtigen verkaufen studieren besuchen ~~verstehen~~ bemerken bedeuten versuchen beantragen beginnen ~~telefonieren~~ verwenden bezahlen ~~verdienen~~ verlieren ~~passieren~~ vergessen reparieren ~~bekommen~~ erlauben ~~erfahren~~ vermieten

be|stel|len [bəˈʃtɛlən], bestellt, bestellte, bestellt <tr.; hat>

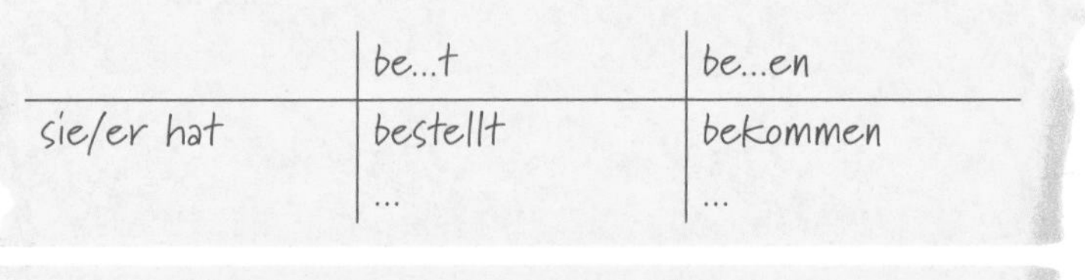

	be...t	be...en
sie/er hat	bestellt ...	bekommen ...

	er...t	er...en
sie/er hat	erklärt ...	erfahren ...

	ver...t	ver...en
sie/er hat	verdient ...	verstanden ...

	...iert
sie/er hat	telefoniert ...
⚠ es ist	passiert

C2 **21 Hören Sie und sprechen Sie nach.**
04
Phonetik

bekommen	Hast du mein SMS bekommen?	verstehen	Das habe ich nicht verstanden.
bezahlen	Ich habe schon bezahlt.	vergessen	Hast du unseren Termin vergessen?
besuchen	Wann hat Mirko dich denn besucht?	erklären	Du hast mir das sehr gut erklärt.
verpassen	Ich habe fast den Bus verpasst.	erleben	So etwas habe ich noch nie erlebt.
verlieren	Ich habe zehn Euro verloren.	erzählen	Das hast du mir schon oft erzählt.

C3 22 Ergänzen Sie in der richtigen Form.

a

- Das habe ich dir doch schon so oft [erklärt]! (erklären)
- Aber ich habe es immer noch nicht [verstanden]. (verstehen)

b

- Wann hat der Film denn [begonnen]? (beginnen)
- Vor fünf Minuten.

c

- Was haben Sie denn am Sonntag gemacht?
- Ich habe meine Freundin in Weiz [besucht]. (besuchen)
- Das klingt ja sehr nett!

d

- Stell dir vor, gestern habe ich meine Geldbörse mit Bankomatkarte und Ausweis im Zug [verloren]. (verlieren)
- So was Blödes! Wann hast du es denn [bemerkt]? (bemerken)
- Leider erst daheim.

e

- Was ist [passiert]? (passieren)
- Ich habe den Zug [verpasst] (verpassen) und jetzt komme ich eine Stunde zu spät in die Arbeit!
- So ein Pech!
- Ja, wirklich! Und ich habe heute um 8 Uhr einen Termin beim Chef!

f

- So peinlich, ich habe mein Geld [vergessen]. (vergessen)
- Kein Problem, ich kann dir etwas borgen.

C3 23 So ein Pech! Wählen Sie eine Situation und schreiben Sie.

◇ A

zu spät aufstehen | schnell die Koffer packen | kein Taxi bekommen | zum Bahnhof laufen | den Zug verpassen

Susanne ist zu spät …

❖ B

Nina ist gerade am Flughafen angekommen. Sie muss ihren Pass zeigen, aber …

D Familie und Verwandte

D1 24 Schreiben Sie die Sätze neu.

a Ist das Opas Hose? → Ist das die Hose von Opa ?
b Ist das Peters Onkel? ? → Ist das der Onkel von Peter?
c Ist das Frau Eggers Mann? → Ist das der Mann von Frau Eggers ?
d Ist das Tante Claudias Haus ? → Ist das das Haus von Tante Claudia?
e Ist das Tonis Freundin? → Ist das die Freundin von Toni ?
f Ist das Angelas Tochter ? → Ist das die Tochter von Angela?

D3 25 Wer ist das?

a Verbinden Sie.

1 Die Eltern von meinen Eltern sind meine
2 Zu Großvater und Großmutter sagt man auch
3 Die Schwester von meiner Mutter oder meinem Vater ist meine
4 Der Bruder von meiner Mutter oder meinem Vater ist mein
5 Die Tochter von meiner Tante und meinem Onkel ist meine
6 Der Sohn von meiner Tante und meinem Onkel ist mein
7 Die Tochter von meiner Schwester oder meinem Bruder ist meine
8 Der Sohn von meiner Schwester oder meinem Bruder ist mein
9 Die Ehefrau von meinem Bruder ist meine
10 Der Ehemann von meiner Schwester ist mein

a Nichte.
b Neffe.
c Cousine.
d Großeltern.
e Schwägerin.
f Onkel.
g Tante.
h Schwager.
i Opa und Oma.
j Cousin.

b Machen Sie eine Tabelle und ordnen Sie die Wörter aus a zu.

● der	● die	● die
Großvater	Nichte Cousine	Eltern Großeltern
Neffe Onkel	Großmutter	...
...		
Schwager	Schwägerin Tante	
Cousin Opa	Oma	

◇ D3 26 Was ist richtig? Kreuzen Sie an.

Schau einmal, das ist die Familie vom Bruder meiner Mutter, also von meinem ☒ Onkel. ○ Schwager. Er sitzt da rechts. Neben ihm, das ist seine Frau, also meine ○ Cousine. ☒ Tante. Ich mag sie sehr gern. Sie ist sehr sympathisch und nett, finde ich. Die Kinder sind ihr Sohn und ihre Tochter, also ○ mein Neffe und meine Nichte. ☒ mein Cousin und meine Cousine. Sind sie nicht süß? Und weißt du was? Meine große Schwester bekommt im Mai ein Baby, ein Mädchen. Ist das nicht super? Dann werde ich ☒ Tante ○ Schwägerin und bekomme eine ☒ Nichte. ○ Cousine. Ich freue mich sehr!

❖ D3 27 Sie haben Geburtstag und planen ein Familienfest.

Wen laden Sie ein? Warum? Schreiben Sie.

Neffe | Oma | Schwager | lustig | erzählt viel ...

Ich lade meine Tante Gerti ein, weil ...

E Wohn- und Lebensformen

E2 **28 So lebe ich.**

05–08 **a** Hören Sie und verbinden Sie.

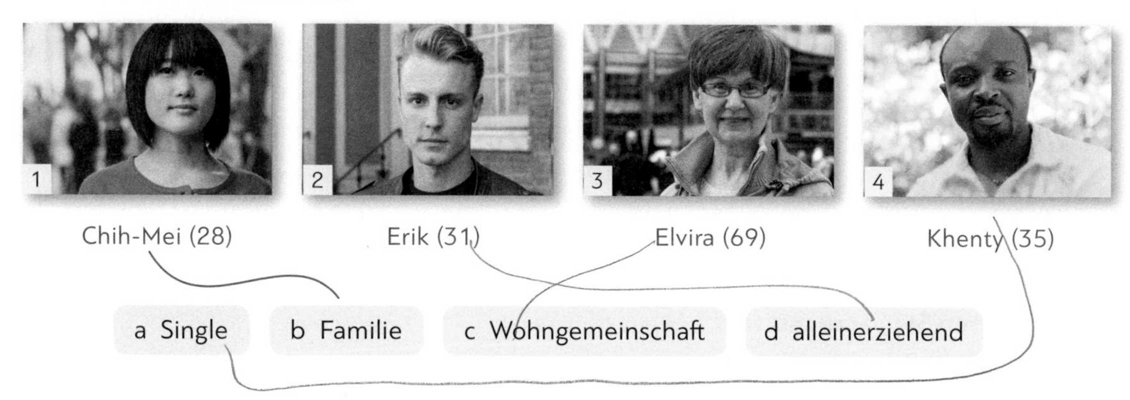

Chih-Mei (28) Erik (31) Elvira (69) Khenty (35)

a Single b Familie c Wohngemeinschaft d alleinerziehend

05–06 **b** Was ist richtig? Hören Sie noch einmal und kreuzen Sie an.

1 Chih-Mei ...
- ○ ist schwanger und bekommt ihr drittes Baby.
- ○ zieht bei ihrem Nachbarn ein.
- ○ ist froh, weil sie am Anfang Hilfe mit dem Baby bekommt.

2 Erik ...
- ○ ist von Montag bis Freitag allein mit Jari.
- ○ macht die Arbeit im Haushalt nicht allein.
- ○ hat viel Stress im Alltag.

E3 **29 Ordnen Sie zu.**

teilen ~~benützen~~ Mieter Gefühl Dachwohnung Anfang reicht Platz bis jetzt Viertel verschiedenen Haushalt Jede ausziehen Pension

E-Mail senden

Liebe Alla,
das glaubst du nicht: Endlich kann ich aus meinem dunklen Zimmer ______________.
Letzte Woche haben meine zwei Freundinnen und ich eine Wohnung in einem schönen ______________ in Salzburg gefunden! In dem Haus gibt es viele ______________ aus ______________ Ländern. Unseren Nachbarn, Herrn Lerch, habe ich auch schon kennengelernt. Er ist schon in ______________ und sehr nett!
Wir haben die ______________ im 6. Stock. ______________ von uns hat ein Zimmer, und die große Küche benützen wir gemeinsam. Endlich haben wir genug ______________ für meinen großen Esstisch! Das Bad ______________ wir uns auch. Es ist ein bisschen klein, aber es ______________ für uns drei.
Wie wird das wohl? Ich meine, ______________ habe ich immer allein gewohnt und meinen eigenen ______________ gehabt. Am ______________ wird es wahrscheinlich ein ganz neues ______________ für mich sein:
Immer mit zwei Personen in einer Wohnung!
Wann besuchst du mich?
Ganz liebe Grüße
Akilah

Test Lektion 1

1 Wie heißen die Wörter? Ergänzen Sie.

1 ____ /7 Punkte — WÖRTER

Gestern bin ich umgezogen (gezoumgen) (a). Der ____________ (zugUm) (b) hat lange gedauert, zum Schluss hat ____________ (garso) (c) ein ____________ (barNach) (d) mitgeholfen ☺. Jetzt wohne ich in einer ____________ (geschaftWohnmein) (e) mit zwei Studenten aus Österreich. ____________ (herBis) (f) sind sie sehr nett. Auf Deutsch sagt man: „Aller ____________ (fangAn) (g) ist schwer." Aber ich finde das nicht. Ich bin sehr ____________ (lichglück) (h) hier.

____ ● 0–3 ● 4–5 ● 6–7

2 Schreiben Sie Sätze mit *weil*.

2 ____ /4 Punkte — GRAMMATIK

◆ Warum kommst du nicht mit in die Berge?
○ Weil ...

a keine Zeit – habe – ich – heute
b verloren – meine Geldbörse – habe – ich
c hast – du – angerufen – zu spät
d schlecht – ist – das Wetter
e meine Schwester – besuchen – ich – will

a Weil ich heute keine Zeit habe.

3 Ergänzen Sie mit *sein* oder *haben* in der richtigen Form.

3 ____ /6 Punkte

a ◆ Wann hast du Hannah kennengelernt (kennenlernen)?
○ Im Urlaub vor einem Jahr.

b ◆ Was ________ denn ____________ (passieren)?
○ Ich ________ meinen Schlüssel ____________ (vergessen).

c ◆ ________ ihr schon die Koffer ____________ (auspacken)?
○ Nein, wir ________ doch erst vor einer Stunde ____________ (ankommen).

d ◆ ________ du Nadja schon ____________ (anrufen)?
○ Ja, wir ________ gestern lange ____________ (telefonieren).

____ ● 0–5 ● 6–7 ● 8–10

4 Ordnen Sie zu.

4 ____ /4 Punkte — KOMMUNIKATION

~~Und was hast du dann gemacht~~ | Zum Glück | Das glaubst du nicht | Stell dir vor | So was Blödes

◆ Im Urlaub ist mir etwas passiert! ____________ (a)! Das muss ich dir erzählen.
○ Was denn?
◆ ____________ (b), ich habe in einem Lokal am Strand meine Handtasche mit Pass, Geldbörse etc. vergessen. Ich habe es aber erst nach einer halben Stunde bemerkt. ____________ (c)!
○ Und was hast du dann gemacht (d)?
◆ Ich bin natürlich sofort wieder in das Lokal gegangen.
○ Und? War die Tasche noch dort?
◆ Ja. ____________ (e)!

____ ● 0–2 ● 3 ● 4

Fokus Alltag: Lerntipps

09 **1 Oscar und Rebecca haben Probleme beim Deutschlernen.**
Was finden sie schwierig? Hören Sie die Gespräche und kreuzen Sie an.

	Schreiben	Sprechen	Lesen	Hören
Oscar	○	○	○	○
Rebecca	○	○	○	○

09 **2 Welche Tipps gibt der Lehrer?**
Hören Sie noch einmal und kreuzen Sie an.

Du kannst doch ...

- ○ im Internet surfen
- ○ Wortkarten schreiben
- ○ in der Freizeit mehr Deutsch sprechen
- ○ viel Zeitung lesen
- ○ deutsche Lieder hören
- ○ einen Konversationskurs besuchen
- ○ Bücher auf Deutsch lesen
- ○ Radio hören
- ○ daheim eine Stunde pro Woche Deutsch sprechen
- ☒ die Arbeitsbuch-CD hören

3 Und Sie? Was finden Sie schwierig beim Deutschlernen? Was brauchen Sie?

a Schreiben Sie.

Name: Sylvia
Das finde ich schwierig:
Schreiben
Warum?
Ich mache viele Fehler.
Was will ich?
Ich brauche mehr Übungen.

Name: ...
Das finde ich schwierig:
...
Warum?
...
Was will ich?
...

b Sprechen Sie in der Gruppe und geben Sie Tipps (z. B. aus 2).

Was kann ich noch nicht so gut?
Warum?
Mein Problem ist die Grammatik / der Wortschatz / das Schreiben ...
Schreiben/... finde ich (sehr) schwierig, weil ...
Ich kann nicht so gut schreiben/...

Was will ich?
Ich möchte viel/mehr schreiben/...
Ich brauche mehr Übungen / Texte / Grammatik / Zeit für die Übungen im Unterricht.

Wie bitte ich um Hilfe beim Lernen?
Was kann ich da machen?
Wo finde ich Tests/Hörtexte/Übungen/...?
Wie kann ich besser schreiben/...?
Hast du eine Idee? / Hast du einen Tipp?
Können Sie mir noch andere Übungen/... geben?

Schreiben finde ich schwierig, weil ich immer so viele Fehler mache. Ich glaube, ich brauche mehr Übungen. Hast du eine Idee?

Schreib doch an deine Freunde E-Mails auf Deutsch oder chatte im Internet. Das macht Spaß!

Fokus Beruf: Ein schriftlicher Arbeitsauftrag

1 Verbinden Sie.

a eine Person vertreten
b Bescheid geben
c einen Auftrag geben

1 jemanden informieren
2 jemandem sagen, was sie/er arbeiten soll
3 Eine Kollegin / Ein Kollege ist krank oder auf Urlaub. Eine andere Person muss ihre/seine Arbeit machen.

2 Frau Nokic arbeitet im Hotel „Bergblick“.

a Lesen Sie und ergänzen Sie die Nachricht von der Hotelchefin Frau Bruzzone.

Geben Sie mir bitte | ~~Könnten Sie bitte~~ | Geht das?

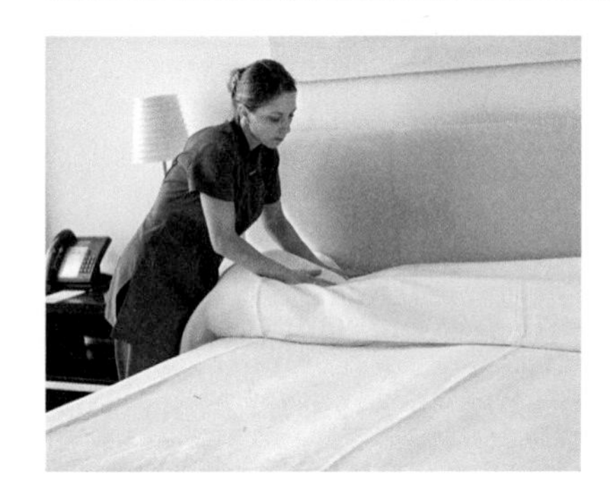

Nachricht von: Frau Bruzzone
an: Frau Nokic Datum 12.6., 7.30 Uhr

Frau Wilabi ist krank. Könnten Sie bitte heute länger arbeiten und auch die Zimmer 201–235 putzen? ________ Bitte auch morgen, weil Frau Wilabi morgen vielleicht auch noch krank ist. ________ Bescheid. Vielen Dank.

b Was ist richtig? Lesen Sie noch einmal und kreuzen Sie an.

○ Frau Bruzzone ist krank. ○ Frau Wilabi kommt morgen auf jeden Fall wieder.
○ Frau Nokic soll Frau Wilabi vertreten.

3 Frau Nokic hat keine Zeit.

Frau Nokic hat keine Zeit. Sie muss gleich nach der Arbeit ihre Tochter vom Kindergarten abholen.

a Frau Nokic antwortet Frau Bruzzone. Welche Sätze passen? Kreuzen Sie an.

○ Das kann ich gern machen. ○ Leider muss ich ... Also kann ich nicht ... ○ Ist gut. Ich habe Zeit.
○ Tut mir leid, aber ... ○ Heute und morgen ... leider nicht, weil ...

b Schreiben Sie die Nachricht von Frau Nokic an Frau Bruzzone.

Nachricht von: Frau Nokic
an: ________ Datum 12.6., 11.00 Uhr

____
____
____

4 Sie müssen morgen Vormittag zum Arzt und brauchen eine Vertretung.

a Schreiben Sie einer Kollegin / einem Kollegen eine Nachricht wie in 2.

b Tauschen Sie nun Ihre Nachricht mit Ihrer Partnerin / Ihrem Partner und schreiben Sie eine Antwort. Können Sie Ihre Partnerin / Ihren Partner vertreten?

A Die Lampe **hängt an der Decke**.

A1 **1 Was ist richtig? Kreuzen Sie an.**
Achtung: Manchmal gibt es mehrere Lösungen.

	steht	liegt	hängt	steckt	
a Das Papier	○	○	○	○	auf dem Tisch.
b Das Buch	○	○	○	○	im Regal.
c Das Bild	○	○	○	○	an der Wand.
d Die Hose	○	○	○	○	auf dem Bett.
e Der Kugelschreiber	○	○	○	○	unter den Zeitungen.
f Die Lampe	○	○	○	○	an der Decke.
g Das Handy	○	○	○	○	in der Jacke.
h Der Fernseher	○	○	○	○	zwischen den Fenstern.

A1 **2 Wo ist …? Machen Sie eine Tabelle und ergänzen Sie die Sätze aus 1.**

Grammatik entdecken

	der	das	die	die
a Das Papier liegt b Das Buch steht/liegt/steckt c …	auf dem Tisch.	im Regal.		

A1 **3 Wo ist der Ball? Ordnen Sie zu.**

Wiederholung A1, L11

auf | vor | unter | in | hinter | neben | über | ~~an~~ | zwischen

A B C D E F G H I

A2 **4 Janas Zimmer**

a Was ist das? Ergänzen Sie mit der – das – die – die.

1 der Kasten
2
3
4
5
6
7
8
9
10
11
12
13
14
15
16
17
18
19
20

b Wie schaut Janas Zimmer aus? Schreiben Sie.

Der Schreibtisch steht neben dem Bett.
Vor dem Schreibtisch steht die Tasche

◇ A2 **5 Ergänzen Sie mit *stehen – liegen – stecken – hängen* in der richtigen Form.**

E-Mail senden

Hallo Emilia,
ich bin gestern umgezogen. Hier ist im Moment noch Chaos: Meine Hosen und T-Shirts liegen auf dem Bett, weil mein neuer Kasten noch nicht da ist. ☹ Die Bücher stehen noch nicht im Regal, sie liegen überall auf dem Boden, auf dem Schreibtisch, auf der Couch ... Das Geschirr ist auch nicht in den Küchenkästen. Es liegen auf dem Küchenstühlen! Und es ist dunkel in der Wohnung, weil noch keine Lampen an der Decke hängen.
Kein Teppich auf dem Boden, keine Bilder an den Wänden ...
Ich habe einen super Balkon, aber leider kann ich die Balkontür nicht aufmachen. Es stehen kein Schlüssel im Schloss, aber es muss doch einen Schlüssel geben!
Meine Katze Lila ist glücklich. Sie liegt die ganze Zeit auf der Couch und schläft. Na ja, sie muss ja nicht aufräumen ☺
Magst du morgen Abend skypen?
Liebe Grüße
Pia

❖ A2 **6 Was liegt/steht/hängt/steckt wo in Ihrer Wohnung? Schreiben Sie Sätze.**

a ● das Handy
Mein Handy liegt meistens auf dem Schreibtisch im Wohnzimmer.

b ● der Kühlschrank
Der Kühlschrank steht in der Küche.

c ● die Lieblingslampe
Meine Lieblingslampe steht neben der Tür.

d ● der Fernseher
Mein Fernseher hängt über dem Regal.

e ● die Schuhe
Mein Schuhe liegen vor den Couch

f ● die Waschmaschine
Die Waschmaschine steht im Keller.

B Kann ich das **auf den Tisch legen**?

B1 **7 Was ist richtig? Kreuzen Sie an.**

A Wohin?

Ich lege das Buch ...

1 ☒ auf den ○ auf dem Tisch.
2 ○ neben der ○ neben die Lampe.
3 ○ neben dem ○ neben das Bett.
4 ○ in den ○ im Kasten.
5 ○ unter die ○ unter den Zeitungen.

B Wo?

Das Buch liegt ...

1 ○ auf den ☒ auf dem Tisch.
2 ○ neben der ○ neben die Lampe.
3 ○ neben dem ○ neben das Bett.
4 ○ in den ○ im Kasten.
5 ○ unter die ○ unter den Zeitungen.

B1 **8 Ergänzen Sie die Sätze aus 7.**

Grammatik entdecken

	Ich lege das Buch ... →	Das Buch liegt ... ◎
• der Tisch	auf den Tisch.	auf dem Tisch.
• das Bett	auf das Bett	auf dem Bett
• die Lampe	neben die Lampe	neben der Lampe
• die Zeitungen	auf die Zeitungen	auf den Zeitungen

B3 **9 Ordnen Sie zu und ergänzen Sie in der richtigen Form.**

~~stellen~~ stecken liegen hängen stecken legen hängen ~~stehen~~

a ◆ Wohin hast du das Fahrrad gestellt? ○ Das steht im Garten.
b ◆ Wohin hast du das Geld gelegt? ○ Das gelegen auf dem Tisch.
c ◆ Wohin hast du die Tasche gehangen? ○ Die gehangen am Sessel.
d ◆ Wohin hast du das Handy gesteckt? ○ Das gesteckt in der Tasche.

◇ B3 **10 Wo ist mein Handy? Ergänzen Sie in der richtigen Form.**

a ◆ Wo ist denn bloß mein Handy?
○ Hast du es auf den Schreibtisch gelegt?
◆ Nein, auf dem Schreibtisch ist es nicht.

b ○ Ist es vielleicht unter dem Bett?
◆ Dem Bett ist es nicht.

c ○ Hast du es in das Regal gelegt?
◆ Nein, dem Regal ist es auch nicht.

d ○ Hast du es vielleicht in die Tasche gesteckt?
◆ Nein, der Tasche steckt es auch nicht.

e ○ Du hast es doch nicht in den Mistkübel gesteckt!
◆ Dem Mistkübel? Da muss ich einmal nachschauen ...

❖ B3 **11 Wohin stellen, legen, hängen wir ...? Schreiben Sie.**

a • das Regal / • das Fenster — • die Lampe / • die Decke
b • das Foto / • das Regal — • das Bild / • die Wand
c • die Kleider / • den Kasten — • den Tisch / • die Mitte
d • den Fernseher / • das Regal — • die CDs / • den Tisch
e • die Sessel / • den Tisch — • das Bett / • die Tür

a Das Regal stellen wir neben das Fenster und die Lampe hängen wir an die Decke.

b Das Foto hängt ich über das Regal und das Bild stelle ich auf dem Shreibtisch

c Die Kleider hänght ich in den Kasten und ich lege den Tisch in die Mitte.

d Ich stelle den Fernseher auf das Regal und die CDs stecke ich in den Tisch.

e Ich stelle die Sessel vor den Tisch und das Bett lege ich neben die Tür

B3 **12 Ordnen Sie zu und ergänzen Sie.**

ist ... gelegen | ist ... gestanden | ist ... gesteckt | ist ... gehangen

a Wo ist denn mein Schlüssel? Der ______ doch auf dem Tisch ______________!
b Und wo ist meine Geldbörse? Die ______ doch in meiner Jacke ______________
c Meine Jacke! Wo ist meine Jacke? Die ______ ganz sicher da auf dem Sessel ______________!
d Und mein Regenschirm! Der ______ hinter der Tür ______________! Oh, wo ist nur mein Kopf ...

B3 **13 Was ist richtig? Lesen Sie und kreuzen Sie an.**
Prüfung

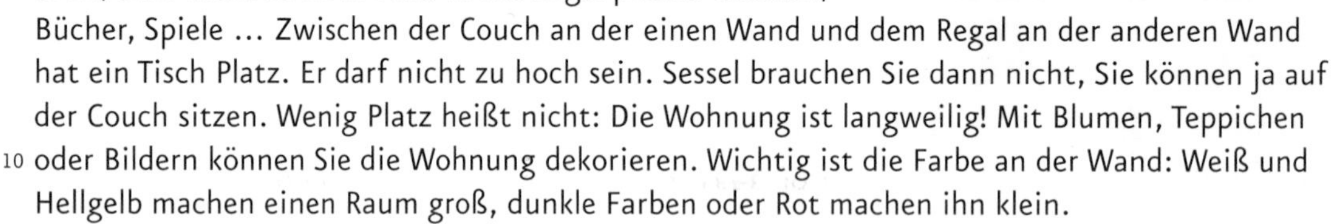

Kleine Wohnung ganz groß

Beim Einzug in eine kleine Wohnung muss man gut planen: Was brauche ich? Wie viel Platz habe ich? Besonders praktisch ist eine Bettcouch. Stellen Sie sie an die Wand oder in eine Ecke. Untertags können Sie auf der Couch sitzen, in der Nacht wird sie 5 zum Bett. Stellen Sie an die Wand gegenüber ein Regal. Es soll breit, aber nicht zu hoch sein! In das Regal passen Geschirr, Bücher, Spiele ... Zwischen der Couch an der einen Wand und dem Regal an der anderen Wand hat ein Tisch Platz. Er darf nicht zu hoch sein. Sessel brauchen Sie dann nicht, Sie können ja auf der Couch sitzen. Wenig Platz heißt nicht: Die Wohnung ist langweilig! Mit Blumen, Teppichen 10 oder Bildern können Sie die Wohnung dekorieren. Wichtig ist die Farbe an der Wand: Weiß und Hellgelb machen einen Raum groß, dunkle Farben oder Rot machen ihn klein.

Mehr lesen

a In einer kleinen Wohnung ...
- ○ hat eine Couch keinen Platz.
- ☒ ist eine Couch zum Sitzen und Schlafen gut.
- ○ muss die Couch in der Mitte stehen.

b Ein Regal ...
- ○ ist nicht praktisch.
- ○ soll hoch sein.
- ○ hat Platz für viele Sachen.

c Man soll einen Tisch ...
- ○ an die Wand stellen.
- ○ zwischen die Couch und das Regal stellen.
- ○ und Sessel kaufen.

d Mit ...
- ○ Teppichen und Bildern kann man die Wohnung schön machen.
- ○ Farbe an der Wand schaut ein Zimmer nicht gut aus.
- ○ Farben wie Weiß, Hellgelb und Rot schaut ein Zimmer klein aus.

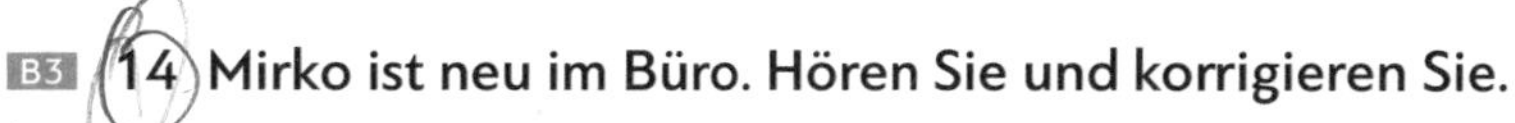

B3 **14 Mirko ist neu im Büro. Hören Sie und korrigieren Sie.**
🔊 10

a Mirko kann seine Jacke ~~in den Kasten~~ hängen. neben die Tür
b Mirko möchte Fotos ~~auf den Schreibtisch stellen.~~ an die Wand hängen
c Der Stecker ~~steckt in der Steckdose.~~ liegt auf dem Boden
d Mirko soll Papier ~~in den Kasten legen.~~ im Drucker

C Stellen Sie die Leiter **dahin**.

C1 15 Was ist richtig? Kreuzen Sie an.

a ◆ Gibt es da einen Mistkübel?
○ Ja, ☒ dort ○ dorthin in der Ecke.

b ◆ Wohin hast du meine Stifte gelegt?
○ ○ Dort. ○ Dorthin.

c ◆ Entschuldigung, wo sind denn da die Toiletten?
○ Ich weiß nicht, aber schau einmal: ○ Da ○ Dahin ist ein Schild.

d ◆ Soll ich die Kleider in den Kasten hängen?
○ Nein, leg sie ○ da. ○ dahin.

e ◆ Schau, ich habe eine schöne Pflanze gekauft.
○ Sehr schön. Wir stellen sie ○ dort ○ dorthin?

f ◆ Wo ist nur mein Autoschlüssel?
○ Schau, ○ da ○ dahin liegt er doch.

C1 16 Ergänzen Sie *da* – *dahin* und die Endungen in der richtigen Form.

a ◆ Wo sind denn nur meine Stifte?
○ Da ! Ich habe sie in d*ie* Schublade gelegt.

b ◆ Wohin habe ich nur wieder meine Brille gelegt?
○ Sie liegt ………… drüben.
◆ Wo denn? Ich sehe doch ohne Brille nichts.
○ Auf d………… Couchtisch.

c ◆ Wohin darf ich meine Jacke hängen?
○ Häng sie ………… .
◆ Über d………… Sessel?
○ Genau. ………… hängt sie doch gut, oder?

d ◆ Wohin kommt der Plastikmüll?
○ ………… – in d………… gelbe Tonne.

C2 17 Wohin geht Marita? Ordnen Sie zu und schreiben Sie.

~~aus dem Haus~~ | ins Haus | in den Hof | ~~raus~~ | rüber | über die Straße | runter | in den dritten Stock | rauf | rein

A

a Marita geht aus dem Haus. Sie geht raus.

b …………

B

C

c …………

d …………

D

E

e …………

C

18 Verbinden Sie und ergänzen Sie.

C2

a in den Supermarkt
b über die Straße
c in den 10. Stock
d aus dem Geschäft
e von der Brücke

1 ______ 2 raus 3 ______ 4 ______ 5 ______

19 Was darf man nicht? Was muss man? Ordnen Sie zu und ergänzen Sie in der richtigen Form.

C2

rausstellen reinbringen reingehen reinkommen ~~runterfahren~~ rüberfahren

A

a Hier darf man nicht runterfahren.

B

b Hier ______ man ______.

C

c Hier ______ Sie leider ______.

D

d Am Donnerstag ______ du den Müll ______.

E

e Es regnet! Schnell! Wir ______ alles ______.

F

f Nein, du ______ noch nicht ______.

20 *ü* hören und sprechen

C3

11 a Wo hören Sie *ü*? In Wort A oder B? Kreuzen Sie an.

Phonetik

1 A ⊗ B ○   2 A ○ B ○   3 A ○ B ○   4 A ○ B ○

12 b Hören Sie und sprechen Sie nach.

1 viel Müll
sehr viel Müll
Das ist aber sehr viel Müll.

2 vor die Tür stellen
Bitte den Müll vor die Tür stellen!
Herr Müller, würden Sie bitte den Müll vor die Tür stellen?

3 natürlich
natürlich müssen Sie
Aber natürlich müssen Sie die Tür schließen.

4 rüberbringen
lieber den Schlüssel rüberbringen
Bring den Schlüssel lieber zu den Nachbarn rüber.

D Mitteilungen im Wohnhaus

D2 **21 Finden Sie die passenden Ausdrücke und notieren Sie.**

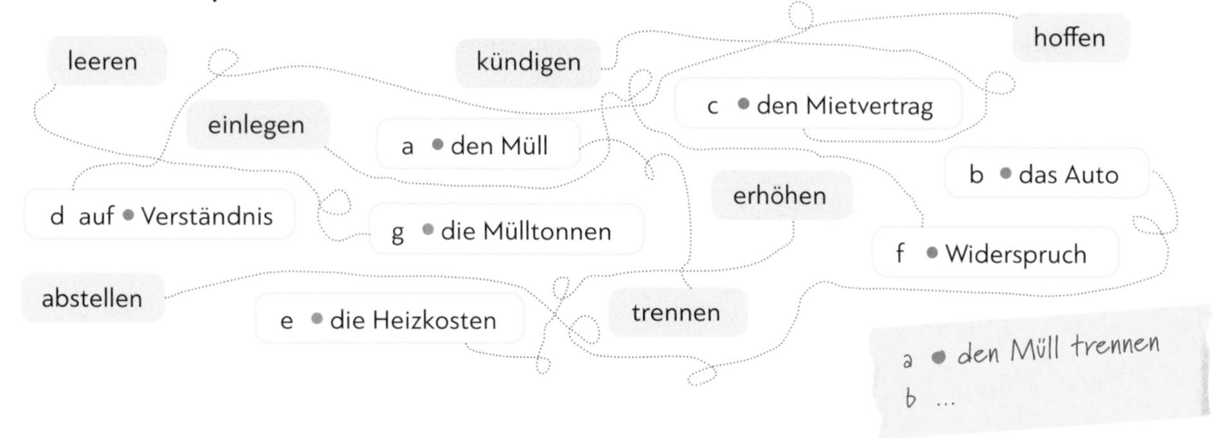

D2 **22 Bilden Sie Wörter und ergänzen Sie mit ● *der* – ● *das* – ● *die* – ● *die*.**

a mieten + ● der Vertrag ● der Mietvertrag
b ● der Hof + ● die Einfahrt ....
c ● der Müll + ● die Tonne ....
d parken + ● der Platz ....
e ● das Haus + ● der Bewohner ....
f heizen + ● die Kosten ....

D2 **23 Was passt nicht? Streichen Sie und verbinden Sie dann.**

a ● das Arbeitszimmer – ~~● die Müllabfuhr~~ – ● das Bad – ● das Kinderzimmer – ● das Vorzimmer – ● die Toilette

b ● das Glas – ● der Restmüll – ● der Papierkorb – ● das Plastik – ● die Couch – ● die Mülltonne

c ● der Fernseher – ● der Kühlschrank – ● die Waschmaschine – ● die Hofeinfahrt – ● das Radio – ● der Herd

d ● der Schreibtisch – ● der Sessel – ● die Küche – ● das Bücherregal – ● der Kasten – ● die Couch

e ● der 1. Stock – ● der Hof – ● die Garage – ● der Mist – ● der Garten – ● das Dach

1 ● das Haus
2 ● die Wohnung
3 ● der Müll
4 ● die Geräte
5 ● die Möbel

D2 **24 Wortakzent**

13 **a** Hören Sie und markieren Sie die Betonung: ___ .

Phonetik

1 die Wohnung – der Schlüssel – der Wohnungsschlüssel
2 der Müll – die Tonne – die Mülltonne
3 heizen – die Kosten – die Heizkosten
4 das Jahr – die Ablesung – die Jahresablesung
5 der Hof – die Einfahrt – die Hofeinfahrt
6 mieten – der Vertrag – der Mietvertrag

14 **b** Hören Sie noch einmal und sprechen Sie nach.

D

D2 25 **Ordnen Sie zu.**

Seien Sie bitte so nett | Mit freundlichen Grüßen | ~~Liebe Hausbewohner~~ | es gibt ein Problem | Vielen Dank für Ihre Mithilfe

Liebe Hausbewohner ,

....:

Im Stiegenhaus liegen immer wieder große Mengen von kostenlosen Zeitungen vor unseren Postkästen.

.... und schließen Sie die Haustür immer ab!

....

....

Peter Neubauer, Hausbesorger

◇ D2 26 **Wo ist meine Katze? Ordnen Sie den Text und schreiben Sie die Mitteilung.**

Schreibtraining

- ◯ Sie ist weiß und grau-braun und ein Auge ist blau, ein Auge ist grün. Seit zwei Tagen ist sie nicht mehr heimgekommen. Wer hat sie gesehen?
- ◯ Alice Barbieri
- ◯ Hilfe! Ich suche meine Katze.
- ① Liebe Nachbarn!
- ◯ Der Finder bekommt 10 Euro!

Liebe Nachbarn!

...

❖ D2 27 **Schreiben Sie eine Mitteilung an Ihre Nachbarn.**

Schreibtraining

bald wieder Sommer sein | auch heuer ein Hausfest | Wer mithelfen? | Wer Getränke kaufen? | Wer etwas zu essen mitbringen? | den Hausbesorger informieren | hoffentlich viele kommen und mitmachen

An alle Nachbarn im Haus!

Es ist bald wieder Sommer und wir machen ...

....

....

....

....

....

....

Viele Grüße

...

LERNTIPP Kontrollieren Sie Ihren Text nach dem Schreiben noch einmal. Sind alle Wörter in der richtigen Form?

E3 28 Was ist richtig? Kreuzen Sie an.

a ◆ Die Haustür war gestern Nacht schon wieder offen.
○ ☒ Oh, tut mir leid. Das war keine Absicht.
○ ○ Danke für Ihr Verständnis.

b ◆ Das Schloss an meiner Wohnungstür ist kaputt. Ich glaube, jemand muss es wechseln. Mit wem kann ich denn da reden?
○ ○ Da rufen Sie am besten die Hausverwaltung an.
○ ○ Kein Problem. Meinen Sie nicht auch?

c ◆ Ich habe eine Bitte: Würden Sie nächste Woche meinen Postkasten leeren?
○ ○ Danke für Ihre Hilfe.
○ ○ Kein Problem. Das mache ich gern.

d ◆ Der Kinderwagen darf aber nicht vor dem Lift stehen!
○ ○ Ich hoffe, das passt für Sie.
○ ○ Oh, Entschuldigung. Sie haben recht. Ich stelle ihn gleich weg.

◇ E3 29 Ordnen Sie zu.

Seien Sie bitte so nett | ~~habe da ein Problem~~ | habe ich nicht gewusst | geht leider nicht | Vielen Dank für Ihr Verständnis | ist doch kein Problem

◆ Ah, hallo, Frau Özdemir. Entschuldigen Sie, ich *habe da ein Problem*: Vor Ihrer Tür stehen immer so viele Schuhe.
○ Ja, aber das ..., oder?
◆ Leider doch. Ich putze jede Woche das Stiegenhaus. Da stören die Schuhe. ... und stellen Sie die Schuhe in die Wohnung.
○ Das .... Wir haben einen ziemlich teuren Teppich im Vorzimmer.
◆ Aber man darf im Stiegenhaus nichts abstellen.
○ Wirklich? Das .... Wissen Sie was? Ich kaufe ein Schuhregal für unsere Wohnung.
◆ Das ist eine gute Idee. ....

❖ E3 30 Ergänzen Sie das Gespräch.

◆ Hallo, Herr Unger. S*agen* S*ie* ein*mal*: Das ist doch Ihr Auto in der Einfahrt. S... S... b... s... n... und fahren Sie es weg.
○ Natürlich. D... m... i... g....
Ich bringe nur schnell meine Einkäufe rauf, okay?
◆ Na gut. Aber ich hoffe, es dauert nicht zu lange.
○ Nein, in zwei Minuten bin ich zurück. D... f... I... V....
...
◆ Herr Unger!
○ Ja? W... i... d... l...?
◆ Ich warte jetzt seit 15 Minuten.
○ Oje, ich habe Sie ganz vergessen, Herr Schweiger. Entschuldigung.
D... w... k... A....

E4 **31 Lesen Sie die Mitteilung und entscheiden Sie: Ist die Aussage richtig oder falsch? Welche Antwort (a, b, oder c) passt am besten?**

Prüfung

ISTA Österreich
Strom-Gas-Ablesungen

Jahresablesung

Adresse: Geisdorferstr. 121

Sehr geehrte Damen und Herren,

die Ablesung der Zähler findet statt am Donnerstag, 18. Jänner, von 7.30 bis 9.30 Uhr. Entfernen Sie bitte Gegenstände und Möbel vor den Zählern. Sie können nicht persönlich daheim sein? Geben Sie bitte bei Abwesenheit den Schlüssel bei einem Nachbarn ab.

Mit freundlichen Grüßen

Pius Kuhn

Abteilung Strom und Gas

1 Der Mitarbeiter der Firma ISTA kommt am 18. Jänner am Nachmittag. ○ richtig ○ falsch

2 Die Mieter
a ○ müssen persönlich daheim sein.
b ○ sollen keine Möbel vor den Zählern haben.
c ○ können den Schlüssel dem Mitarbeiter von ISTA geben.

E4 **32 Eine Nachricht für Herrn Wurzer**

Schreibtraining

a Verbinden Sie.

Am 18. Jänner sind Sie nicht da. Ihr Nachbar, Herr Wurzer, ist tagsüber daheim. Sie bitten ihn, den Kundenservice in die Wohnung zu lassen. Sie schreiben eine kurze Nachricht und stecken sie in seinen Postkasten, weil Herr Wurzer gerade nicht da ist.

1 Anrede
2 Was machen Sie am 18. Jänner?
3 Was soll Herr Wurzer tun?
4 Dank und Gruß

Vielen Dank für Ihre Hilfe und herzliche Grüße

die Jahresablesung ist am 18.1. Leider habe ich an dem Tag Frühschicht und muss arbeiten.

Hallo Herr Wurzer,

Könnten Sie die Leute von der Firma bitte in meine Wohnung lassen? Ich klingle heute Abend bei Ihnen oder werfe den Wohnungsschlüssel in Ihren Postkasten.

b Schreiben Sie die Nachricht.

Hallo Herr Wurzer,
die Jahresablesung ...

E5 **33 Eine Mitteilung schreiben**

Prüfung

Ihre Schwester ist krank. Sie wohnt in einer anderen Stadt und Sie wollen sie über das Wochenende besuchen. Schreiben Sie Ihrer Nachbarin, Frau Steiner, eine Mitteilung.

- Sie werfen den Wohnungsschlüssel in Frau Steiners Postkasten.
- Frau Steiner soll Ihre Blumen gießen und die Katze füttern.
- Danken Sie Frau Steiner für ihre Hilfe.

Liebe Frau Steiner,
...
Viele Grüße ...

Test Lektion 2

2

1 Ergänzen Sie das Gespräch.

1 ...... /8 Punkte

WÖRTER

- ◆ Guten Abend, Frau Knebl. Kommen Sie doch rein. (a)
- ○ Danke. Ich will w__k____h (b) nicht lange s_ö___ (c). Aber ich habe eine B____ (d): Ich erwarte morgen ein Paket. Ich habe aber Früh____t (e) und bin nicht daheim. Darf der Mann von der Post das Paket bei Ihnen a_st__l__ (f)?
- ◆ Natürlich. Kein Problem.
- ○ Super. Ich hä___ (g) eine Nachricht an meinen P___k____ (h). Dann weiß der Mann Bescheid und k__g__t (i) bei Ihnen.

...... 0–4 / 5–6 / 7–8

2 Ordnen Sie zu.

2 ...... /3 Punkte

GRAMMATIK

rauf ~~raus~~ rein rüber

A B C D

a Hallo, Herr Ley! Kommen Sie doch .... und trinken Sie einen Kaffee mit uns.

b Schade, hier darf ich heute nicht .... gehen.

c Hier darf man nur im Notfall raus gehen.

d Kommen Sie bitte ...., Frau König.

3 Ordnen Sie zu und ergänzen Sie *der – das – die* in der richtigen Form.

3 ...... /8 Punkte

~~hängt~~ lege liegt stecken stellen

a Du, da hängt ein Schild an der Tür: „Ruhe, bitte". Meinst du, wir dürfen stören?

b Ah, Sie bringen den neuen Drucker. Bitte .... Sie ihn gleich auf d............ Schreibtisch.

c Nein, der Computer ist nicht kaputt. Sie müssen nur zuerst den Stecker in d............ Steckdose ....

d Ich .... Ihnen die Gebrauchsanweisung auf d............ Tisch.

e Das Papier für den Drucker .... neben d............ Telefon.

...... 0–5 / 6–8 / 9–11

4 Ergänzen Sie die Mitteilung.

4 ...... /5 Punkte

KOMMUNIKATION

Lieber Herr Zwolinski,
ich muss heute Abend nach Wels fahren. Meine Mutter liegt im Krankenhaus. Könnten Sie (a) bitte meine Katze füttern? .... (b) wirklich nett. .... (c) in Ihren Postkasten – wie beim letzten Mal. .... (d), das passt für Sie. .... (e) für Ihre Hilfe und .... (f) Grüße
Zahrife Yilmaz

...... 0–2 / 3 / 4–5

Fokus Beruf: Gewerberäume suchen

1 Was sucht Alba? Lesen Sie und kreuzen Sie an.

Hallo. Ich bin Alba Grilli. Ich bin Schneiderin. Bis jetzt habe ich nicht gearbeitet, weil ich einen Deutschkurs besucht habe. Aber jetzt suche ich ein kleines Geschäft: Ich möchte dort Kleider nähen und verkaufen. Ein Raum mit einer kleinen Teeküche ist schon genug.

a ○ Einen Deutschkurs. b ○ Eine Wohnung. c ○ Ein Geschäftslokal.

2 Alba sucht im Internet.

a Welche Anzeige klickt sie an? Kreuzen Sie an.

1 ○ Sie wollen ein Geschäft oder ein kleines Café eröffnen? Dann ist das Ihr Objekt.

2 ○ **NEU!** Büro-/Praxisräume in neuem Geschäftshaus von 120 m² bis 267 m².

b Welche Informationen bekommt Alba? Lesen Sie und ergänzen Sie.

Größe: 45 m²
Frei ab: sofort
Objektart: Geschäftslokal
Miete pro Monat: 450 Euro
Betriebskosten pro Monat: 150 Euro
Kaution: 2 Monatsmieten
Provision: 2,38 Monatsmieten (inkl. MwSt.)
Ausstattung: großer Raum mit Fliesen und Schaufenster, WC
Angeboten von: Stefan Stüttler Immobilienvermittlung
Anbieter kontaktieren **Angebot merken**

1 Das Geschäft ist _45_ Quadratmeter groß.
2 Die .... beträgt inklusive Betriebskosten 600 Euro pro Monat.
3 Alba muss zwei Monatsmieten ...., also 900 Euro, bezahlen.
4 Der Makler Stefan Stüttler bekommt .... Monatsmieten für seine Arbeit.
5 Alba kann das Geschäft ab .... mieten.

• die Betriebskosten = Kosten für Wasser, Lift und Hausreinigung, ...

c Alba hat Fragen zu dem Angebot. Was muss sie anklicken?

1 ○ **Anbieter kontaktieren** 2 ○ **Angebot merken**

3 Was schreibt Alba? Ordnen Sie zu.

anschauen | erreichen | ~~geehrter~~ | Grüßen | gültig | liegt

Kontaktanfrage an Herrn Stefan Stüttler

Ihre Nachricht:
Sehr _geehrter_ Herr Stüttler,
Sie bieten in Koflach ein Geschäftslokal an. Ist das Angebot noch ....?
Kann ich das Geschäft einmal ....? Wo genau .... das Geschäft?
Bitte rufen Sie mich an. Sie .... mich unter 0699-5874361.
Mit freundlichen ....
Alba Grilli

Fokus Alltag: Einen Mietvertrag verstehen

1 Lesen Sie den Mietvertrag und ordnen Sie zu.

Miete und Betriebskosten | Mietdauer | Mieträume | ~~Mietsicherheit~~ | Zahlung

Mietvertrag

Zwischen
als Vermieter: Johann Boss, Richard-Wagner-Allee 12, 4810 Gmunden
und
als Mieter: Mohammad Alqarni, Birkenstr. 3, 4810 Moosham
wird folgender Mietvertrag abgeschlossen:

§1 ....
Schallergasse 3, 1. Stock Mitte, 4810 Gmunden
2 Zimmer, Küche, Vorzimmer, Bad mit Dusche/WC, Balkon
Wohnfläche: ca. 55 m²

§2 ....
Der Mietvertrag beginnt am 01.02.20... Er ist unbefristet. Es gilt die gesetzliche Kündigungsfrist. Eine Kündigung ist nur schriftlich möglich.

§ 3 ....
Miete pro Monat: 440 Euro
Vorauszahlung Betriebskosten pro Monat: 130 Euro
Miete inkl. Betriebskosten pro Monat: 570 Euro

§4 .... von Miete und Nebenkosten
Miete und Betriebskosten sind jeden Monat im Voraus, spätestens aber bis zum 3. Werktag des Monats, auf folgendes Konto zu überweisen:
Kontoinhaber: Johann Boss
Bank: OÖ Postkasse Gmunden
IBAN: AT497035103000001234567
BIC: BAWATWW

§5 *Mietsicherheit*
Der Mieter leistet dem Vermieter eine Mietsicherheit (Kaution) in Höhe von 880 Euro.

2 Was ist richtig? Lesen Sie noch einmal und kreuzen Sie an.

a Herr Alqarni möchte eine Wohnung ☒ mieten. ○ vermieten.
b Die Wohnung liegt im ○ dritten ○ ersten Stock.
c Der Mieter kann ○ ab 1. Februar ○ ab 2. Jänner einziehen.
d Der Mietvertrag ist ○ befristet. ○ nicht befristet.
e Der Mieter muss jeden Monat ○ 130 Euro ○ 570 Euro bezahlen.
f ○ Der Mieter ○ Der Vermieter muss eine Kaution zahlen.

A Ich esse **nie** Fleisch.

A1 **1 Ordnen Sie zu.**

meistens | nie | manchmal | oft | immer | ~~selten~~

0% → 100%

nie (never) | selten (rarely) | manchmal (sometimes) | oft (often) | meistens (mostly) | immer (always)

A2 **2 Ordnen Sie zu.**

oft | immer | ~~selten~~ | ~~nie~~

a Yara geht nur einmal oder zweimal pro Monat zum Mittagessen in die Kantine. Sie isst nur sehr selten dort.
b Mayla isst nur vegetarisch. Sie isst nie Fleisch.
c Franz isst sehr oft Fleisch – fast jeden Tag.
d Francesco trinkt in der Früh immer Kaffee. Er braucht zum Frühstück immer einen Kaffee.

A2 **3 Wer macht was wie oft?**

a Wählen Sie eine Person aus Ihrem Kurs. Überlegen Sie: Was macht sie/er wie oft? Schreiben Sie.

spazieren gehen | laufen gehen | am Abend fernschauen | schwimmen | Gewand einkaufen | Deutsch lernen | Sport machen | spät ins Bett gehen | ...

Ich glaube, Alfredo geht oft spazieren, er schaut ... fern, ...

b Zeigen Sie dieser Person Ihren Text und fragen Sie: Was stimmt und was stimmt nicht? Wer hat seine Person am besten beschrieben?

A2 **4 Wie heißen die Wörter? Ergänzen Sie.**

E-Mail senden

Lieber Simon,
jetzt lebe ich schon seit zehn Monaten in Krems. Am Anfang war alles neu für mich. Aber jetzt habe ich schon ein paar Gewohnheiten (wohntenheiGe) von meinen österreichischen Kollegen ____ (nomübermen). Ich frühstücke zum Beispiel in der ____ (hürF) Brot mit ____ (nigHo) oder ____ (melaMarde) und ich kaufe mir ____ (wegsterun) noch einen Kaffee. Zu ____ (tagMit) gehe ich meistens mit Kollegen in die ____ (Kanneti) zum Essen. Es gibt immer eine vegetarische ____ (seSpei). Die nehme ich oft, denn ich esse nie ____fleisch (neSchwei). Manchmal gehen wir auch am ____ (bendA) nach der Arbeit zusammen weg. Alle sagen: Hier in der Nähe von Krems schmeckt der Wein sehr gut. Aber du weißt ja, ich trinke keinen Wein! Zurzeit trinke ich am liebsten einen gespritzten Apfelsaft. Den trinke ich zu ____ (tsaf) jeder ____ (zeitMahl) ☺ .
Wie geht es dir? Wie geht es deiner Familie? Treffen wir uns bald wieder einmal?
Liebe Grüße
Kerem

eigentlich: actually

mehr: more

B Du magst doch auch **einen**, oder?

B1 **5 Ergänzen Sie: *ein-*, *kein-*, *welch-* in der richtigen Form.**

a ◆ Ich brauche bitte eine Tasse. ○ Da ist doch eine .
b ◆ Haben wir eigentlich noch Nüsse? ○ Ja, da sind welche .
c ◆ Gibst du mir bitte ein Weckerl? ○ Tut mir leid, da ist kein mehr.
d ◆ Gib mir bitte einen Löffel. ○ Dort liegt doch einer .
e ◆ Haben wir noch Eier? ○ Nein, im Kühlschrank sind keine mehr.
f ◆ Ich brauche bitte ein Messer. ○ Schau, da liegt doch eins .
g ◆ Gibst du mir bitte eine Zwiebel? ○ Tut mir leid, aber da ist keine .
h ◆ Gibst du mir bitte einen Apfel? ○ Tut mir leid, da ist keinen .

B1 **6 Was ist richtig? Kreuzen Sie an.**

a ◆ Gibst du mir bitte noch ein paar Nüsse?
○ Tut mir leid, wir haben
○ welche ☒ keine mehr.
b ◆ Wer mag noch Spaghetti?
○ Ich nehme gern noch ☒ eine. ○ welche.
c ◆ Magst du eine Nachspeise?
○ Nein danke, ich mag
○ keins. ☒ keine.
d ◆ Gibt es noch ein Messer?
○ Ich weiß nicht. Ich sehe ☒ keins. ○ keinen.
e ◆ Ich brauche noch einen Teller.
○ Bleib sitzen, ich hole dir ☒ einen. ○ welche.

Stay seated

f ◆ Ich hole noch eine Tasse.
○ Ich brauche auch ○ eins. ☒ eine.
g ◆ Soll ich noch ein Brot kaufen?
○ Nein, wir haben noch ☒ eins. ○ einen.
h ◆ Wir brauchen noch einen Löffel.
○ Oh, wir haben ☒ keinen ○ keine mehr.

B1 **7 Markieren Sie Wer?/Was? in 5 und Wen?/Was? in 6 und ergänzen Sie.**

Grammatik entdecken

Who / What (Subject Questions)

Wer?/Was?	Da ist/sind ...
der Löffel	einer /keiner
das Messer	eins /keins
die Tasse	eine /keine
die Nüsse	welche /keine

Whom/Which (Object Questions)

Wen?/Was?	Ich habe/mag/nehme ...
den Löffel	einen / keinen
das Messer	eins / keins
die Tasse	eine /keine
die Nüsse	welche / keine

B2 **8 Ordnen Sie zu.**

~~eins~~ ~~keine~~ keins ~~eine~~ welche ~~keine~~ ~~einen~~

a ◆ Ich nehme mir noch eine Nachspeise. Du auch?
○ Nein danke. Ich mag keine mehr.
b ◆ Haben wir noch ein Ei?
○ Ja, im Kühlschrank ist noch eins .
c ◆ Ich mache mir noch einen Espresso.
○ Gute Idee. Ich mag auch noch einen .

d ◆ Wo sind denn die Nüsse? Haben wir noch welche ?
Nuts
○ Nein, ich glaube, wir haben keine mehr.
e ◆ Ich brauche eine Gabel.
○ Da auf dem Tisch liegt doch eine .
f ◆ Wo ist denn das Brot?
○ Wir haben keins mehr.

B2 9 Verbinden Sie.

a ◆ Soll ich noch Birnen kaufen?
b ◆ Soll ich noch eine Flasche Milch kaufen?
c ◆ Soll ich noch ein Brot kaufen?
d ◆ Soll ich noch einen Kuchen kaufen?
e ◆ Soll ich noch Bananen kaufen?

1 ○ Nein, wir haben noch eins.
2 ○ Nein, wir haben noch welche.
3 ○ Ja bitte, wir haben keinen mehr.
4 ○ Ja bitte, es ist keine mehr da.
5 ○ Nein, es sind noch welche da.

B2 10 Ergänzen Sie die Gespräche.

a ◆ Ich brauche ein Wörterbuch Deutsch – Arabisch. Hast du ......?
○ Nein, aber frag doch einmal Medhat.

b ◆ Kannst du mir einen Bleistift leihen?
○ Tut mir leid, ich habe .... Aber da auf dem Tisch liegt doch .... Nimm doch den.

c ◆ Ich gehe in der Pause ein Weckerl kaufen. Magst du auch ....?
○ Ja, gern.

d ◆ Ich habe Kopfweh.
○ Dann nehmen Sie doch eine Tablette.
◆ Ich habe aber ....
○ Einen Moment. Ich habe sicher .... in der Tasche. Ja, schauen Sie, bitte sehr.

e ◆ Haben wir noch Erdäpfel?
○ Ja, im Kühlschrank sind noch ....

B3 11 Lösen Sie das Rätsel.

A B C D E F G H I

Lösung: ....

riechen: smell to
nach: to

12 Eine Einladung

Ordnen Sie die Gesprächsteile.

(5) ◆ Nein, nein. Lass sie ruhig an. Der Boden ist kalt.
(2) ○ Hallo Elly. Die Blumen sind für dich.
(1) ◆ Hallo Birgit, komm bitte rein.
(3) ◆ Oh, sind die schön! Vielen Dank. Das ist aber nett.
(4) ○ Soll ich die Schuhe ausziehen?

...

(6) ◆ Ja dann: Mahlzeit!
(5) ○ Ja, sehr gern. Aber nur ein Glas. Danke.
(2) ◆ Rindsschnitzel mit Gemüse und Erdäpfeln. Das magst du doch gern, oder?
(1) ○ Hm, das riecht aber sehr gut. Was hast du denn gekocht?
(4) ◆ Das freut mich. Magst du Wein?
(3) ○ Ja, sehr gern!

...

(4) ◆ Sehr gern! Servus.
(2) ◆ Vielen Dank für deinen Besuch und komm gut nach Hause.
(1) ○ Es ist schon spät. Vielen Dank für den schönen Abend und das gute Essen.
(3) ○ Das nächste Mal kommst du zu mir, okay?

◇ C2 13 Verbinden Sie.

a Hier bitte, die Blumen sind für Sie.
b Was möchten Sie trinken?
c Soll ich die Schuhe ausziehen?
d Darf ich Ihnen noch ein Stück Fleisch geben?
e Vielen Dank für den schönen Abend.

1 Gern! Es war wirklich schön!
2 Ja, gern.
3 Oh, danke. Das ist aber nett.
4 Lassen Sie sie ruhig an.
5 Einen Orangensaft, bitte.

❖ C2 14 Wie antworten Sie höflich? Ergänzen Sie.

~~Kein Problem!~~ | Ein Glas Wasser, bitte. Ich trinke keinen Alkohol. | Ja, gern. Sie schmeckt wirklich sehr gut. | Vielen Dank für den schönen Abend. | Vielen Dank. Das ist sehr nett. Wir kommen gern.

a ◆ Wir möchten Ihre Frau und Sie am Samstag gern zum Abendessen einladen.
○ ....

b ◆ Tut mir leid! Ich habe gar nichts mitgebracht.
○ Kein Problem!

c ◆ Möchten Sie Wein oder lieber ein Bier?
○ ....

d ◆ Möchten Sie noch ein bisschen Nachspeise?
○ ....

e ◆ Auf Wiederschauen. Kommen Sie gut heim.
○ ....

C4 **15 Wie heißen die Wörter? Ergänzen Sie.**

João
aus Brasilien

a In Österreich darf man seine Freunde nicht einfach zu einer Einladung mitbringen. Das _überrascht_ (raschtüber) mich. In Brasilien nimmt man oft jemanden mit. Aber meistens fragt man ________ (hervor).

Alba
aus Spanien

c Viele Österreicher essen schon um 12 Uhr zu Mittag. Das finde ich ________ (ischkom). In meinem Heimaltland ist das ________ (dersan). In Spanien isst man normalerweise erst um 14 oder 15 Uhr.

Sonja
aus Deutschland

b In Deutschland eine Stunde zu spät zum Essen kommen? Das geht nicht. Das ist nicht ________ (lichhöf).

Cosmin
aus Rumänien

d In Österreich bringt man zu einer Einladung oft Blumen mit. Das kenne ich. Bei uns in Rumänien ist das ________ (sonauge).

C5 **16 Wie schmecken diese Lebensmittel? Ergänzen Sie.**

A  _sauer_

B  ___ ___ ___

C  ___ ___ ___ ___ ___ ___

D ___ ___ ___ ___ ___ ___

E  ___ ___ ___ ___

C5 **17 Hören Sie und sprechen Sie nach. Achten Sie auf den *s*-Laut.**
15 Phonetik

das Glas – das Messer – der Reis – das Eis – der Bus – die Straße – der Salat – das Gemüse – der Käse – am Sonntag – die Pause – die Bluse

C5 **18 Sie hören jeweils zwei Wörter. Wo hören Sie den gleichen *s*-Laut? Kreuzen Sie an.**
16 Phonetik

a ☒ b ○ c ○ d ○ e ○ f ○ g ○ h ○

C5 **19 Hören Sie und sprechen Sie nach.**
17 Phonetik

Ich sitze im Sessel und lese. – Der Saft ist süß. – Meistens trinke ich morgens ein Glas Orangensaft. – Der Essig ist sehr sauer. – Susanne ist satt.

C5 **20 Hören Sie und ergänzen Sie: *s* – *ss* – *ß*.**
18 Phonetik

a Du trinkst ja nur Mineralwa_ss_er und i___t nur Brot. Was i___t denn pa___iert?
b Rei___en ist mein Hobby. Das macht mir Spa___. Ich habe schon drei___ig Städte be___ucht.
c Hallo Susanne. Du mu___t schnell heimkommen, ich habe schon wieder meinen Schlü___el verge___en.

D In der Kantine

D1 21 Ergänzen Sie.

Mittagessen in der Kantine, ein Snack oder ein Sandwich vor dem PC – *Wie essen Sie zu Mittag?*

A Aida, 31 Jahre

B Mehmet, 45 Jahre

C Andressa, 26 Jahre

Wissen Sie, ich arbeite in einer kleinen Firma mit r...d 25 Mitarbeitern. Wir haben keine Kantine. Aber ich brauche am Mittag auch keine warme M...h...z...t. Mein Frühstück ist sehr gesund: M...s...i mit F...ü...t...n. Ich nehme noch ein Weckerl mit und das esse ich so g...g... 14 Uhr. So bin ich s...t bis am Abend. Dann koche ich daheim mit meinem Mann.

Ich gehe nur selten in unsere Kantine. Dort gibt es jeden Tag nur zwei H...up...speisen und das Essen ist auch nicht f...i...c... gekocht. Gemüse oder Salat gibt es eigentlich nie. Das ist schade. In meinem Heimatland essen wir viele u...t...r...c...i...dli...he Arten von Gemüse. Das vermisse ich hier. Ich esse meistens etwas an einem Kebapstand. Dort ist das E...s...n immer frisch.

Ich gehe täglich in die Kantine. Unsere Kantine l...i...e... eine junge Frau. Sie ist super. Jeden Tag gibt es ein großes Salatbuffet, feine V...sp...s..., eine vegetarische Speise, manchmal auch ein gutes S...e...k oder andere Fleischspeisen. Sie kocht immer mit P...od...k...n aus der Umgebung. Die Salate, das Gemüse und Fleisch sind r...g...o...l. Das finde ich super!

D1 22 Sie hören drei Aussagen. Zu jeder Aussage gibt es eine Aufgabe.

19–21 Prüfung

Welche Lösung (a, b oder c) ist richtig?

1 Was kostet 15,90 € im Kaufhausrestaurant?
- a ⊗ Vorspeise, Hauptspeise und Nachspeise.
- b ○ Vorspeise, Hauptspeise, Nachspeise und Espresso.
- c ○ Vorspeise, Hauptspeise, Nachspeise und Bier.

2 Was möchte die Frau?
- a ○ Mit Dany ins Kino gehen.
- b ○ Mit Dany zum Essen gehen.
- c ⊗ Daheim kochen.

3 Sie möchten etwas bestellen. Was sollen Sie machen?
- a ⊗ „1" wählen.
- b ○ „2" wählen.
- c ○ Mit einem Mitarbeiter sprechen.

E Essen gehen

23 Was sehen Sie auf dem Tisch?

a Ergänzen Sie mit ● *der* – ● *das* – ● *die* – ● *die*.

b Ordnen Sie die Wörter aus a zu.

Besteck	Geschirr	Essen/Getränke
der Löffel, die Gabel, das Messer	die Schüssel, der Teller, das Glas, die Schüssel, die Tasse	das Wasser, der Burger, das Saltz, der Wein, die Zitrone, die Pommes, das Schnitzel

24 Im Restaurant

a Ordnen Sie zu.

reklamieren | bezahlen | ~~einen Sitzplatz suchen~~ | bestellen

1

einen Sitzplatz suchen

2

3

4

b Ordnen Sie die Situationen den Sätzen zu und schreiben Sie die Gespräche 1–4.

1 einen Sitzplatz suchen 2 bestellen

1 Entschuldigung, ist der Platz noch frei? | 2 Herr Ober, ich möchte bitte bestellen. | Ich hätte gern einen Apfelsaft, bitte. | Sicher. Nehmen Sie doch Platz. | Und was möchten Sie essen? | Gern. Was darf ich Ihnen bringen? | Vielen Dank. Das ist sehr nett. | Ich nehme ein Naturschnitzel mit Salat, bitte.

(1) ◆ Entschuldigung, ist der Platz noch frei?
○ ...

(2) ◆ Ich möchte bitte bestellen.
○ ...

3 reklamieren 4 bezahlen

Oh, das tut mir leid. Ich putze ihn gleich. | Zusammen oder getrennt? | Stimmt so. | Entschuldigung, aber der Tisch ist nicht sauber. | Wir möchten bitte zahlen. | 3 Vielen Dank. | Zusammen. | Das macht 13,60 €.

25 Essen gehen

a Schauen Sie den Text an. Was ist das? Kreuzen Sie an.

1 ○ ein Inserat (ad)
2 ○ ein Zeitungsartikel
3 ☒ eine Restaurantkritik

RESTAURANT „GOLDENER LÖWE" IN GRAZ

Neu eröffnet hat in diesem Monat im Zentrum von Graz der „Goldene Löwe". Dieses Restaurant bietet seinen Gästen traditionelle österreichische Speisen zu fairen Preisen. Hauptspeisen bekommen Sie für 9,90 € bis 15,90 € – für das original Wiener Schnitzel mit hausgemachtem Erdäpfelsalat. Und das war am besten.
Aber essen Sie nicht zu viel von der Hauptspeise, denn sonst haben Sie keinen Appetit mehr auf das Beste in diesem Restaurant: Die Nachspeisen sind ein Traum! Grazer Bröseltorte, Buchteln, Apfelstrudel ... alles hausgemacht und perfekt. Also, die Nachspeisen waren mein persönliches Highlight! Die Weine können wir auch sehr empfehlen. Sie kommen alle aus der Umgebung von Graz. Der Service ist schnell und die immer freundlichen Kellner erfüllen auch gern Ihre Extrawünsche.
Alles in allem: ausgezeichnetes Essen und normale Preise. Wir kommen sicher wieder!!!

KÜCHE: österreichisch mit regionalen Produkten
ÖFFNUNGSZEITEN: Di – So von 11 Uhr bis 24 Uhr; warme Küche bis 22 Uhr

LERNTIPP Sie verstehen nicht jedes Wort? Kein Problem. Lesen Sie zuerst die Aufgaben und dann den Text. Wo steht die Information?

b Lesen Sie den Text und ergänzen Sie.

1 Was kann man im Restaurant „Goldener Löwe" essen? traditionelle österreichische Speisen
2 Welche Hauptspeise ist besonders gut? Das original Wiener Schnitzel mit hausgemachtem Erdäpfelsalat
3 Wie sind die Nachspeisen? Grazer Bröseltorte, Buchteln, Apfelstrudel ...
4 Was ist auch gut im Restaurant? Die Weine.
5 Wie sind die Kellner? Die sind immer freundlichen

26 Essen am Kursort

Schreibtraining

a Wo kann man überall essen? Sammeln Sie.

b Wo essen Sie an Ihrem Kursort gern/oft? Schreiben Sie an eine Person in Ihrem Kurs.

– Wo essen Sie und was gibt es dort?
– Was essen Sie? Warum?
– Was können Sie noch empfehlen?

Liebe/r ...,
ich esse sehr gern ...

Test Lektion 3

1 Was passt nicht? Streichen Sie.

1 ...... /6 Punkte — WÖRTER

a der Löffel – ~~die Tasse~~ – das Messer – die Gabel
b die Kanne – die Schüssel – die Pfanne – der Löffel
c das Schnitzel – die Hauptspeise – die Nachspeise – die Vorspeise
d süß – frisch – salzig – scharf
e oft – selten – immer – davor
f bezahlen – leiten – bestellen – reklamieren
g am Abend – in der Früh – beim Essen – zu Mittag

0–3 / 4 / 5–6

2 Ergänzen Sie in der richtigen Form: *ein-*, *kein-*, *welch-*.

2 ...... /7 Punkte — GRAMMATIK

a ◆ Wo sind die Zitronen? ○ Wir haben keine mehr.
b ◆ Gibst du mir bitte einen Löffel? ○ Einen Löffel? Da ist ....
c ◆ Ich mag einen Tee. Du auch? ○ Ja, ich trinke auch gern ....
d ◆ Haben wir noch Nüsse? ○ Ja, im Schrank sind noch ....
e ◆ Ich esse jetzt ein Müsli. ○ Gute Idee, ich esse auch ....
f ◆ Möchten Sie noch einen Nachtisch? ○ Nein, ich möchte .... mehr.
g ◆ Wo ist denn meine Tasse? ○ Keine Ahnung. Ich sehe da ....
h ◆ Haben wir noch Bananen? ○ Ja, ich glaube, wir haben noch ....

0–3 / 4–5 / 6–7

3 Ordnen Sie das Gespräch.

3 ...... /7 Punkte — KOMMUNIKATION

◯ Hmmm, was riecht denn hier so gut?
(1) Hallo Simona, komm rein, bitte!
◯ Ja, sehr gern sogar!
◯ Hallo Julia. Hier bitte, die sind für dich.
◯ Was magst du trinken? Wein, Bier, Wasser, Saft?
◯ Ich habe einen Rindsbraten gemacht. Den magst du doch gern, oder?
◯ Gern ein Glas Wasser.
◯ Oh, Blumen, wie schön. Danke, das ist aber nett!

4 Ordnen Sie zu.

4 ...... /6 Punkte

möchten bitte zahlen | Das macht | darf ich Ihnen bringen | Wir hätten gern | wir möchten bitte bestellen | Zusammen oder getrennt | ~~was darf ich Ihnen zu trinken bringen~~

a ◆ Entschuldigung, ...
○ Was ....?
◆ .... das Schnitzel und den Rindsbraten.
○ Und was darf ich Ihnen zu trinken bringen?

b ◆ Wir ....
○ ....?
◆ Zusammen.
○ .... 34,60 Euro.

0–6 / 7–10 / 11–13

1 Ordnen Sie zu.

~~die Werbung~~ • der Werbespruch • die Marke • das Produkt

A • die Werbung

....

....

....

2 Radiowerbung

22–24 a Hören Sie und ordnen Sie zu.

Radiowerbung	1	2	3
Foto			

• die Mehlspeise = Kuchen und verschiedene Süßspeisen

22–24 b Was ist richtig? Hören Sie noch einmal und kreuzen Sie an.

1 ☒ In der Bäckerei Lehner gibt es Brot, Gebäck und Mehlspeisen in Bio-Qualität.
2 ○ Den Apfelstrudel gibt es in der Bäckerei Lehner exklusiv das ganze Jahr über.
3 ○ An der Käsetheke im Supermarkt gibt es 150 Käsesorten aus ganz Europa.
4 ○ „Europa-Käse" verschickt den Käse schnell. Das muss man nicht extra bezahlen.
5 ○ Ganz neu von Limetta sind Limetta-Kiwi und Limetta-Zitrone.
6 ○ Limetta-Erdbeere und Limetta-Zitrone kosten jetzt 0,55 Euro.

3 Haben Sie eine Lieblingswerbung? Welche Werbesprüche kennen Sie?

Meine Lieblingswerbung ist von der Marke ...

Ich kenne diesen Werbespruch: ...

Fokus Beruf: Gesunde Ernährung am Arbeitsplatz

1 Was essen und trinken Sie an einem ganz normalen Arbeitstag zum Frühstück, zum Mittagessen und zwischendurch?
Sprechen Sie mit Ihrer Partnerin / Ihrem Partner.

• eine Semmel mit • Marmelade | • eine Eierspeise | • Obst | • ein Salat | • eine Suppe | • eine Pizza | • ein Stück Schokolade | • Gemüse | • ein gefülltes Weckerl | • ein Vollkornbrot | • eine Käsekrainer mit • Senf und • Brot | • ein Wasser | • ein Kaffee | • ein Saft | • ein Tee

Zum Frühstück esse ich immer eine Semmel mit Marmelade und ich trinke ein Glas Saft ...

2 Lesen Sie und ordnen Sie die Überschriften zu.

Gesund frühstücken ist ganz einfach! | ~~Gesundes Essen am Arbeitsplatz? – Kein Problem!~~ | Gut und gesund essen – das geht auch zwischendurch! | Tipps für eine gesunde Mittagspause

Bleiben Sie gesund mit Ihrer Gebietskrankenkasse!

A *Gesundes Essen am Arbeitsplatz? – Kein Problem!*
Für viele Menschen ist die Ernährung am Arbeitsplatz nicht so wichtig: Da geht's zu Mittag schnell zum Würstelstand und zwischendurch gibt es Schokolade oder Kuchen. Gesund ist das nicht. Machen Sie es besser! Wir zeigen Ihnen, wie:

B ....
Beginnen Sie Ihren Tag mit einem Glas Milch oder einer Tasse Tee. Essen Sie eine Scheibe Vollkornbrot oder ein Vollkornweckerl mit Käse oder ein Müsli mit Milch oder Joghurt.

C ....
- Trinken Sie vor und nach dem Essen ein Glas Wasser.
- Essen Sie Obst, Gemüse oder einen Salat.
- Sie haben nur Zeit für ein Brot? Essen Sie nicht nur ein Sandwich mit Käse oder Wurst. Legen Sie auch Salat, Gurken oder Tomaten auf das Brot.
- Haben Sie eine Mikrowelle am Arbeitsplatz? Dann nehmen Sie von daheim eine gesunde Mahlzeit mit und machen Sie sie warm.

D ....
Mit einem kleinen Snack zwischendurch können Sie besser arbeiten. Essen Sie am besten Nüsse, eine Banane, einen Apfel oder eine Karotte.

3 Gesund essen

a Wie können Sie sich besser ernähren? Lesen Sie den Text in 2 noch einmal und notieren Sie.

Frühstück: Vollkornbrot, ...
Mittagessen: ...
...

b Welche Tipps möchten Sie ausprobieren? Erzählen Sie im Kurs.

Nüsse sind ein gesunder Snack – das ist super! Gleich nachher kaufe ich mir welche!

A **Wenn** Sie einen Fehler gemacht haben, **dann** ...

A1 **1 Wann fährt Melissa wie zur Arbeit? Ordnen Sie zu.**

wenn es schneit | wenn es regnet | wenn die Sonne scheint

A Ich fahre mit dem Rad, ________.

B Ich nehme die U-Bahn, ________.

C Ich fahre mit dem Bus, ________.

A2 **2 Ergänzen Sie.**

a Manchmal bin ich noch müde. Ich komme in der Früh ins Hotel.
Manchmal bin ich noch müde, wenn ich in der Früh ins Hotel *komme*.

b Ich hole die Chefin. Ein Hotelgast ist sehr schwierig.
Ich hole die Chefin, wenn ein Hotelgast sehr schwierig ________.

c An der Rezeption ist immer viel los. Viele Gäste kommen an.
An der Rezeption ist immer viel los, wenn viele Gäste ________.

d Ich entschuldige mich. Ich habe einen Fehler gemacht.
Ich entschuldige mich, wenn ich einen Fehler ________ ________.

A2 **3 Wenn ich in der Früh ins Hotel komme, ...**

Grammatik entdecken

a Ergänzen Sie die *wenn*-Sätze aus 2.

Manchmal ...,	*wenn*	*ich in der Früh ins Hotel*	*komme.*
Ich hole ...,			
An der Rezeption ...,			
Ich ...,			

b Schreiben Sie die Sätze aus 2 neu. Beginnen Sie mit dem *wenn*-Satz.

Position 1	*Position 2*	*Ende*
Wenn ich in der Früh ins Hotel komme, *Wenn ...*	*bin*	*ich manchmal noch müde.*

A2 **4 Schreiben Sie Sätze mit *wenn*.**

a Ich brauche Büromaterial. → Ich gehe zu Frau Burkhart.
Wenn ich Büromaterial brauche, (dann) gehe ich zu Frau Burkhart.

b Ich komme in der Früh ins Büro. → Ich schalte den Computer ein.
Wenn ....,
....

c Ich kann nicht freinehmen. → Wir haben viel Arbeit in der Firma.
..........,
wenn ....

d Etwas ist kaputt. → Ich rufe den Hausmeister an.
Wenn ....,
....

e Ich frage die anderen Kursteilnehmer. → Ich habe etwas nicht verstanden.
..........,
wenn ....

f Ich habe online eine Reservierung gemacht. → Ich bekomme eine Bestätigung.
Wenn ....,
....

◇ A2 **5 Fragen an den Chef: Schreiben Sie Antworten.**

a ◆ Kann ich heute schon um 16 Uhr heimgehen?
○ Ja, wenn Sie mit der Arbeit fertig sind. (sein – mit der Arbeit – fertig)

b ◆ Kann ich am Montag einen Tag freinehmen?
○ Ja, wenn ....: (da – sein – Frau Marte)

c ◆ Kann ich manchmal auch einen Tag zu Hause arbeiten?
○ Ja, wenn ....
(können – wir – dann – Sie – anrufen)

d ◆ Ich muss morgen um 11 Uhr zum Arzt. Geht das?
○ Ja natürlich, wenn ....
(möglich – kein anderer Termin – sein)

❖ A2 **6 Schreiben Sie Sätze mit *wenn*.**

Sie/Er ist glücklich/traurig, wenn ...
Sie sind glücklich/traurig, wenn ...

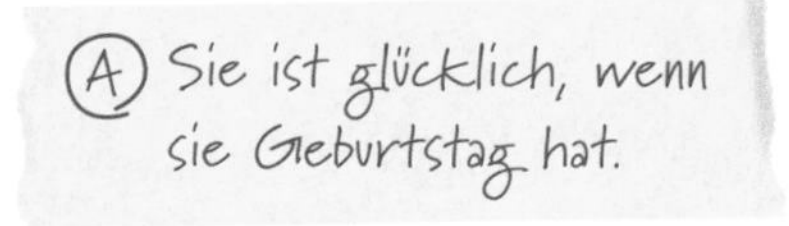

A

B

C

D

E

B Du **solltest** Detektiv werden.

B2 **7 Wie heißen die Wörter? Ergänzen Sie.**

a Sie suchen einen Ferialjob? Schicken Sie Ihre Bewerbung (bungBewer) an eine Firma für .... (arZeitbeit).
b Jetzt ganz neu auf unserer Homepage: Ein .... (rumoF) mit Tipps zur Arbeitssuche und eine .... (mrofPlatt) mit Jobangeboten!
c .... (nezNut) Sie auch die Jobangebote vom .... (beitsArsermarktvice). Schauen Sie .... (märeßiggel) auf diese Homepage: www.ams.at.
d Noch ein .... (ppiT): In fast jedem Supermarkt oder .... (suahKauf) hängen .... (teZtel) mit Jobangeboten.
e .... (rentieNo) Sie Adressen von Webseiten mit Stellenangeboten.

B2 **8 Ergänzen Sie.**

a Am ersten Arbeitstag sollte man sich allen Kollegen vorstellen.
b Wenn Sie Arbeit suchen, sollt...... Sie auch bei Leihfirmen anrufen und auf Aushänge in Supermärkten achten.
c Wir sollt...... vielleicht auch zum AMS gehen.
d Ihr sollt...... immer freundlich bleiben, wenn ihr mit Kunden sprecht.
e Du sollt...... Frau Junghans jetzt nicht stören. Sie ist in einer Besprechung.
f Wenn Elias zu spät zur Arbeit kommt, sollt...... er sich entschuldigen.

B2 **9 Ordnen Sie zu und schreiben Sie Ratschläge mit *sollte-*.**

trinken – beim Sport – Ihr – genug | ~~Füße – Tisch – legen – Sie – nicht – im Büro~~ | Du – anziehen – lieber diesen Rock | nicht – Sie – rauchen – so viel | nicht – am Schreibtisch – Du – essen

A
a Sie sollten im Büro die Füße nicht auf den Tisch legen.

B
b ....

C
c ....

D
d ....

E
e ....

C Mitteilungen am Arbeitsplatz

C1 10 Ergänzen Sie.

A Am 22.9. findet um 16 Uhr eine V__ ra__ s__ al__ u__ g zum Thema „Sicherheitsvorschriften“ statt. Zu diesem Termin können Sie o__ __ e Anmeldung kommen. Und am Montag in__ __ __ m__ __ __ t der Betriebsrat in der Betriebsve__ s__ m__ l__ ng um 15 Uhr über Neues zum Tarifr e c ht.

B Wenn Sie Mitglied des Betriebsrats sind und noch mehr zum Thema „Arbeitssc__ u__ z“ lernen möchten, dann nehmen Sie doch an unserer W__ i__ __ r__ i__ d__ __ g teil. Sie fi__ d__ __ am Samstag, dem 30.5. s__ a__ t. Haben Sie I__ t__ r__ __ s__? Die Anmeldef__ __ __ t läuft noch bis 15.5. Bei Fragen wenden Sie sich bitte an Frau Kunz.

C Sie haben Fragen zum Thema T__ r__ f oder zum Thema K__ __ d__ g__ __ g? Die Gewerkschaft hilft Ihnen und b__ __ ä__ Sie zu diesen Fragen.

◇ C1 11 Verbinden Sie.

a sich an den Betriebsrat — 2
b in Pension
c eine Kündigung
d die Mitarbeiter
e eine Veranstaltung
f an einer Weiterbildung

1 planen
2 wenden
3 beraten
4 teilnehmen
5 gehen
6 bekommen

❖ C1 12 Markieren Sie noch sieben Wörter und ordnen Sie zu.

KLEPENSIONBATOPITANMELDEFRISTREIBSAASDERGEWERKSCHAFT
UTERVERSAMMLUNGWERETTULITARIFRECHTGLSENTLASSUNGRET
WENDENÄPOTASUWEITERBILDUNGEBRUTAFTßIGUKLIFXCFLKMOW

a Am 14.7. findet um 9.00 Uhr in Raum 101 unsere nächste Betriebs__________ statt. Wir freuen uns auf Ihr Kommen! Ihr Betriebsrat

b Infoveranstaltung zum Thema: „Mit 63, 65 oder 67 Jahren in __________ gehen?“ Wann & wo? Am 25.7. um 16.30 Uhr in Raum 453

c Wer möchte sich noch für die __________ zum Thema „Neue Regeln im Tarifrecht“ anmelden? Es sind noch ein paar Plätze frei. Bitte __________ Sie sich an Frau Marent. Die __________ ist am 15.6.

d Ihr Betriebsrat informiert:
Am 13.8. ist von 14.00 bis 17.30 Uhr Herr Flatz von der __________ im Haus. Er berät Sie bei Fragen zu den Themen Tarif, Recht, Lohn, Kündigung und __________. Interessant auch für alle Lehrlinge. Bitte melden Sie sich für einen Termin bei Frau Steuber an.

C2 **13 Schreiben Sie kurze Mitteilungen.**

Schreibtraining

Frau Vesely krank sein | Nachtschicht am Donnerstag und Freitag übernehmen? | schnell Bescheid geben

A

von: Pflegedienstleitung
an: alle im Pflegebereich

Liebe Kolleginnen und Kollegen,
Frau Vesely ist krank. Wer kann ihre Nachtschicht am Donnerstag und am Freitag übernehmen?
Bitte geben Sie mir schnell Bescheid.
Vielen Dank!
Helga Hempel

morgen später in die Arbeit | Arzttermin mit Tochter | Tochter krank | am Abend länger arbeiten

B

von: Aja Poschner
an: Team 2

Liebe Kolleginnen und Kollegen,
leider ...

Drucker kaputt | bitte Reparaturservice bestellen | brauche Drucker Montag

C

von: Sekretariat (Eva Engstler)
an: Hausmeister

Hallo Herr Bulajic,
...

C2 **14 Sie hören drei kurze Texte. Sie hören jeden Text zweimal.**

25–27

Prüfung

Wählen Sie für die Aufgaben 1–3 die richtige Lösung a, b oder c.

1 Was soll Frau Bauer machen?
a ○ Sie soll heute um 18.00 Uhr ins Büro vom Betriebsrat kommen.
b ○ Sie soll am Montag um 9.30 Uhr zurückrufen.
c ○ Sie soll einen Termin wählen und anrufen.

2 Sie möchten einen Termin bei der Gewerkschaft. Was können Sie machen?
a ○ Montag und Dienstag ab 9.30 Uhr anrufen.
b ○ Ein E-Mail an das Büro der Gewerkschaft schicken.
c ○ Am 15. Mai in die Schuberstr. 14 kommen.

3 Wo findet die Veranstaltung statt?
a ○ Im Haus C.
b ○ Im Haus der Gewerkschaft.
c ○ Im Hotel Kaiser.

D Telefongespräche am Arbeitsplatz

D2 **15 Ergänzen Sie: *schon – noch nicht*.**

a ◆ Guten Morgen, Nadja. Sag einmal, ist der Herr Steiner schon da?
○ Nein, der ist ______________ da. Er kommt immer erst nach 9 Uhr!

b ▲ Hast du deine Hausaufgaben ______________ gemacht?
□ Nein, ______________, aber ich mache sie heute Abend.
Jetzt gehe ich mit Luca Fußball spielen.

D2 **16 Jemand hat angerufen.**
Ergänzen Sie: *jemand – niemand – etwas – nichts*.

a ◆ Vor fünf Minuten hat jemand für dich angerufen. Ein Herr Peterson oder so ähnlich.
○ Wie bitte? Peterson? Ich kenne ______________ mit dem Namen Peterson.

b ▲ Ich habe uns ______________ zum Essen mitgebracht.
□ Vielen Dank, das ist sehr nett. Aber ich möchte jetzt ______________. Ich habe gerade ______________ gegessen.

c ✚ Was hat er gesagt? Hast du ______________ verstanden?
○ Nein, tut mir leid, ich habe auch ______________ verstanden.

d ● Hallo, ist da ______________?
□ Komm, wir gehen rein, ich glaube, da ist ______________.

D2 **17 Ein Telefongespräch**

a Wer sagt was? Ergänzen Sie: Sekretärin (S), Anruferin (A).

(A) Grüß Gott, hier spricht Grahl.
Könnten Sie mich bitte mit Frau Pauli verbinden?
○ Nein, danke. Ist denn sonst noch jemand aus der Abteilung da?
○ Ja, gern, die Durchwahl ist die 3-0-1. Also 9602-301.
○ Tut mir leid, Frau Pauli ist gerade nicht am Platz.
Kann ich ihr etwas ausrichten?
○ Auf Wiederhören.
(S) Firma Werle und Söhne, Maurer, guten Tag.
○ Nein, es ist gerade Mittagspause. Da ist im Moment niemand da.
○ Gut, ich versuche es später noch einmal.
Geben Sie mir doch bitte die Durchwahl von Frau Pauli.
○ Vielen Dank, Frau Maurer. Auf Wiederhören!

◇ b Ordnen Sie und schreiben Sie das Gespräch in a.

S: Firma Werle und Söhne, Maurer, guten Tag.
A: Grüß Gott, hier spricht ...

❖ c Schreiben Sie ein Telefongespräch wie in a.

ausrichten | Durchwahl | verbinden | Mein Name | Vielen Dank | zurückrufen

◇ Firma Kaiser, Hauck, guten Tag.
● ...

D3 **18 Ordnen Sie zu.**

nicht mehr im Haus | schon Feierabend | geben Sie mir doch bitte die Durchwahl | ~~Können Sie mich bitte ... durchstellen~~ | Vielen Dank und auf Wiederhören | morgen früh noch einmal anrufen

- ◆ Firma Schwarz & Co, Importabteilung, Stefan Marte, guten Tag.
- ○ Grüß Gott, hier ist Natalia Lublanski. *Können Sie mich bitte* zu Herrn Mulino *durchstellen* ?
- ◆ Tut mir sehr leid, Frau Lublanski, aber Herr Mulino ist ______ ______. Er hat ______. Können Sie vielleicht ______ ______?
- ○ Ja, das mache ich. Ah, noch etwas, Herr Marte, ______ ______ von Herrn Mulino.
- ◆ Ja, gern. Das ist 6-5-8-3.
- ○ ______.
- ◆ Auf Wiederhören.

LERNTIPP Lernen Sie wichtige Sätze für ein Telefongespräch. So fühlen Sie sich sicher, wenn Sie ein Telefongespräch auf Deutsch führen müssen.

D3 **19 Satzakzent**

28 Phonetik

a Hören Sie und markieren Sie die Betonung: ___.

1 ◆ Guten Morgen. Ist Herr Steiner schon da?
○ Nein, tut mir leid. Herr Steiner kommt erst um neun.

2 ◆ Guten Morgen, Nadja. Ist Herr Steiner schon da?
○ Nein, er ist noch nicht da. Du weißt doch, er kommt immer erst nach neun.

3 ▲ Es hat jemand für dich angerufen. Ein Herr Peterson oder so ähnlich.
□ Peterson? Ich kenne niemand mit dem Namen.

29 b Hören Sie noch einmal und sprechen Sie nach.

D3 **20 Hören Sie und sprechen Sie nach. Achten Sie auf den *ch*-Laut.**

30 Phonetik

a
ich – auch | dich – doch | nicht – noch | die Bücher – das Buch | die Küche – der Kuchen | die Rechnung – die Nachricht | ich möchte – ich mache | ich berichte – ich besuche | täglich – am Nachmittag

b
Kommst du pünktlich? | Ich komme um acht. | Lies doch ein Buch! | Ruf mich doch an. | Geh doch bitte noch nicht! | Vorsicht, die Milch kocht! | Mach doch Licht! | Ich möchte bitte gleich die Rechnung. | Ich möchte Frau Koch sprechen.

D3 **21 Wo spricht man *ch* wie in *ich*, wo wie in *auch*?**

Phonetik

Ergänzen Sie die Wörter aus 20.

ich: *dich* ______

auch: *doch* ______

E Arbeit und Freizeit

E2 **22 Hören Sie und schreiben Sie die Antworten.**

31

a Warum möchte Frau Belhedi freinehmen?

....

b Was ist das Problem?

....

c Was ist die Lösung?

....

E2 **23 Lösen Sie das Rätsel.**

a Ein anderes Wort für „Firma“.
b Man bekommt jeden Monat Geld für seine Arbeit.
c Ein anderes Wort für „Entlassung“.
d Ein anderes Wort für „Mehrarbeitszeit“.
e Ein anderes Wort für „alles zusammen“.
f Der 26. Oktober ist in Österreich der National...
g Die freie Zeit nach einem Arbeitstag.
h Eine Person ist angestellt.
i ↔ Import

	1	2	3	4	5	6	7	8	9	10	11	12	13	14
A			☐	☐	☐	☐	☐	☐	☐					
B				☐	☐	☐	☐							
C				☐	☐	☐	☐	☐	☐	☐	☐	☐		
D	Ü	B	E	R	S	T	U	N	D	E	N			
E					☐	☐	☐	☐	☐	☐	☐	☐	☐	
F		☐	☐	☐	☐	☐	☐	☐	☐					
G			☐	☐	☐	☐	☐	☐	☐	☐	☐	☐		
H			☐	☐	☐	☐	☐	☐	☐	☐	☐	☐	☐	☐
I							☐	☐	☐	☐	☐	☐		

Lösung: ....

E3 **24 Ordnen Sie zu.**

~~gibt es~~ | das gilt auch | durchschnittlich | keine Ahnung | ist das auch so | arbeiten | Ich denke, es gibt

◆ Wie viele Stunden arbeiten die Österreicher pro Tag? Weißt du das?
○ Ich habe ....
◆ Ich auch nicht. Aber was glaubst du?
○ .... da sicher große Unterschiede. Ein paar Personen machen fast jeden Tag Überstunden und .... acht bis zehn Stunden jeden Tag und andere gehen genau nach acht Stunden nach Hause.
◆ Ja, ... für mein Heimatland. Bei uns in Syrien *gibt es* auch große Unterschiede.
○ In meinem Heimatland .... Ich bin kein Arbeitnehmer. Ich bin selbstständig und arbeite .... neun Stunden täglich.
◆ Das ist viel.

E4 **25 Lesen Sie den Text und kreuzen Sie an: richtig oder falsch?**

a Am Wochenende darf man nur in Krankenhäusern, Restaurants und Verkehrsmitteln arbeiten.
○ richtig ○ falsch

b Wenn Sie krank sind, bekommen Sie sechs Wochen lang nur noch 70 Prozent von Ihrem Lohn.
○ richtig ○ falsch

c Alle Arbeitnehmer mit einer Vollzeit-Arbeitsstelle bekommen mindestens 20 Tage Urlaub pro Jahr.
○ richtig ○ falsch

Arbeitsrecht: Arbeitszeit, Krankheit und Urlaub

Arbeitszeit
In Österreich können Sie Vollzeit oder Teilzeit arbeiten. Vollzeit heißt: Man arbeitet circa 40 Stunden pro Woche. Die maximale Arbeitszeit pro Woche ist gesetzlich begrenzt, durchschnittlich auf 48 Stunden. Normalerweise arbeitet man von Montag bis Freitag. Das Gesetz erlaubt Arbeit an allen Werktagen der Woche (Montag bis Samstag) sowie Nachtarbeit und Schichtarbeit. In vielen Bereichen, zum Beispiel in Krankenhäusern, Restaurants und Verkehrsmitteln wie Zügen, Bussen und Straßenbahnen darf man auch an Sonntagen und Feiertagen arbeiten.

Krankheit
Wenn Sie krank sind, bezahlt Ihr Arbeitgeber sechs Wochen lang Ihren vollen Lohn. Sind Sie mehr als sechs Wochen krank, erhalten Sie 50 Prozent Ihres Lohnes von Ihrer gesetzlichen Krankenkasse. Es gibt aber auch private Krankenversicherungen. Dort sind die Regeln anders. Rufen Sie am besten Ihre Krankenkasse an und fragen Sie dort nach. Wenn Sie krank sind, müssen Sie Ihren Arbeitgeber sofort informieren. Sind Sie länger als drei Tage krank, müssen Sie spätestens am vierten Tag eine Krankmeldung vom Arzt bei Ihrem Arbeitgeber abgeben – so steht es im Gesetz. Allerdings haben viele Firmen eigene Regelungen. Fragen Sie am besten bei Ihrem Arbeitgeber nach.

Urlaub
Arbeiten Sie fünf Tage pro Woche, bekommen Sie mindestens 25 Arbeitstage Urlaub im Jahr. Wenn Sie länger als 25 Jahre bei einer Firma arbeiten, bekommen Sie mehr Urlaub, nämlich 30 Tage.

Stand: 2016

Test Lektion 4

1 Ordnen Sie zu.

1 ...... /7 Punkte

WÖRTER

Kündigung ~~Arbeitnehmer~~ Zettel Betriebsrat Tipp sicher notieren Durchschnittlich

a ◆ Wie viele Stunden pro Woche arbeiten Arbeitnehmer in Österreich?
  ○ .... 38,5 Sunden pro Woche.

b ○ Du, Lena, ich möchte meine .... abgeben. Was muss ich jetzt machen? Kannst du mir einen .... geben?
  ◆ Ich weiß es auch nicht. Warum gehst du nicht zum ....? Die können dir .... helfen.

c ◆ Entschuldigen Sie, können Sie mir bitte einen .... und einen Stift geben? Ich muss mir kurz etwas ....
  ○ Ja, klar. Bitte sehr.

...... 0–3 / 4–5 / 6–7

2 Schreiben Sie Sätze mit *wenn*.

2 ...... /3 Punkte

GRAMMATIK

a Niemand soll mich stören. Ich bin in einer Besprechung.
Niemand soll mich stören, wenn ich in einer Besprechung bin.

b Sie suchen eine neue Arbeit? Lesen Sie regelmäßig die Stelleninserate.
Wenn ....,
....

c Sie haben Fragen zum neuen Tarifrecht? Wenden Sie sich an den Betriebsrat.
Wenn ....,
dann ....

d Ich nehme einen Tag frei. Ich habe viele Überstunden gemacht.
....,
wenn ....

3 Ergänzen Sie *sollte-* in der richtigen Form.

3 ...... /3 Punkte

a Ihr Kollege ist krank. Er sollte zum Arzt gehen.

b Eure Kollegin ist neu. Ihr .... ihr am Anfang helfen.

c Anas Kinder sind heute sehr müde. Sie .... früh ins Bett gehen.

d Du bist nicht glücklich bei deiner Arbeit. Du .... dir eine neue Stelle suchen.

...... 0–3 / 4 / 5–6

4 Was kann man auch sagen? Verbinden Sie.

4 ...... /5 Punkte

KOMMUNIKATION

a Frau Roth ist heute schon außer Haus.
b Können Sie mich bitte zu Frau Roth durchstellen?
c Geben Sie mir bitte die Durchwahl von Frau Roth.
d Versuchen Sie es bitte später noch einmal.
e Ist Frau Roth schon im Haus?
f Kann Frau Roth mich bitte zurückrufen?

1 Kann ich bitte die Nummer von Frau Roth haben?
2 Kann Frau Roth sich bitte bei mir melden?
3 Frau Roth hat schon Feierabend.
4 Ist Frau Roth schon da?
5 Können Sie mich bitte mit Frau Roth verbinden?
6 Rufen Sie bitte später noch einmal an.

...... 0–2 / 3 / 4–5

1 Hicran Selçuk sucht eine Arbeit.
Lesen Sie die Anzeige und das E-Mail und ergänzen Sie.

a Alter: 24
b Seit wann in Österreich? ....
c Deutschkenntnisse: ....
d Berufserfahrung: ....

Freundliche und flexible Küchenhilfe für Teilzeit
(20 Std., auch Sa/So) gesucht
Bewerbungen bitte per E-Mail an Frau Bauer:
Bauer@hotel-post.at

E-Mail senden
Betreff: Bewerbung als Küchenhilfe

Sehr geehrte Frau Bauer,
hiermit bewerbe ich mich um die Stelle als Küchenhilfe in Ihrem Restaurant.
Ich bin 24 Jahre alt und lebe seit vier Jahren in Österreich. Seit zwei Jahren besuche ich einen Deutschkurs und habe das Zertifikat B1 mit der Note „gut" bestanden. In der Türkei habe ich drei Jahre im Restaurant von meinem Onkel gearbeitet. Deshalb habe ich schon viel Erfahrung und die Arbeit in der Küche hat mir immer Spaß gemacht.
Ich bin flexibel und arbeite auch gern am Wochenende.
Mit freundlichen Grüßen
Hicran Selçuk

2 Lesen Sie die Antwort von Frau Bauer und schreiben Sie Hicrans E-Mail.

E-Mail senden
Betreff: Ihre Bewerbung vom 15.2.

Sehr geehrte Frau Selçuk,
vielen Dank für Ihr Interesse an einer Arbeit in unserem Restaurant.
Wir würden Sie gern kennenlernen und laden Sie zu einem Vorstellungsgespräch am 28.2. um 17 Uhr in unserem Restaurant ein. Haben Sie zu diesem Termin Zeit? Bitte geben Sie uns so bald wie möglich Bescheid.
Mit freundlichen Grüßen
Ilse Bauer

Frau Bauer – geehrte – Sehr
Dank – für – E-Mail – vielen – Ihr – .
komme – um – Sehr gern – am – ich –
zu dem Gespräch – 28.2. – 17 Uhr – .
für – Einladung – Besten – die – Dank – !
auf – Gespräch – Ich – mich – freue – unser – .
Grüßen – freundlichen – Mit

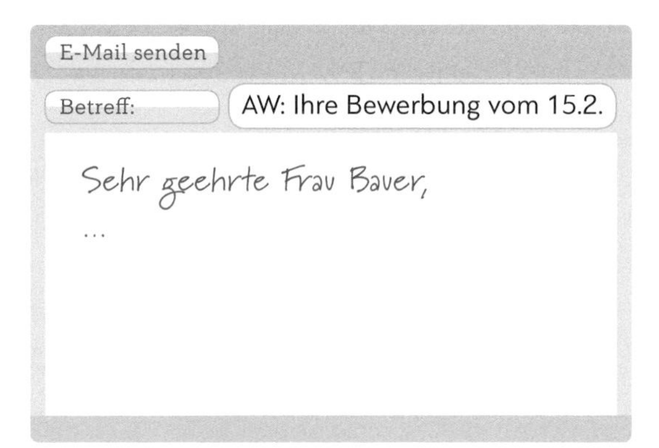

Fokus Beruf: Einen Arbeitsvertrag verstehen

🔊 32 **1 Eine neue Arbeitsstelle: Was ist richtig? Hören Sie und kreuzen Sie an.**

a Ilija Popov bekommt eine Stelle als
  ○ Altenpfleger. ☒ Krankenpfleger.
b Er fängt seine Arbeit am ○ 1. März ○ 1. Mai an.
c Die Probezeit ○ ist eine Zeit zum Kennenlernen.
  ○ endet mit einem Test.
d Er arbeitet ○ Teilzeit. ○ Vollzeit.
e Er verdient ○ 2.300 Euro ○ 2.330 Euro brutto pro Monat.
f Er bekommt ○ 20 Tage ○ sechs Wochen Urlaub pro Jahr.
g Wenn Ilija kündigen möchte, muss er ○ noch sechs Wochen arbeiten.
  ○ die Kündigung mindestens vier Wochen vor Monatsende bringen.

2 Lesen Sie den Arbeitsvertrag und ordnen Sie zu.

Arbeitsvertrag

Zwischen Krankenhaus St. Joseph, Waldallee 1, 6830 Rankweil,
vertreten durch Herrn Marco Daiser,
„Arbeitgeber“
und
Herrn Ilija Popov
Gutshofstraße 56, 6830 Rankweil,
„Arbeitnehmer/-in“
wird folgender Arbeitsvertrag geschlossen:

§1 Beginn **und Dauer des Arbeitsverhältnisses**
Das Arbeitsverhältnis beginnt am 1.3.20… Das Arbeitsverhältnis ist unbefristet.

§2 ....
Die ersten sechs Monate gelten als Probezeit. In dieser Zeit können Arbeitgeber und Arbeitnehmer das Arbeitsverhältnis mit einer Frist von zwei Wochen kündigen.

§3 ....**/Tätigkeit**
Der Arbeitnehmer wird als Krankenpfleger eingestellt.

§4 ....
Der Arbeitnehmer erhält einen monatlichen Bruttolohn von 2.330 Euro.

§5 ....
Die regelmäßige wöchentliche Arbeitszeit beträgt 38,5 Stunden (Schichtdienst, 5-Tage-Woche).

§6 ....
Der Arbeitnehmer hat Anspruch auf einen Mindesturlaub von 20 Arbeitstagen im Kalenderjahr – ausgehend von einer Fünf-Tage-Woche.

§7 ....
Nach Ende der Probezeit beträgt die Kündigungsfrist vier Wochen zum Ende eines Kalendermonats. Die Kündigung ist nur schriftlich möglich.

A Ich **bewege mich** zurzeit nicht genug.

gar: at all
genug: enough

A1 **1 Ordnen Sie zu.**

A

B

C

D

(A) ◆ Ihr bewegt euch zu wenig! Geht doch raus in den Garten.
○ Das stimmt nicht! Wir bewegen uns wirklich genug!

(D) ◆ Mir geht's nicht so gut.
○ Vielleicht bewegst du dich zu wenig?

(C) ◆ Wie geht's Klaus? Spielt er noch Basketball?
○ Nein, er fühlt sich nicht so gut.

(B) ◆ Ach, Herr Doktor, ich fühle mich gar nicht gut.
○ Vielleicht bewegen Sie sich nicht genug? Sie sollten jeden Tag spazieren gehen.

A1 **2 Markieren Sie in 1 und ergänzen Sie.**

Grammatik entdecken

ich	fühle mich	wir	bewegen uns
du	bewegst dich	ihr	bewegt euch
er/es/sie	fühlt sich	sie/Sie	bewegen sich

A1 **3 Ordnen Sie zu.**

~~dich~~ euch mich sich sich uns

a ◆ Hast du dich schon für den Tanzkurs im Latin-Dance-Club angemeldet?
○ Ja, ich freue mich schon sehr.

b ◆ Frau Al-Halabi, wie fühlen Sie sich heute?
○ Danke, gut.

c ◆ Kinder, habt ihr euch schon bedankt?
○ Ja, klar haben wir uns schon bedankt.

d ◆ Was wollt ihr Candice zum Geburtstag schenken?
○ Sie wünscht sich ein Buch.

A

A1 **4 *Sich* oder *jemand/etwas*?**

Grammatik entdecken

a Ordnen Sie zu.

~~Der Vater zieht die Kinder an.~~ Sie meldet ihren Bruder zum Deutschkurs an. ~~Er zieht sich an.~~ Er ~~wäscht sich~~. Alisa meldet sich zum Deutschkurs an. ~~Er wäscht das Baby.~~

1 Der Vater zieht die Kinder an.

2 Er zieht sich an.

3 Er wäscht sich

4 Er wäscht das Baby

5 Alisa meldet sich zum Deutschkurs an.

6 Sie meldet ihren Bruder zum Deutschkurs an.

b Ordnen Sie die Sätze aus a zu.

jemand/etwas	sich
Der Vater zieht die Kinder an.	Er zieht sich an.
Er wäscht das Baby.	Er wäscht sich.
Sie meldet ihren Bruder zum Deutschkurs an.	Alisa meldet sich zum Deutschkurs an.

A2 **5 Ergänzen Sie.**

- ○ Ach, Ines. Ich fühle mich zurzeit nicht gut und ich schlafe auch schlecht.
- ◆ Vielleicht bewegst du dich zu wenig?
- ○ Ja, das kann sein. Ich bin abends oft müde. Ich lege mich dann oft nur noch in die Badewanne und schlafe früh ein.
- ◆ Oje! Also, ich bin zurzeit richtig fit. Meine Kollegin Mira ernährt sich schon lange sehr gesund und hat mir viele Ernährungs-Tipps gegeben. Und ich mache jetzt mehr Sport. Wir können uns ja einmal mit Mira zum Schwimmen verabreden. Dann lernt ihr euch auch endlich kennen!

A2 **6 Ich fühle mich zurzeit nicht gut.**

Grammatik entdecken

a Schreiben Sie die Sätze aus 5 neu.

1 Ich fühle mich zurzeit nicht gut.
Zurzeit fühle ich mich nicht gut.

2 Ich lege mich dann oft nur noch in die Badewanne.
Dann lege ich mich oft nur noch in die Badewanne.

3 Mira ernährt sich schon lange sehr gesund.
Schon lange ernährt sich sehr gesund.

4 Dann lernt ihr euch endlich kennen.
Ihr Dann lernt euch endlich kennen.

b Markieren Sie in a wie im Beispiel.

mehr: more

A2 **7 Fit ins neue Jahr: Geben Sie Tipps.**

a sich mehr ausruhen (Sie) Ruhen Sie sich mehr aus!
b nicht so viel rauchen (du) Rauche nicht so viel!
c viel Obst und Gemüse essen (ihr) Esst viel Obst und Gemüse!
d sich mehr bewegen (du) Beweg dich mehr
e jeden Tag spazieren gehen (Sie) Gehen Sie jeden Tag spazieren!
f sich beim Sportverein anmelden (ihr) Meldet euch beim Sportverein an.

A2 **8 Schreiben Sie die Sätze aus 7 mit *sollte-*.**

Grammatik entdecken

a Sie sollten sich mehr ausruhen.
b Du solltest nicht so viel rauchen.
c Ihr solltet viel Obst essen
d Du solltest dich mehr bewegen.
e Sie sollten jeden Tag spazieren gehen.
f Ihr solltet euch beim Sportverein anmelden.
g. Du solltest genug schlafen.

A2 **9 Schreiben Sie *wenn*-Sätze mit den Tipps aus 7.**

Grammatik entdecken

Man kommt fit ins neue Jahr,	wenn man	sich	mehr	ausruht.
	wenn man	–	nicht so viel	raucht.
	wenn man	–	viel Obst	essen
	wenn man	dich	mehr	bewegen
	wenn man	–	jeden Tag spazieren	gehen
	wenn man	euch	beim Sportverein	anmelden

A4 **10 Was macht man mit diesen Dingen? Ergänzen Sie.**

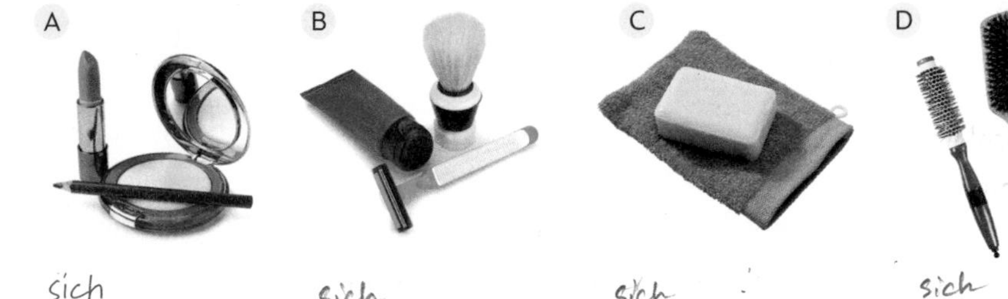

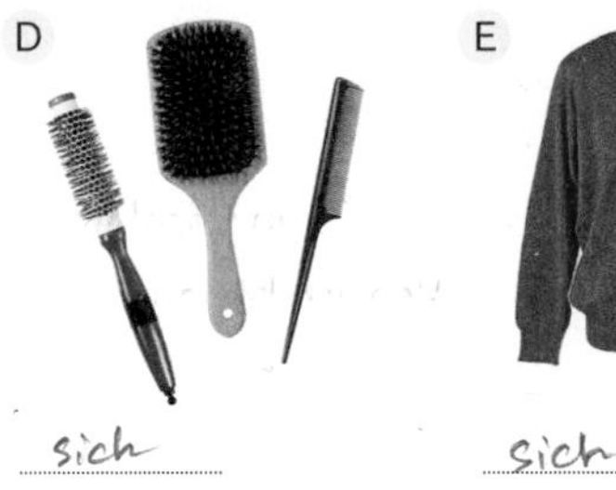

A sich schminken
B sich rasieren
C sich waschen
D sich kämmen
E sich anziehen

A4 **11 Ordnen Sie zu und ergänzen Sie in der richtigen Form.**

~~sich noch anziehen müssen~~ | sich nicht ärgern | ~~sich beeilen müssen~~ | ~~sich ein bisschen entspannen~~ | ~~sich heute nicht konzentrieren können~~

a ◆ Ich sitze immer noch an der Hausübung. Ich kann mich heute nicht konzentrieren.
○ Vielleicht lernst du zu viel. Du solltest mal eine Pause machen und dich ein bisschen entspannen.

b ◆ Seid ihr fertig? Wir müssen uns beeilen. Der Bus fährt gleich.
○ Ja, ich bin fertig, aber Klaus ärgert sich nicht.

c ◆ Mist! Jetzt haben wir den Bus verpasst.
○ Ach, du musst dich noch anziehen, Anna! In zehn Minuten kommt schon der nächste.

B Ich **interessiere mich** sehr **für** den Tanzsport.

B1 **12 Radiobeiträge**

33-37 **a** Hören Sie und ordnen Sie die Radiobeiträge.

3 • die Sportnachrichten | 5 • der Freizeittipp für Kinder | 1 • die Werbung | 4 • die Wettervorhersage | 2 • der Veranstaltungstipp

33-37 **b** Was ist richtig? Hören Sie noch einmal und kreuzen Sie an.

1 ○ Die neue Zeitschrift „Digitale Welt" kostet nur 5,80 €.
2 ☒ Im Theater Judenburg kann man viel über die Geschichte von Judenburg lernen.
3 ○ Die österreichische Fußballnationalmannschaft spielt morgen in Polen.
4 ☒ Am Samstag wird es in ganz Österreich sonnig.
5 ☒ Am Samstag zeigt das Wiener Kindertheater „Ritter Kamenbert".

B1 **13 Ordnen Sie zu.**

~~dich ... für~~ | mich ... für | sich ... für | euch ... für | sich ... für

a ◆ Interessierst du dich eigentlich für den Tanzsport?
○ Ja, sehr. Aber mein Mann interessiert sich leider überhaupt nicht für das Tanzen.

b ◆ Interessiert ihr euch nicht für österreichische Geschichte?
○ Nein, eigentlich nicht.
▲ Doch, ich interessiere mich sehr für österreichische Geschichte.

c ◆ Rabia hat Geburtstag. Sollen wir ihr eine Theaterkarte schenken?
○ Ach, ich weiß nicht. Interessiert sie sich nicht mehr für Kinofilme?

B2 **14 Ordnen Sie zu.**

~~Erzähl~~ | ~~freue~~ | ~~zufrieden~~ | ~~ärgere~~ | warten | ~~beschweren~~ | ~~interessiert~~ | ~~treffe~~ | ~~hast ... Lust~~

◆ Wie geht's? Erzähl doch einmal von deinem neuen Job.
○ Ich bin zufrieden mit dem Job. Auch über meinen Chef kann ich mich nicht beschweren. Nur über das Essen in der Kantine ärgere ich mich manchmal. Das schmeckt nicht so gut. Morgen treffe ich mich mit einer Kollegin. Wir gehen ins Stadtmuseum. Sie interessiert sich auch für Geschichte.
◆ Klingt gut. Aber du schaust müde aus.
○ Ja, es ist natürlich auch anstrengend. Ich freue mich schon auf meinen Urlaub.
◆ Auf deinen Urlaub musst du doch noch ein paar Monate warten, oder? Aber hast du Lust auf einen Ausflug in die Berge?
○ Oh ja. Das ist eine tolle Idee.

B2 **15 Markieren Sie in 14 und ergänzen Sie.**

Grammatik entdecken

auf	mit	über	für	von
sich freuen	zufrieden sein	sich beschweren	sich interessiert	erzählen
warten	sich treffen	sich ärgern		
Lust haben				

B2 16 Ergänzen Sie: *auf – für – mit – über – von.*

E-Mail senden

Liebe Julia,
jetzt habe ich endlich Zeit und erzähle dir ein bisschen von unserem neuen Wohnort. Wir sind wirklich sehr zufrieden mit der Wohnung. Jetzt haben wir viel mehr Platz und über die Miete können wir uns auch nicht beschweren. Unsere Kinder sind glücklich hier! Max und Moritz interessieren sich nur noch für den Sportplatz hinter dem Haus. Dort treffen sie sich mit ihrer neuen Fußballmannschaft. Eigentlich ist alles perfekt, ich ärgere mich nur manchmal über meinen Arbeitsweg. Heute habe ich wieder eine halbe Stunde auf den Bus gewartet. Ich freue mich jetzt schon auf den Sommer. Dann fahre ich mit dem Rad!
Viele Grüße und bis bald, Valeria

B2 17 Wen?/Was? oder Wem?/Was?

Grammatik entdecken

a Verbinden Sie.

1 Ich freue mich
2 Hast du dich gestern
3 Du hast noch gar nicht
4 Mein Mann ärgert sich oft

a mit dem Kollegen getroffen?
b über den Nachbarn im Erdgeschoß. (ground floor)
c auf den Urlaub.
d von dem neuen Job erzählt.

b Markieren Sie in a: Wen?/Was? und Wem?/Was? und ergänzen Sie dann.

Wen/Was?: sich freuen auf, sich ärgern über
Wem/Was?: sich treffen mit, erzählen von

B2 18 Ergänzen Sie *mit* oder *über* und ordnen Sie zu.

~~deinem~~ ~~deiner~~ dich dir ~~ihr~~ mir mich meinem

a ◆ Hast du heute schon mit deiner Mutter gesprochen?
○ Ja, ich habe heute Nachmittag mit ihr telefoniert.

b ◆ Leo, dein Klassenlehrer hat sich über dich beschwert.
○ Über mich? Warum denn das?

c ◆ Hey Lina, ich spreche mit dir!
○ Mit mir? Ich habe nichts gehört.

d ◆ Bist du eigentlich zufrieden mit deinem Job?
○ Nein, ich bin leider überhaupt nicht zufrieden mit meinem Job.

B2 19 Schreiben Sie Sätze.

a sich freuen auf: wir – euer Besuch — Wir freuen uns auf euren Besuch.
b Lust haben auf: die Gäste – Kuchen — Die Gäste haben auf Kuchen Lust.
c erzählen von: ich – meine Freundin — Ich erzähle von meinem Freundin
d sich ärgern über: wir – unser Lehrer — Wir ärgern uns über unseren Lehrer.

◇ B2 20 Schreiben Sie Sätze.

a Murat – sich – die Sportnachrichten – sehr – interessiert – für
Murat interessiert sich sehr für die Sportnachrichten.

b treffe – Ich – morgen – mit – meiner Schwester – mich
Ich treffe mich morgen mit meiner Schwester.

c haben – lange – auf – Wir – gewartet – den Bus
Wir haben auf den Bus lange gewartet.

d Olga – oft – erzählt – ihrem Heimatland – von
Olga erzählt oft von ihrem Heimatland.

❖ B2 21 Ordnen Sie zu und schreiben Sie Sätze.

~~warten~~ | treffen | ~~ärgern~~ | ~~freuen~~ | ~~Kinder~~ | ~~Weihnachten~~ | im Park | Anja | ~~am Bahnhof~~

A

Sie ärgern sich über die Kinder.

B

Er warte auf Anja am Bahnhof

C

Sie freuen auf Weihnachten.

D

Er treffen mit ihr im Park

B3 22 Wörter mit *r*

🔊 38
Phonetik

a Wo hören Sie *r*? Hören Sie die Sätze zweimal und markieren Sie.

Herr und Frau Gruber interessieren sich sehr für den Tanzsport.
René spielt lieber Basketball oder er verabredet sich mit Freunden zum Kartenspielen,
zum Radfahren oder zu den Sportnachrichten im Fernsehen.

b Lesen Sie laut.

B3 23 Hören Sie und sprechen Sie nach.

🔊 39
Phonetik

a Regen – Regel – Regal – Reparatur
b treffen – trinken – Problem – Praktikum
c sprechen – Sprache – Straße – Stress
d rot und rund – grün und grau – raus und rein – rauf und runter

B3 24 *r* hören und sprechen

🔊 40
Phonetik

a Was hören Sie? Kreuzen Sie an.

1 ☒ Reise – ○ leise
2 ☒ richtig – ○ wichtig
3 ☒ braun – ○ blau
4 ☒ Art – ○ alt
5 ☒ Herr – ○ hell
6 ☒ Reis – ○ heiß

🔊 41 b Hören Sie und sprechen Sie nach.

Reise – leise | Rätsel – Lösung | rechts – links | grau – blau | groß – klein | Herr – hell

C2 25 Ordnen Sie zu.

~~worauf~~ darauf Wofür Woran darüber Dafür Daran worüber

a ▲ Und, *worauf* freust du dich? Auch auf die Eishockey-Saison?
○ Nein, ______ freue ich mich überhaupt nicht. Eishockey interessiert mich nicht.

b ○ Weißt du noch – unser Urlaub letztes Jahr? ______ erinnerst du dich am liebsten?
▲ An die Abende am Meer. ______ erinnere ich mich oft.

c □ Du, sag einmal, ______ ärgerst du dich denn so?
◆ Über das schlechte Fußballspiel bei der Europameisterschaft.
□ Ach, ______ solltest du dich nicht ärgern!

d ◆ ______ interessierst du dich?
○ Für Handball.
◆ ______ interessiere ich mich auch. Ich träume von einer Goldmedaille für Kroatien.

C2 26 Ergänzen Sie aus 25.

Grammatik entdecken

a	wo + r + auf = *worauf*	da + r + auf = *darauf*
b	wo + r + an = ______	da + r + an = ______
c	wo + r + über = ______	da + r + über = ______
d	⚠ wo + für = wofür	⚠ da + für = ______

◇ C2 27 Was ist richtig? Kreuzen Sie an.

a ◆ ○ Dafür ⊗ Wofür interessierst du dich?
○ Für Musikvideos.

b ◆ Ich habe Angst vor der Prüfung.
○ Ja, ○ davor ○ wovor habe ich auch Angst.

c ◆ ○ Darauf ○ Worauf freust du dich?
○ Auf den Sommerurlaub. Freust du dich nicht ○ darauf? ○ worauf?

d ◆ Ärgerst du dich auch über das schlechte Wetter?
○ Ja, ○ darüber ○ worüber kann man sich wirklich nur ärgern.

e ◆ ○ Daran ○ Woran hast du dich gerade erinnert?
○ An unseren ersten Kuss. ○ Daran ○ Woran erinnere ich mich immer gern.

❖ C2 28 Ergänzen Sie.

a ◆ Kannst du dich noch *an* unseren ersten Skikurs erinnern?
○ Ja, klar. ______ erinnere ich mich gut. Ich bin doch so oft hingefallen.

b ◆ ______ ärgerst du dich?
○ ______ die Autofahrer. Sie passen nie ______ die Radfahrer auf. ______ ärgere ich mich sehr.

c ◆ Was wollen wir heute Abend essen? ______ hast du Lust?
○ Ich habe Lust ______ eine Pizza.
◆ Oh ja, das klingt gut. Kümmerst du dich ______ die Bestellung?

D Anmeldung beim Sportverein

D3 Prüfung **29 Lesen Sie die Situationen 1 bis 3 und die Angebote A bis F. Welches Angebot passt zu welcher Situation? Nur jeweils ein Angebot passt.**

1 Sie möchten Gymnastik machen. Ein Fitnessstudio ist Ihnen aber zu teuer.
2 Sie haben früher im Verein Fußball gespielt. Jetzt möchten Sie das in Ihrer Freizeit tun.
3 Sie haben noch ein altes Fahrrad im Hof und möchten mit anderen Leuten leichte Touren machen.

Situation	1	2	3
Angebot			

LERNTIPP Markieren Sie wichtige Wörter wie im Beispiel.

A
Radlerinnen und Radler aufgepasst!!
Wie jeden Herbst verkaufen wir unsere Fahrräder zu günstigen Preisen.
Die Räder sind nur sechs Monate alt und wie neu.
www.wientouren.at

B
FUSSBALL IM VEREIN
Die Fußballmannschaft des SV Scheibbs sucht neue Mitspieler für die U16.
Training ist immer am Dienstag von 10 bis 12 Uhr auf dem Sportplatz Scheibbs.
Infos bei Matthias Kurz unter 03270/736584

C
Gesund mit dem Sportverein Eferding
Es sind noch Plätze frei für: Volleyball | Step-Aerobic | Tischtennis | Fitnessgymnastik
Günstige Mitgliedsbeiträge: monatlich 8,- €
Tel. 501370

D
FAHRRAD-TREFF
Unser nächster Ausflug ist am 12.6. und führt uns rund um den Wörthersee (ca. 40 km).
Treffpunkt: 9 Uhr/Schloss Velden
Infos: 04274/9523410

E
Schrunser Freizeitkicker
Fußball mit Spaß und ohne Stress!
Über 35 und Lust auf Fußball?
Wir treffen uns jeden Samstag um 14 Uhr auf dem Fußballplatz am Wagenweg.

F
Fit mach mit!
Am Samstag, 3.4. um 10 Uhr: Vortrag von Trainer und Ernährungsberater Erwin Sonderegger im Sportstudio Wolfurt.
Ab 14 Uhr: Flohmarkt für Fitnessgeräte, Gymnastikbälle und Sportbekleidung.

D3 **30 Anmeldung**

42 **a** Hören Sie den Anfang des Gesprächs. Welche Anzeige aus 29 passt? Ergänzen Sie.

Anzeige: ....

43 **b** Hören Sie jetzt das ganze Gespräch. Was ist richtig? Kreuzen Sie an.

1 Es gibt ○ keine verschiedenen ⊗ zwei verschiedene Gruppen.
2 Der ○ Anfängerkurs ○ Fortgeschrittenenkurs findet von 18.45 Uhr bis 20.15 Uhr statt.
3 ○ Die erste Stunde ○ Der erste Monat ist kostenlos.
4 Der Mitgliedsbeitrag beträgt für Erwachsene ○ 4 €. ○ 12 €.
5 Für Lehrlinge gibt es eine Ermäßigung von ○ 4 €. ○ 8 €.
6 Für weitere Sportangebote muss man ○ eine ○ keine zusätzliche Gebühr bezahlen.

E1 31 Aktiv bleiben

Schreibtraining

a Lesen Sie das E-Mail und ordnen Sie zu.

~~1 Anrede~~ 2 „Unterschrift" 3 Adresse 4 Gruß 5 Betreff 6 Text

An: ◯ susi-q@weg.web

◯ So viel Arbeit ...

① Liebe Susi,

◯ ich habe dir schon lange nicht mehr geschrieben – Entschuldigung! Aber ich habe im Büro zurzeit so viel zu tun, jeden Tag viele Besprechungen ☹. Ich weiß gar nicht: Wie soll ich alles schaffen? Auch mein Körper sagt „Nein" zu dem Stress: Am Abend habe ich oft Kopf- und Rückenschmerzen. Wahrscheinlich bewege ich mich auch nicht genug und bin außerdem zu wenig an der frischen Luft. Geht es dir auch so? Oder wie bleibst du aktiv?

◯ Liebe Grüße

◯ Hanna

b Susis Antwort: Schreiben Sie ein E-Mail.

Denken Sie an die Anrede, den Betreff, den Gruß und die „Unterschrift".

jeden Morgen Gymnastik machen | zu Fuß einkaufen gehen | jeden Montag und Freitag ins Fitnessstudio | am Wochenende joggen | zusammen joggen gehen?

Liebe Hanna,
ich habe mich sehr über dein E-Mail gefreut. ...

E1 32 Ordnen Sie zu.

~~eine Reise~~ einen 30-minütigen Spaziergang | ins Fitnessstudio | Eishockey | Gymnastik | Handball | Joggen | ins Schwimmbad | auf den Spielplatz | spazieren | eine Busfahrt | Volleyball

machen	gehen	spielen
eine Reise		

E2 33 Fitness-Tipps für jeden Tag: Aber was denkt Andy darüber?

Verbinden Sie.

SO HALTEN SIE SICH IM ALLTAG FIT!

A ▪ regelmäßige Bewegung
B ▪ täglich 10.000 Schritte gehen
C ▪ Stiegen steigen
D ▪ zu Fuß in die Arbeit gehen oder mit dem Fahrrad fahren
E ▪ in der Früh Gymnastik machen

1 Aber ehrlich gesagt: Ich schlafe in der Früh gern noch ein bisschen.
2 Sport ist natürlich wichtig. Aber jeden Tag? Diesen Trend finde ich übertrieben.
3 Wenn ich ehrlich bin, fahre ich normalerweise mit dem Auto.
4 Fitness ist beliebt und wichtig. Das ist doch selbstverständlich. Aber man kann es auch übertreiben.
5 Ehrlich gesagt, ich benutze lieber den Lift.

E2 **34 Sie hören Aussagen zu einem Thema. Welcher der Sätze a–f passt zu den Aussagen 1–4?**

🔊 44–47 Lesen Sie die Sätze a–f. Danach hören Sie die Aussagen.

a Mein Beruf ist anstrengend. In meiner Freizeit brauche ich Entspannung.
b Ein Spaziergang am Wochenende: Das ist genug Bewegung.
c Ich fahre alle Kurzstrecken mit dem Rad. So bleibe ich fit und außerdem ist das besser für die Umwelt.
d Ich empfehle die Sportangebote bei den Gebietskrankenkassen. Sie sind kostenlos und man bleibt flexibel.
e Ich soll in der Früh Gymnastik machen, sagt mein Arzt. Das hält fit.
f Fitness ist auch eine Frage von gesunder Ernährung.

Aussage	1	2	3	4
Satz				

E2 **35 Fit fürs Leben**

a Lesen Sie die Überschrift und schauen Sie das Foto an. Worum geht es? Kreuzen Sie an.

○ bessere Schulen
○ gesunde Ernährung bei Kindern
○ Verbot von preiswerten Süßigkeiten an Schulen
○ ein Sportprogramm für die Gesundheit

Immer mehr Kinder haben Übergewicht – Trainingsprogramm zur gesunden Ernährung

Untersuchungen zeigen: Kinder essen zu viele Süßigkeiten und sitzen zu lange vor dem Fernseher oder am Tablet. Schlechte Ernährung und zu wenig Bewegung sind die Hauptursachen für Übergewicht und Krankheiten. 5

Die zweiten Klassen von der Neuen Mittelschule Horn haben am Projekt „Gesunde Schule" teilgenommen. „Die Kinder lernen spielerisch, welche Folgen eine schlechte Ernährung und zu wenig Bewegung haben. Außerdem reden wir mit ihnen über gesunde Ernährung und Sportangebote", so Direktorin Anita Seiwald. Die meisten Schüler machen gern mit. 10

„Ich esse jetzt nur noch ganz selten Schokolade und spiele jede Woche Basketball in einem Sportverein", meint die elfjährige Daniela. Und ihr Klassenkamerad Paul sagt: „Ich habe gelernt: Auch eine Leberkässemmel hat viel Fett. Ich esse jetzt nur noch eine in der Woche." Den Organisatoren der Aktion ist klar: „Letztlich müssen sich auch die Eltern um eine gesunde Ernährung ihrer Kinder kümmern. Und die Kinder müssen sich auch in ihrer Freizeit mehr bewegen." Aber ab jetzt bietet auch das Schulbuffet extra viel Obst und nur noch wenig Süßigkeiten an. 15 20 25

b Was ist richtig? Lesen Sie den Text und kreuzen Sie an.

1 ☒ Kinder ernähren sich nicht gesund und bewegen sich zu wenig.
2 ○ In einem Sportverein kann man viel über gesunde Ernährung lernen.
3 ○ Die Kinder lernen bei dem Projekt spielerisch: Ich soll mich gesund ernähren und bewegen.
4 ○ „Gesunde Schule" zeigt: Nur Süßigkeiten sind schlecht für die Gesundheit.
5 ○ In der Schule kann man jetzt mehr Obst kaufen.

Test Lektion 5

5

1 Ordnen Sie zu.

Körper | Spaziergang | ~~Gebietskrankenkasse~~ | Untersuchungen | Krankheiten | Verein

Ihre Gebietskrankenkasse (a) rät: Bringen Sie Bewegung in Ihren Alltag!
__________ (b) haben gezeigt: Die Österreicher sitzen zu viel.
Aber der __________ (c) braucht Bewegung. Ohne Bewegung
bekommen wir mehr __________ (d) und fühlen uns nicht wohl.
Sie müssen sich aber nicht gleich bei einem __________ (e)
anmelden. Schon ein __________ (f) am Abend hilft.

1 ___ /5 Punkte — WÖRTER

● 0–2 ● 3 ● 4–5

2 Ergänzen Sie.

a Kinder, habt ihr euch schon umgezogen?
b Ruh __________ doch mal ein bisschen aus!
c Ich fühle __________ zurzeit nicht so gut.
d Sergio möchte __________ zum Deutschkurs anmelden.

2 ___ /3 Punkte — GRAMMATIK

3 Ergänzen Sie *mit – über – für – an* und ordnen Sie zu.

~~eurer~~ | deiner | die | ihr | unseren | unsere

a ◆ Bist du zufrieden mit eurer Wohnung?
○ Na ja, gestern habe ich mich __________ __________ Nachbarin geärgert.
b ◆ Hast du schon __________ __________ Kollegin gesprochen?
○ Nein, aber ich treffe mich heute Abend __________ __________.
c ◆ Erinnerst du dich noch __________ __________ Urlaub in Bern?
○ Ja, klar. Seit dem Urlaub interessiere ich mich total __________ __________ Schweiz.

3 ___ /10 Punkte

4 Ordnen Sie zu.

darauf | Woran | ~~Worauf~~ | Auf | vor | An

a ◆ Worauf freust du dich? __________ den Besuch von deinen Eltern?
○ Ja, __________ muss man sich einfach freuen!
b ◆ __________ denkst du?
○ __________ morgen. Ich habe Angst __________ der Prüfung.

4 ___ /5 Punkte

● 0–9 ● 10–14 ● 15–18

5 Ordnen Sie.

◯ Sportverein Topfit, grüß Gott!
◯ Und wie viel kostet der Kurs?
◯ Vielen Dank für die Information. Auf Wiederhören.
◯ Ja, wir haben auch Yoga im Programm. Schauen Sie doch einfach einmal vorbei.
◯ Jeden Dienstag von 19 bis 20 Uhr.
◯ Der Mitgliedsbeitrag beträgt zehn Euro im Monat.
◯ Grüß Gott! Bieten Sie auch Yoga an?
④ Wann findet der Kurs denn statt?

5 ___ /7 Punkte — KOMMUNIKATION

● 0–3 ● 4–5 ● 6–7

Frau Cengiz hat einen Brief von einer privaten Krankenversicherung bekommen.
Lesen Sie den Brief und kreuzen Sie an.

FamGe KV – Postfach 40 – 1235 Wien
Frau Fetiye Cengiz
Jägerstraße 147a
1200 Wien

FamilyGesundheit –
Ihre Privatversicherung

Mit dem „FamGe KVplus-Tarif" versichern Sie sich für wenig Geld noch besser!

Wien, 23.09.20..

Sehr geehrte Frau Cengiz,

Sie sind Mitglied bei der FamilyGesundheit – Ihre Privatversicherung und besonders gut und günstig versichert.

Aber denken Sie daran: Beim Zahnersatz, bei der Brille, den Kontaktlinsen oder bei einer Erkrankung im Ausland müssen Sie bis jetzt noch einen großen Teil der Kosten selber bezahlen.

Mit unserer neuen Zusatzversicherung „FamGe KVplus" bieten wir Ihnen eine günstige Lösung für dieses Problem. „FamGe KVplus" – viel mehr Sicherheit bei geringen Zusatzkosten.

Ihr Alter	*Das zahlen Sie *)*	*Das zahlen wir für Sie*
bis 29 Jahre	19,90	Ihre Kosten
30 – 49 Jahre	34,90	**100 %**
50 – 69 Jahre	54,90	
ab 70 Jahre	69,90	

Sie interessieren sich für unser Angebot? Dann füllen Sie noch heute das Antragsformular aus und schicken Sie es an uns.

Haben Sie noch Fragen? Dann informieren Sie sich bei der Hotline der FamGe KV: 0800-1 13 12 22.

Mit freundlichen Grüßen

Karla Engelmann
Kundenbetreuung FamilyGesundheit – Ihre Privatversicherung

*) Preis in Euro/Monat

a Was ist richtig?
1 ○ Frau Cengiz arbeitet bei der FamGe KV.
2 ⊗ Frau Cengiz ist Mitglied bei der FamGe KV.
3 ○ Frau Cengiz kennt die FamGe KV noch nicht.

b Was steht in dem Brief?
1 ○ Frau Cengiz soll eine Rechnung bezahlen.
2 ○ Die FamGe KV informiert ihre Mitglieder: Es gibt eine zusätzliche Versicherung für sie.
3 ○ Frau Cengiz soll im Ausland zum Arzt gehen.

c Was zahlt die FamGe KV-Zusatzversicherung nicht?
Sie zahlt nicht, wenn man
1 ○ eine Brille oder Kontaktlinsen braucht.
2 ○ eine Schönheitsoperation möchte.
3 ○ neue Zähne braucht.
4 ○ im Ausland krank wird.

d Was kostet der „FamGe KVplus-Tarif" für eine 34-jährige Person pro Jahr?
1 ○ 34,90 €
2 ○ 349,00 €
3 ○ 418,80 €

1 Lesen Sie den Text. Was ist richtig? Kreuzen Sie an.

Gesundheitsschutz am Arbeitsplatz

Arbeitgeber müssen ihre Angestellten vor Berufskrankheiten und Unfällen am Arbeitsplatz schützen und viele Arbeitsschutzmaßnahmen einhalten.
Darauf achtet der Betriebsarzt und berät Arbeitgeber deshalb bei Fragen zum Thema Gesundheitsschutz, z. B.:
Am Arbeitsplatz soll es keine Unfälle geben – was kann man machen?
Wie kann man sich am Arbeitsplatz und bei der Arbeit schützen?
Der Betriebsarzt kümmert sich auch um die Arbeitnehmer und bietet regelmäßig Untersuchungen an, z. B. von den Augen oder vom Rücken.

a ○ Arbeitgeber ○ Arbeitnehmer müssen sich um den Gesundheitsschutz im Betrieb kümmern, denn Arbeit darf nicht krank machen.

b Der Betriebsarzt kümmert sich um die Gesundheit von ○ Arbeitgebern. ○ Arbeitnehmern.

2 Beim Betriebsarzt

48 a Was hat Frau Nowak? Hören Sie und ergänzen Sie.

müde Augen

49 b Was soll Frau Nowak machen? Hören Sie und kreuzen Sie an.

○ den Schreibtisch umstellen ○ keine Brille tragen
X eine Arbeitsbrille tragen ○ regelmäßig Bildschirmpausen machen
○ nicht mehr am Computer arbeiten ○ Sport machen ○ Augenübungen machen
○ sich gesund ernähren

3 Was sagt der Arzt?

a Verbinden Sie.

1 Ihre Brille ist noch in Ordnung, — f
2 Nein, die Kosten für die Bildschirmbrille
3 Außerdem müssen Sie
4 Sie können sich in der Zeit um
5 Da, in dieser Broschüre finden Sie
6 Ja, wenn Sie sich gesund ernähren,
7 Für die Augen sind

a viele verschiedene Übungen für die Augen und den Nacken.
b regelmäßig Bildschirmpausen machen.
c hilft das natürlich auch Ihren Augen.
d die Vitamine A, C und E besonders wichtig.
e übernimmt natürlich der Arbeitgeber.
f aber es ist nicht die richtige Brille für die Arbeit am Computer.
g andere Aufgaben kümmern.

49 b Hören Sie noch einmal und vergleichen Sie.

A Ich **wollte** in meiner Schule bleiben.

A1 **1 Was ist richtig? Kreuzen Sie an.**

Wiederholung
A1, L7
L9
L10

a Ich ☒ muss ○ kann jetzt lernen.
Ich ○ darf ○ will morgen in der Prüfung eine gute Note bekommen.
b Du ○ musst ○ darfst jetzt noch nicht mit Denis Fußball spielen.
Du ○ musst ○ willst erst deine Hausübung machen.
c Meine Geografie-Lehrerin hat gesagt, ich ○ will ○ soll ein Referat halten.
d Wie ○ kann ○ darf ich denn meine Note in Mathematik verbessern?
e Warum ○ will ○ muss Ihr Sohn denn nicht ins Wilhelm-Gymnasium gehen?
f Wenn ihr Matura machen ○ könnt ○ wollt, dann ○ müsst ○ dürft ihr fleißig sein.

A1 **2 Wer sagt was? Verbinden Sie.**

Elisabeth, 15 Jahre

a Ich will Matura machen.
b Ich durfte nicht studieren.
c Ich wollte Matura machen.
d Ich darf nicht studieren.
e Ich will noch nicht arbeiten.
f Ich wollte mit 15 noch nicht arbeiten.

Elisabeth, heute

A2 **3 Was ist richtig? Kreuzen Sie an.**

Mein Freund Edhem kommt aus einem kleinen Dorf in der Türkei. Er ○ konnte ☒ wollte eine Lehre als Mechatroniker machen. Das war sein großer Wunsch, weil er sich schon immer sehr für Autos interessiert hat. Aber er ○ durfte ○ musste nicht. Sein Vater hat es nicht erlaubt. Er ○ sollte ○ konnte wie sein großer Bruder auf dem Bauernhof arbeiten. Das hat Edhem drei Jahre lang gemacht. Aber dann ○ wollte ○ musste er nicht mehr in dem Dorf leben. Das war ihm zu langweilig und er ist zu seinem Onkel nach Izmir gezogen. Dort ○ musste ○ durfte er endlich eine Lehre als Mechatroniker machen und war sehr glücklich!

A2 **4 Ordnen Sie zu.**

Solltest | durfte | durften | wollten | mussten | wollte | Musstet | konnten | Wolltest | konnte | musstest | sollte | ~~musste~~

a ◆ ________ ihr viel für die Abschlussprüfung lernen?
○ Ja und ich _musste_ in Englisch viel wiederholen.
b ◆ Ich ________ immer Ärztin werden. Das war mein Plan.
○ Aber warum bist du denn jetzt nicht Ärztin?
◆ Meine Eltern hatten nicht viel Geld und so ________ wir die Studiengebühren an der Universität nicht bezahlen.
c ◆ Für welches Fach ________ du in der Schule am meisten lernen?
○ Für Mathematik. Rechnen ________ ich überhaupt nicht gut. Jedes Wochenende ________ mein Bruder und ich mit meinem Vater Mathematik lernen. Er war sehr streng.

d ◆ ______ du damals eigentlich nicht studieren?
○ Doch, aber ich ______ nicht. Nur meine Geschwister ______ studieren.
Ich ______ eine Lehre machen. Meine Eltern ______ das so.

e ◆ Du bist doch noch krank! ______ du nicht lieber im Bett bleiben?
○ Ja, du hast recht.

A2 **5 Ergänzen Sie die Formen aus 4 und das Wortende.**

Grammatik entdecken

	wollen	können	sollen	dürfen	müssen	Wortende
ich					musste	-te
du		konntest		durftest		
er/es/sie	wollte	konnte	sollte	durfte	musste	
wir	wollten		sollten	durften		
ihr	wolltet	konntet	solltet	durftet		
sie/Sie		konnten	sollten		mussten	

heute	früher
ich will	→ ich wollte
ich möchte	→ ⚠ ich wollte

A3 **6 Ordnen Sie zu und ergänzen Sie in der richtigen Form.**

a können müssen ~~wollen~~

◆ Wolltest du am Wochenende nicht Ski fahren?
○ Doch, natürlich. Aber leider ______ ich nicht, weil ich krank war und Fieber hatte.
Darum ______ ich daheim im Bett bleiben.

b dürfen müssen wollen wollen

▲ Warum haben Sie denn nicht studiert? Sie haben doch maturiert!
______ Sie nicht oder ______ Sie nicht studieren?
□ Ich ______ schon, aber meine Eltern hatten nicht genug Geld
und ich ______ eine Ausbildung zur Krankenschwester machen.
Aber heute liebe ich meinen Beruf und bin zufrieden.

c dürfen können

◆ Warum bist du denn gestern nicht zu Ginas Geburtstagsparty gekommen?
Hat dein Vater es nicht erlaubt?
○ Doch. Ich ______ schon, aber ich ______ leider nicht kommen,
weil wir im Sportverein unser Sommerfest hatten.

d können sollen müssen

● Frau Weger, Sie ______ mich doch um 10.00 Uhr anrufen.
Warum haben Sie das nicht gemacht?
◆ Entschuldigung. Um 10.00 Uhr ______ ich nicht.
Ich ______ Frau Ofner bei der Präsentation helfen.
Danach habe ich es vergessen.

◇ A3 7 Ergänzen Sie in der richtigen Form.

Als Kind *wollte* (wollen) ich so gern Ärztin werden, aber ich ________ (dürfen) nicht ins Gymnasium gehen. Mein Vater hat es nicht erlaubt. Ich ________ (sollen) heiraten, Kinder bekommen und eine gute Hausfrau und Mutter sein. Meine zwei Brüder ________ (dürfen) studieren. Also habe ich jung geheiratet und war mit unseren drei Kindern daheim. Aber ich ________ (wollen) einen Beruf lernen und arbeiten. Mit 42 Jahren ________ (können) ich dann endlich eine Ausbildung zur Kindergärtnerin machen. Jetzt bin ich Kindergärtnerin von Beruf und die Arbeit gefällt mir sehr gut!

Elfriede aus Wien, 49 Jahre

❖ A3 8 Und Sie? Schreiben Sie Sätze mit *durfte – musste – wollte – konnte*.

um 20 Uhr ins Bett gehen | Rad fahren | auf Geschwister aufpassen | lesen | Ihren Namen schreiben | unter der Woche tanzen gehen | meiner Mutter im Haushalt helfen | um 22 Uhr daheim sein | auf Partys gehen | eine Lehre als ... machen / studieren | ...

Als Kind musste ich immer um 20 Uhr ins Bett gehen.
Als Jugendlicher wollte ich gern ..., aber ich durfte nicht.
Mit 16 Jahren ...

A3 9 Finden Sie noch neun Wörter und ordnen Sie zu.

M	O	R	G	V	E	R	B	E	S	S	E	R	N
F	S	T	R	E	M	ß	A	D	P	Ü	L	U	F
A	S	F	U	R	C	H	T	B	A	R	H	F	S
U	F	A	R	H	R	U	Z	I	L	P	O	M	T
L	E	R	L	A	W	L	I	N	G	E	R	A	R
O	R	T	F	L	E	I	ß	I	G	J	A	F	E
L	A	M	A	T	U	R	A	M	M	A	T	A	N
ß	K	U	R	E	F	E	R	A	T	I	L	C	G
Z	E	U	G	N	I	S	U	H	G	E	R	H	N

a Mein Bruder hat im Unterricht oft gestört. Sein *Verhalten* war sehr schlecht.
b Ich habe nicht viel gelernt in der Schule. Ich war ziemlich ________.
c Aber meine Schwester war ganz anders: Sie war sehr ________.
d Musik war mein Lieblings________ in der Schule.
e Mathematik hat mich noch nie interessiert. Und auch heute noch finde ich Mathematik ________.
f Unser Englischlehrer war sehr ________. Wir mussten sehr viel lernen.
g Ich habe viel Mathematik gelernt, weil ich meine Note ________ wollte.
h Ich wollte als Schüler nicht gern vor der ganzen Klasse sprechen und ein ________ halten.
i Meine Eltern haben sich immer sehr über ein gutes ________ am Schuljahresende gefreut.
j Ich habe mit 18 Jahren die ________ gemacht. Dann habe ich gleich studiert.

B1 **10 Verbinden Sie.**

a Ich glaube, — 3
b Es tut mir sehr leid,
c Es ist wichtig,
d Es ist schön,

1 dass junge Leute gut Englisch lernen.
2 dass du jetzt auch in Bern lebst.
3 dass sich Anna und Luis vorhin gestritten haben.
4 dass du die Prüfung nicht geschafft hast.

B2 **11 Wünsche: Schreiben Sie die Sätze neu.**

Grammatik entdecken

Ich finde bald einen Job in Österreich.

Deutschlernen macht Spaß.

Mein Sohn schafft die Matura.

Ich möchte bald gut Deutsch sprechen.

Ich kann in Österreich studieren.

A Wanida

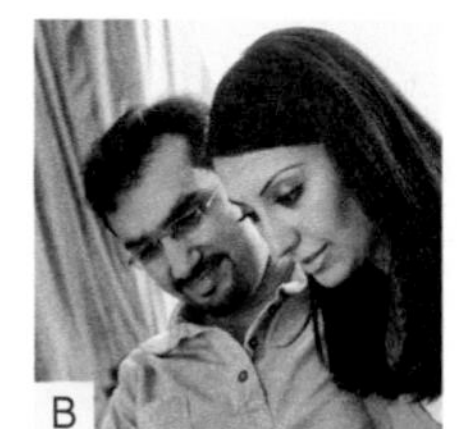
B Kemal und Ayse

C Omar

D Soraya

E Babak

Wanida denkt,	dass	sie bald einen Job in Österreich	findet.
Kemal und Ayse finden,	dass		
Omar ist sicher,	dass		
Soraya sagt,	dass		
Babak glaubt,	dass		

B2 **12 Schreiben Sie Sätze.**

a deine Tochter – ist – sehr – intelligent
Ich glaube, dass deine Tochter sehr intelligent ist.
b ist – wichtig – eine gute Ausbildung
Ich finde, dass ....
c du – im – hast – Zeugnis – schlechte Noten
Es tut mir leid, dass ....
d soll – Pausen – regelmäßig – machen – man
Er findet, dass ....
e lernen – ein bisschen mehr – kannst – du
Ich bin sicher, dass ....
f können – unsere Kinder – besuchen – eine gute Schule
Es ist schön, dass ....
g Sebastian und Luca – haben – vorhin – gestritten
Es tut mir leid, dass ....
h Sie – kommen – pünktlich – zu dem Termin
Es ist wichtig, dass ....

B

B3 **13 Ergänzen Sie: *weil – wenn – dass.***

Wiederholung A2, L1 L4

a Sie müssen in der Schule anrufen, ___wenn___ Sie krank sind und sich entschuldigen.
b Wissen Sie schon, ______________ wir morgen länger arbeiten müssen?
c Er musste die Klasse wiederholen, ______________ er schlechte Noten hatte.
d Du musst viel lernen, ______________ du ein gutes Zeugnis haben willst.
e Findest du auch, ______________ unsere Schule wenig Freizeitaktivitäten anbietet?
f Ich habe mir eine neue Arbeit gesucht, ______________ ich in der alten Firma wenig verdient habe.
g Meinen Sie nicht auch, ______________ man seine Meinung immer freundlich sagen soll?

B3 **14 *-ich* im Wort und am Wortende**

50 Phonetik

a Wo hören Sie den *ich*-Laut? Hören Sie und markieren Sie.

◆ Du lernst zurzeit sehr wenig! Findest du das richtig?
○ Ach, das ist so fad und auch überhaupt nicht wichtig.
◆ So, und was ist denn dann wichtig?
○ Dass ich endlich in der Fußballmannschaft so richtig mitspielen darf.

51 **b** Hören Sie noch einmal und sprechen Sie nach.

52 **c** Ergänzen Sie *-ig* oder *-ich* und hören Sie.

glückl*ich*	lust_____	traur_____	freundl_____
ruh_____	höfl_____	led_____	bill_____
berufstät_____	selbstständ_____	schwier_____	

B3 **15 Laute *f*, *w*: Hören Sie und sprechen Sie nach.**

53 Phonetik

nach Feldkirch – zum Frühstück – am Anfang – dein Brief – mein Vater – im Verein – dein Vorname
eine Woche – in der Wohnung – im Wasser – aus aller Welt – im Winter
das Gewicht – ein Gewitter – herzlichen Glückwunsch
Ich freue mich wirklich sehr auf Freitag. – Wie viele Erdäpfel willst du? –
Vorgestern waren wir verabredet. Hast du das vergessen?

B3 **16 *w* oder *b*?**

54 Phonetik

a Was hören Sie? Kreuzen Sie an.

1 ☒ Wein – ○ Bein	3 ○ wir – ○ Bier	5 ○ Wald – ○ bald
2 ○ Wort – ○ Brot	4 ○ Wecker – ○ Becher	6 ○ weit – ○ breit

55 **b** Hören Sie und sprechen Sie leise. Wie oft hören Sie *w*, wie oft *b*?

1 w *III*	b *–*	3 w _____	b _____	5 w _____	b _____
2 w _____	b _____	4 w _____	b _____	6 w _____	b _____

56 **c** Hören Sie noch einmal und sprechen Sie nach.

B3 **17 Hören Sie und sprechen Sie nach.**

57 Phonetik

Wann bringst du den Wagen in die Werkstatt? – Ab wann wollen Sie die Wohnung mieten? –
Würden Sie mir bitte das Wasser geben? – Das ist ein Bild von Barbaras Bruder. –
Warum willst du nach Wien fahren? – Wie viele Buchstaben hat das Wort?

C1 **18 Schauen Sie das Schema im Kursbuch auf Seite 74 noch einmal an.**
Was ist richtig? Kreuzen Sie an.

a ☒ Kinder müssen nicht in die Krippe gehen. Der Besuch ist freiwillig.
b ○ Mit drei Jahren müssen alle Kinder in den Kindergarten gehen.
c ○ Alle Kinder müssen in die Volksschule gehen.
d ○ Nach der Volksschule kann man in die Neue Mittelschule oder ins Gymnasium gehen.
e ○ Nach der neunten Schulstufe kann man in die Berufsschule gehen.
f ○ Nach der Matura kann man ein Studium beginnen.

C2 **19 Lesen Sie den Zeitungstext. Was ist richtig? Kreuzen Sie an.**
Prüfung

In der Schule eine Niete – im Beruf ein Star!

„‚Jan, von dir habe ich nichts anderes erwartet', hat unser Deutsch- und Englischlehrer oft gesagt, wenn er mir wieder einmal einen Test mit einer schlechten Note zurückgegeben hat. Meine Schulzeit war einfach nur furchtbar", erzählt Jan Hölzl im Gespräch mit der Zeitschrift *Schule und Beruf*.

Heute ist Jan Hölzl ein gut bezahlter Industrie-Designer und arbeitet für einen großen deutschen Automobilkonzern. Er erzählt weiter: „Mein Vater war sehr streng und wollte, dass ich die Matura mache. Nur war ich leider in der Schule eine absolute Niete. Nur das Fach Kunst hat mich wirklich interessiert und mir Spaß gemacht, auch weil unsere Kunstlehrerin super war.

Mit 16 habe ich den Pflichtschulabschluss gemacht und wollte auf keinen Fall weiter eine Schule besuchen. Ich habe mir dann verschiedene Jobs gesucht, habe zum Beispiel in der Küche von einem Restaurant gearbeitet oder in einem Autohaus Autos geputzt.

Das war ziemlich langweilig, aber ich habe viele Ideen gehabt, was man an Autos schöner machen kann. Und so hat mir mein Chef empfohlen, eine Ausbildung zum Produkt-Designer zu machen.

Das war eine super Idee. Ich habe mich sofort im Internet über die Berufsausbildung zum Technischen Produkt-Designer informiert und mich gleich beworben. Nach zwei Monaten hatte ich eine Lehrstelle. Nach der Lehre habe ich die Abendmatura gemacht und danach Industrie-Design studiert. Ich war glücklich! Zum ersten Mal in meinem Leben hat mir Lernen richtig Spaß gemacht und ich hatte nur gute Noten.

Nach meiner Sponsion habe ich gleich eine Stelle in der Autoindustrie gefunden. Und wissen Sie was? Ich denke oft an meine wunderbare Kunstlehrerin. Sie hat mein Interesse an Design und kreativer Arbeit geweckt."

1 In der Schule ...
a ○ wollte Jan die Matura machen.
b ○ war Jan kein guter Schüler.
c ○ hat Jan kein Fach besonders interessiert.

2 Die Arbeit im Autohaus ...
a ○ hat Jan interessiert.
b ○ hat Jan keinen Spaß gemacht.
c ○ war immer schön.

3 Jan hat ...
a ○ nach der Lehre wieder im Autohaus gearbeitet.
b ○ studiert und danach die Matura nachgemacht.
c ○ eine Lehre gemacht und später studiert.

LERNTIPP Lesen Sie zuerst den Text komplett. Beim zweiten Lesen suchen Sie die Antworten zu den Aufgaben.

C2 20 Was passt nicht? Streichen Sie.

a • die Physik – • ~~die Geschichte~~ – • die Chemie – • die Biologie
b • die Volksschule – • das Gymnasium – • der Kindergarten – • die Mittelschule
c • das Zeugnis – • die Abschlussprüfung – • die Matura – • das Referat
d Ein Schüler ist: fleißig – intelligent – streng – faul
e • das Handwerk – • die Universität – • die Hochschule – • das Studium
f • das Englisch – • die Mathematik – • das Spanisch – • das Italienisch
g • die Geschichte – • die Wirtschaftskunde – • der Sport – • die Geografie

C3 21 Sprachunterricht hier und dort

Schreibtraining

a Ordnen Sie.

(4) Ich freue mich <u>jeden Morgen</u> auf die Schule, weil ich einen sehr netten und lustigen Lehrer habe. Die Lehrer <u>in meiner Heimat</u> sind nicht so lustig. Sie sind streng.
◯ Liebe Grüße Alina
◯ Bitte schreib mir bald! Ich freue mich auf eine Antwort von dir.
◯ Wir sprechen auch viel Deutsch im Unterricht und machen oft Gruppenarbeit. Das macht so viel Spaß!
◯ Liebe Samira,
◯ Ich finde <u>das</u> nicht so gut. Man lernt eine Sprache doch leichter, wenn die Lehrer freundlich sind, oder?
◯ wie geht es dir? So lange habe <u>ich</u> nichts von dir gehört.
◯ Ich mache <u>seit zwei Monaten</u> einen Deutschkurs in Wien.
◯ Wie war der Sprachunterricht in deiner Schule?

◇ b Schreiben Sie das E-Mail. Beginnen Sie die Sätze mit den markierten Wörtern aus a.

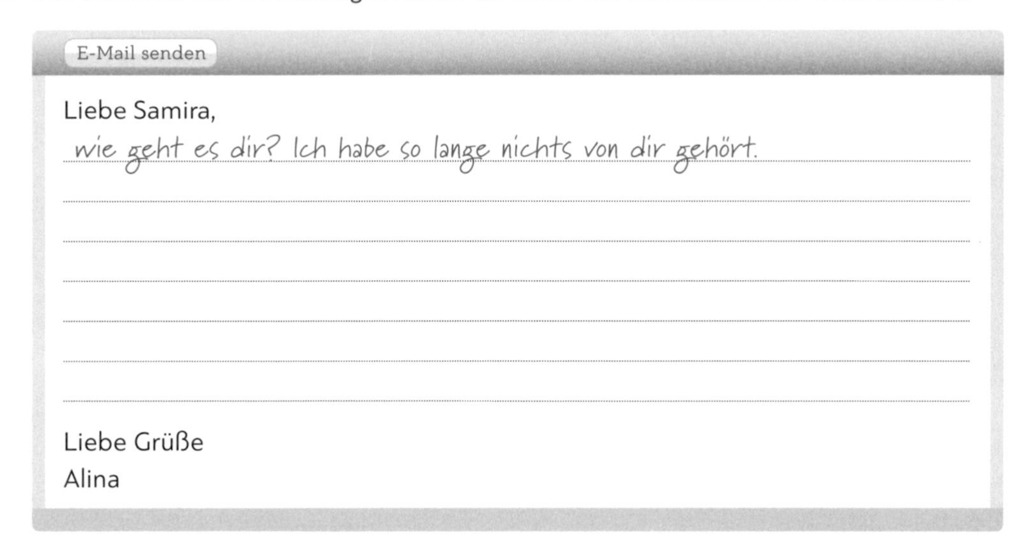

E-Mail senden

Liebe Samira,
wie geht es dir? Ich habe so lange nichts von dir gehört.

Liebe Grüße
Alina

❖ c Schreiben Sie eine Antwort an Alina.

– Dank für das E-Mail
– Wo sind Sie in die Schule gegangen?
– Was war Ihr Lieblingsfach?
– Wie war Ihre Lehrerin / Ihr Lehrer?
– War ihr/sein Unterricht lustig/langweilig/interessant?

Liebe Alina,
vielen Dank für dein E-Mail. Ich habe mich sehr darüber gefreut. …
…
Herzliche Grüße
…

D Aus- und Weiterbildung

D1 22 Verbinden Sie.

a • der Migrant	1 man bekommt Geld, zum Beispiel für eine Weiterbildung
b etwas präsentieren	2 neuer Bewohner in einem Land
c • die Förderung	3 anderen Menschen etwas vorstellen
d • das Zertifikat	4 bei einer Firma eine Stelle suchen
e sich bewerben	5 diese Person weiß sehr viel über ein Thema
f • der Experte	6 das Zeugnis

D1 23 Ordnen Sie zu.

möglich ~~Migrantin/Migrant~~ Beratung Beginn verletzt blutet Vorbereitung

A

Fit in Deutsch
für
Altenpflegerinnen und
Altenpfleger

Sie sind *Migrantin/Migrant* und möchten eine Ausbildung in der Altenpflege machen? Dann sind Sie bei uns richtig. Wir bieten im Frühjahr spezielle Deutschkurse zur ______ auf die Altenpflegeausbildung an.

8 x 4 Stunden, jeden Samstag, 8 – 12 Uhr
______ des Kurses: 16. März

Wir freuen uns auf Sie!

B

ERSTE HILFE BEIM SPORT

Ein Kind ist hingefallen, hat sich ______ und sein Knie ______ stark?
Was tun?
Das lernen Sie bei uns in Theorie und Praxis im Erste-Hilfe-Kurs für Übungsleiterinnen und Übungsleiter.
Eine finanzielle Förderung durch Ihren Sportverein ist ______.
Anmeldung und ______ immer montags von 17 bis 19 Uhr.

D1 24 Beratungsgespräch bei der Volkshochschule

Ordnen Sie das Gespräch.

- ◯ ◆ 69 Euro für beide Tage zusammen.
- *2* ○ Ich interessiere mich für ein Bewerbungstraining.
- ◯ ○ Nein, jetzt ist alles klar. Vielen Dank und auf Wiederschauen.
- *1* ◆ Grüß Gott, wie kann ich Ihnen helfen?
- ◯ ○ Gut, das fülle ich gleich aus. So, bitte.
- ◯ ◆ Ich danke Ihnen und wünsche Ihnen viel Erfolg im Kurs.
- ◯ ◆ Danke. Haben Sie noch Fragen?
- ◯ ◆ Das können Sie jetzt gleich da bei mir machen, wenn Sie wollen. Sie müssen nur dieses Formular ausfüllen.
- ◯ ◆ Unser nächstes Bewerbungstraining ist am 5. und 6. Juni. Das ist ein Wochenende. Haben Sie da Zeit?
- ◯ ○ Ah, am Wochenende. Das passt sehr gut. Was kostet denn der Kurs?
- ◯ ○ Ach, das ist ja günstig. Wann und wo kann ich mich denn dafür anmelden?

E Mein Berufsweg

E1 **25 Was ist richtig? Kreuzen Sie an.**

a ☒ • die Prüfung ○ • den Unterricht bestehen
b ○ • eine Schule ○ • ein Zertifikat anerkennen
c ○ • die Vorbereitung ○ • die Technik prüfen
d ○ • eine Fachhochschule ○ • ein Studium machen
e ○ • den Tagesablauf ○ • den Kontakt kennenlernen
f ○ • Digitalfotos ○ • Postkarten speichern

E1 **26 Mein Berufsweg**

58–60 a Welchen Traumberuf hatten die Personen früher? Schauen Sie die Bilder an, hören Sie die Gespräche und ordnen Sie zu. Achtung: Nicht alles passt.

1 ○ Yara

2 ○ Salah

3 ○ Dilara

A

B
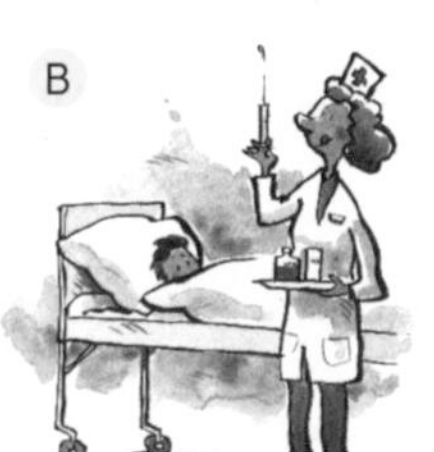

C

D

E

58–60 b Hören Sie noch einmal und notieren Sie.

– Beruf heute
– Was ist gut ☺/nicht so gut ☹ an dem Beruf?

Yara:	Schneiderin	☺ Kleidung selber nähen, ... ☹ ...

E2 **27 Was bin ich von Beruf?**

a Markieren Sie noch sieben Berufe und ordnen Sie zu. Achtung: Nicht alles passt.

WLERBÄCKERIUZEARCHITEKTÄPKOCHENM(KELLNER)UESDLEHRERNINIS
OPKAPHYSIOTHERAPEUTUVASDMECHATRONIKERIMDERSCHAUSPIELER

1 Ich helfe immer, wenn Menschen Schmerzen bei Bewegungen haben. Dann mache ich mit ihnen verschiedene Übungen und wir hoffen, dass die Schmerzen wieder aufhören. In meinem Job braucht man gute soziale Kompetenzen.
Ich bin ______________ von Beruf.

2 Meine Arbeit beginnt um drei Uhr in der Früh, wenn die meisten Menschen noch schlafen. Wenn sie aufstehen, freuen sie sich, weil sie meine Produkte zum Frühstück essen können.
Ich bin ______________ von Beruf.

3 Ich habe mich immer schon für Technik und elektrische Geräte interessiert. Jetzt arbeite ich in einer Werkstatt und repariere Autos. Heute ist die Elektronik in Autos sehr kompliziert. Ich muss sie prüfen und auch manchmal reparieren.
Ich bin ______________ von Beruf.

b Schreiben Sie einen Text wie in a. Ihre Partnerin/Ihr Partner rät.

Test Lektion 6

6

1 Ordnen Sie zu.

1 ...... /7 Punkte

WÖRTER

~~Noten~~ fleißig Beratung streng Verhalten Vortrag möglich Zeugnis

a Dieses Schuljahr habe ich gute Noten in Chemie und Mathematik. Nur mein .... ist nicht so gut, schreibt die Lehrerin in meinem .... Aber sie ist auch sehr .... und ich bin nicht so ....

b In dem .... „Wohin nach der Volksschule?" bekommen Sie von Elisabeth Gehrer Informationen und Tipps zu den Schulformen NMS und AHS. Eine persönliche .... ist danach ....

...... 0–3 / 4–5 / 6–7

2 Wählen Sie und ergänzen Sie in der richtigen Form.

2 ...... /4 Punkte

GRAMMATIK

a ◆ Hallo Yussef – was machst du denn hier? Solltest (sollen – wollen – können) du nicht lieber im Bett bleiben?
○ Ja, ich fühle mich auch noch nicht so gut, aber ich .... (müssen – können – wollen) auf keinen Fall die Party verpassen.

b ◆ Warum warst du denn am Samstag nicht im Fußballstadion?
○ Ich .... nicht (müssen – wollen – dürfen). Meine Mutter hat es verboten, weil ich eine schlechte Note in Physik gekriegt habe. Ich .... (müssen – können – dürfen) am Nachmittag Physik lernen.

c ◆ Euer Deutsch ist wirklich super!
○ Danke. Vor einem Jahr .... (müssen – können – sollen) wir noch kein Wort auf Deutsch sagen.

3 Ordnen Sie zu und schreiben Sie die Sätze neu.

3 ...... /5 Punkte

Du besuchst mich am Wochenende. Man hat gute Noten im Zeugnis. Ich bin zu spät gekommen. Du findest eine Lehrstelle. ~~Juan kommt etwas später.~~ Sie ist sehr intelligent.

a Ich glaube, dass Juan etwas später kommt.
b Ich finde, dass ....
c Ich bin sicher, dass ....
d Es tut mir leid, dass ....
e Es ist schön, dass ....
f Es ist wichtig, dass ....

...... 0–4 / 5–7 / 8–9

4 Verbinden Sie.

4 ...... /7 Punkte

KOMMUNIKATION

a Ich bin mit sechs Jahren	1 habe ich gehasst.
b Mein Lieblingsfach war	2 Techniker von Beruf.
c Biologie	3 habe ich Matura gemacht.
d Schön war auch immer	4 in die Schule gekommen.
e Mein Englischlehrer war	5 eine Lehre als Bäcker gemacht.
f Mit 18	6 Musik.
g Später habe ich dann	7 sehr streng.
h Jetzt bin ich	8 der Kunst-Unterricht.

...... 0–3 / 4–5 / 6–7

Fokus Beruf: Ein tabellarischer Lebenslauf

1 Marina Benzis Lebenslauf

Welche Informationen fehlen im Lebenslauf? Lesen Sie den Text und markieren Sie. Ergänzen Sie dann die Informationen im Lebenslauf.

Mein Name ist Marina Benzi. Ich bin am 29.11.1986 in Udine geboren. Mit zwei Jahren bin ich mit meinen Eltern nach Österreich gezogen, nach Gmunden. Dort habe ich auch die Volksschule besucht: von 1992–1996. Danach konnte ich ins Gymnasium wechseln. Dort habe ich mit ausgezeichnetem Erfolg maturiert. Danach habe ich für drei Jahre eine Ausbildung zur Krankenschwester am Klinikum Wels gemacht.
Nach meiner Ausbildung wollte ich wieder in Gmunden arbeiten. Zum Glück habe ich auch gleich eine Stelle als Krankenschwester am Landeskrankenhaus Gmunden bekommen. Weil ich aber so gern mit Kindern zusammen bin, wollte ich lieber auf einer Kinderstation arbeiten.
2007 habe ich dann endlich eine Stelle im Salzkammergut-Klinikum gefunden. Dort arbeite ich bis heute auf der Kinderstation.
Ja, und 2002 habe ich Max kennengelernt. 2005 haben wir geheiratet. Und 2011 ist unser Sohn Alexander auf die Welt gekommen!
Welche Sprachen ich spreche? Nun, natürlich fließend Deutsch und Italienisch, und in der Schule habe ich noch Englisch gelernt.

LEBENSLAUF MARINA BENZI

Im Gsperr 52 • 4810 Gmunden • 06 50 81 25 69 87 • MarinaBenzi@gmx.at

Persönliche Daten

Geburtsdatum und -ort:	29.11.1986 in Udine
Staatsangehörigkeit:	österreichisch
Familienstand:	..........................., 1 Kind

Berufliche Tätigkeiten

8/2007 bis heute	.... im Salzkammergut-Klinikum Vöcklabruck
9/2005 – 7/2007	.... Krankenschwester Landeskrankenhaus Gmunden

Berufsausbildung

9/2002 – 6/2005	.... an der Gesundheits- und Krankenpflegeschule Klinikum Wels

Schulausbildung

1996 – 2002	Bundes.................. Gmunden
1992 – 1996	.... Gmunden

Besondere Kenntnisse

Sprachkenntnisse:	Italienisch, ..., ...
EDV-Kenntnisse:	Microsoft Office: Word, Excel

Gmunden, 20.10.20..

Marina Benzi

2 Schreiben Sie nach dem Muster in 1 Ihren eigenen Lebenslauf.

Fokus Beruf: Ein Berufsberatungsgespräch

🔊 61

1 Marina Benzi möchte sich beruflich verändern.

Sie führt ein Beratungsgespräch beim AMS.
Hören Sie das Gespräch. Was ist richtig? Kreuzen Sie an.

a ☒ Marina hat ihre Ausbildung am Klinikum in Wels gemacht.
b ○ Sie hat keine Kinder.
c ○ Sie möchte nicht für immer als Krankenschwester arbeiten.
d ○ Sie hat keinen Schulabschluss.
e ○ Sie arbeitet nicht gern mit Kindern.
f ○ Organisieren macht Marina Spaß.
g ○ Sie muss arbeiten, weil ihr Mann arbeitslos ist.
h ○ Der Berufsberater schlägt Marina eine Weiterbildung vor.

2 Berufsberatungsgespräch

a Sie möchten sicher beruflich verändern: Lesen Sie die Fragen der Berufsberaterin / des Berufsberaters und machen Sie Notizen.

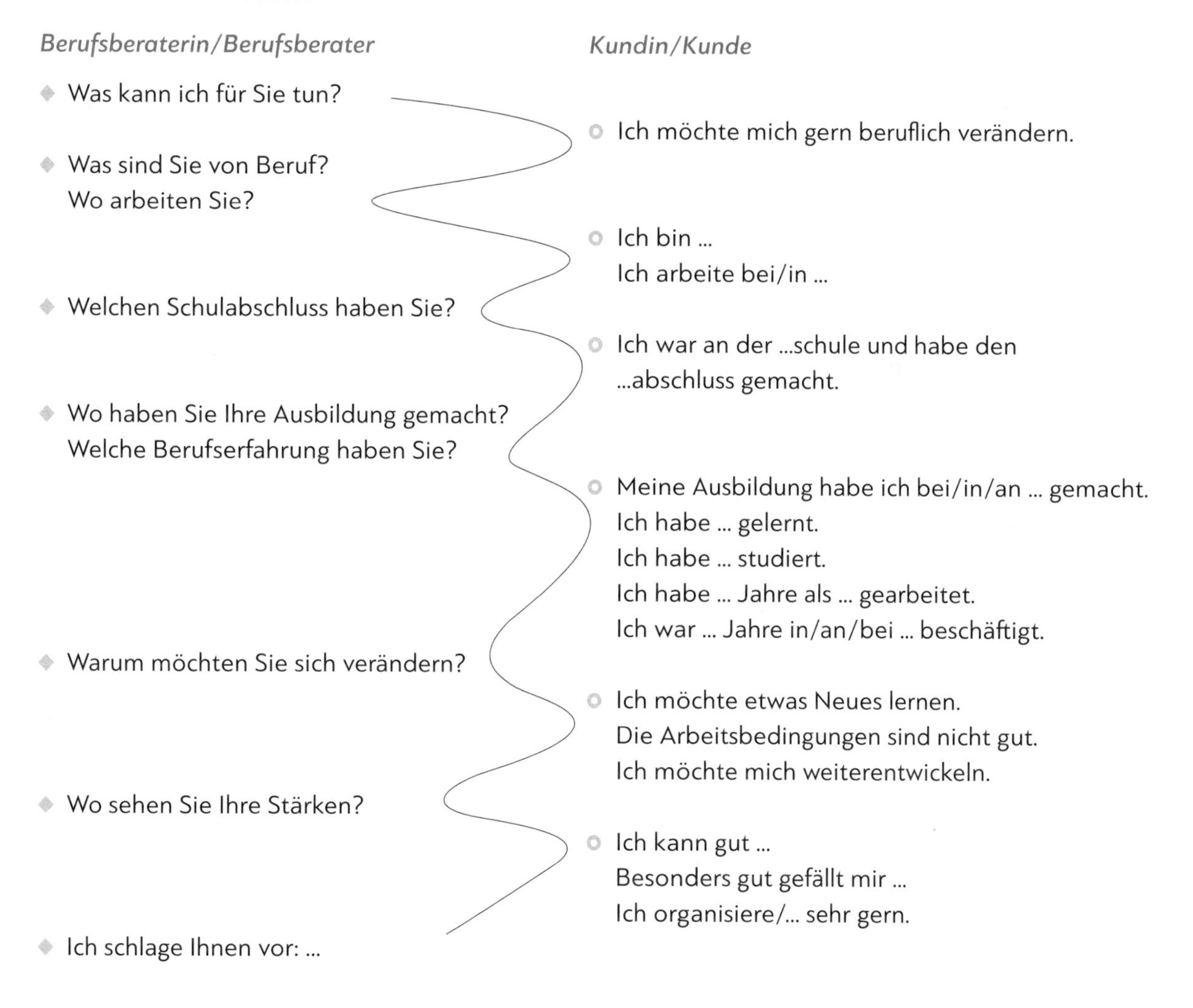

Berufsberaterin/Berufsberater

◆ Was kann ich für Sie tun?
◆ Was sind Sie von Beruf? Wo arbeiten Sie?
◆ Welchen Schulabschluss haben Sie?
◆ Wo haben Sie Ihre Ausbildung gemacht? Welche Berufserfahrung haben Sie?
◆ Warum möchten Sie sich verändern?
◆ Wo sehen Sie Ihre Stärken?
◆ Ich schlage Ihnen vor: ...

Kundin/Kunde

○ Ich möchte mich gern beruflich verändern.
○ Ich bin ...
Ich arbeite bei/in ...
○ Ich war an der ...schule und habe den ...abschluss gemacht.
○ Meine Ausbildung habe ich bei/in/an ... gemacht.
Ich habe ... gelernt.
Ich habe ... studiert.
Ich habe ... Jahre als ... gearbeitet.
Ich war ... Jahre in/an/bei ... beschäftigt.
○ Ich möchte etwas Neues lernen.
Die Arbeitsbedingungen sind nicht gut.
Ich möchte mich weiterentwickeln.
○ Ich kann gut ...
Besonders gut gefällt mir ...
Ich organisiere/... sehr gern.

b Spielen Sie dann Gespräche mit Ihrer Partnerin / Ihrem Partner.
Tauschen Sie auch die Rollen.

A Ich habe **meinem Mann** ... gekauft.

A1 **1 Was ist richtig? Kreuzen Sie an.**

a Ich schenke ○ meinen ☒ meinem Sohn einen Fußball.
b Sie kauft ○ ihrem ○ ihren Baby eine Jacke.
c Wir backen ○ unsere ○ unserer Freundin einen Kuchen.
d Sie schenken ○ ihre ○ ihren Großeltern Gartenstühle.

A1 **2 Markieren Sie in 1 und ergänzen Sie.**

Grammatik entdecken

Wer?		Wem? (Person)	Was? (Sache)
Ich	schenke	● mein*em* Sohn	einen Fußball.
Sie	kauft	● ihr______ Baby	eine Jacke.
Wir	backen	● unser______ Freundin	einen Kuchen.
Sie	schenken	● ihr______ Großeltern	Gartenstühle.

A1 **3 Ergänzen Sie.**

a ◆ Kauft ihr eur*er* Tochter ein Fahrrad zu Weihnachten?
○ Keine Ahnung. Das haben wir noch nicht entschieden.
b ◆ Die Farbe steht Ihr______ Frau sehr gut, finden Sie nicht?
○ Hm, ich weiß nicht.
c ◆ Geben Sie die Papiere bitte ein______ Kollegin. Ich habe heute keine Zeit.
○ Na gut.
d ◆ Du kannst doch dein______ Sohn keinen Teddy schenken! Er ist schon sechs Jahre alt.
○ Warum denn nicht? Er freut sich sicher darüber.
e ◆ Dieses Lokal kann man kein______ Menschen empfehlen.
○ Ja, da hast du recht! Das Essen ist sehr schlecht.
f ◆ Schenken Sie Ihr______ Mitarbeiterin doch Konzertkarten.
○ Gute Idee! Darüber freut sie sich sicher.
g ◆ Kaufen wir unser______ Lehrer zum Abschied ein Geschenk?
○ Ja, gute Idee!

A2 **4 Ordnen Sie zu.**

Wiederholung A1, L13

Ihnen | ihm | euch | ~~ihr~~ | ihnen | mir | dir | ihr | uns

a Oma hat bald Geburtstag und wir basteln *ihr* ein Geschenk. Sie schenkt ______ auch immer so schöne Sachen.
b Servus, David! Und, wie gefällt ______ mein Auto?
c Hallo, Herr Kunze! Gehört das Fahrrad da ______?
d Wartet bitte kurz. Ich helfe ______ gleich.
e Meine Eltern haben Hochzeitstag. Ich schenke ______ Blumen und Pralinen.
f Julia hat ein neues Kleid. Die Farbe steht ______ total gut.
g Für meinen Freund koche ich heute arabisch. Das schmeckt ______ sicher.
h Ich glaube, ich nehme die schwarze Hose. Die passt ______ besser.

A2 **5 Wünsche und Geschenke**

a Wer wünscht sich was? Ordnen Sie zu.

○ ● ein Fußball ○ ● ein Kochbuch 1 ● eine Espressomaschine ○ ● eine Kette

1 2 3 4

b Wem schenken Sie was? Schreiben Sie.

1 Ich schenke *ihm eine Espressomaschine.* 3 Ich schenke ……

2 Ich schenke …… 4 Ich schenke ……

A3 **6 Markieren Sie noch sieben Wörter und schreiben Sie mit ● *der* – ● *das* – ● *die*.**

ERTEDDYADRETCREMEIZPDVDADERPARFUMITHAUBE
ADVUPUPPEGAHUNGELDBÖRSEIPOMKETTEAUSTRAB

● *der Teddy*
…

A3 **7 Schreiben Sie Sätze.**

a kocht – Hans – eine Suppe – seinen Kindern
Hans kocht seinen Kindern eine Suppe.

b seiner Frau – Er – ein Parfum – kauft
…….

c du – meinen Stift – mir – bitte – Gibst
……?

d bringt ... mit – Die Oma – eine Puppe – Pia
…….

e du – dein Fahrrad – Kannst – leihen – mir
……?

A3 **8 Markieren Sie in 7: Wer? – Wem? (Person) und Was? (Sache) und ordnen Sie zu.**

	Wer?	*Wem?*	*Was?*
kochen	*Hans*	*seinen Kindern*	*eine Suppe*
kaufen	*Er*	…	…
…			

B Ich kann **es Ihnen** nur empfehlen.

9 Ergänzen Sie die Tabelle.

Wiederholung A1, L13 L14

	ich	du	er	es	sie	wir	ihr	sie/Sie
Ich kenne ...	mich		ihn					
Das gehört ...		dir		ihm				ihnen/Ihnen

B1 10 Markieren Sie: Wem? (Person) und Was? (Sache).

Grammatik entdecken

Ersetzen Sie dann die grün markierten Wörter durch *ihn – es – sie*.

a Ich habe meinem Bruder mein Fahrrad geliehen.

Ich habe es meinem Bruder geliehen.

b Hast du Oma das Geburtstagsgeschenk schon geschickt?

c Können Sie mir den Film empfehlen?

d Hast du deiner Freundin den Ring geschenkt?

e Bitte bringen Sie uns die Speisekarte.

f Ich habe meinen Eltern dieses Hotel empfohlen.

g Wir schenken unserer Nachbarin Blumen.

B3 11 Ergänzen Sie.

a ◆ Hier sind die Pralinen für Oma. Bringst du sie ihr bitte mit?
○ Klar, mache ich.

b ◆ Hast du Paul die CD schon zurückgegeben?
○ Ja, ich habe ______ ______ gestern gebracht.

c ◆ Erik und ich wollen morgen einen Ausflug machen. Du hast doch ein Auto. Kannst du ______ ______ leihen?
○ Tut mir leid, morgen brauche ich es leider selber.

d ◆ Frau Trumer, waren Sie letzte Woche nicht im Restaurant „Am Park"? War das Essen gut?
○ Ja, es war sehr gut. Ich kann ______ ______ wirklich empfehlen.

e ◆ Können Sie mir die Telefonnummer von Frau Wagner geben?
○ Ja, das ist 2014980.
◆ Moment, ich muss ______ ______ notieren.

f ◆ Du, Anna, wir haben die Hausübung nicht verstanden.
○ Kein Problem, ich kann ______ ______ noch einmal erklären.

g ◆ Wo ist denn der Schlüssel von unseren Nachbarn? Ich muss ______ ______ zurückgeben.
○ Er liegt doch da auf dem Tisch.

h ◆ Ich will mir heute den Film von Jessica Hausner anschauen.
○ Den habe ich schon gesehen. Er ist sehr gut. Ich kann ______ ______ empfehlen.

i ◆ Kannst du Monika bitte die Bücher da mitbringen?
○ Ja, natürlich kann ich ______ ______ mitbringen – kein Problem!

◇ B3 12 Am Esstisch

a Markieren Sie: Was? (Sache).

1 ◆ Wo ist denn das Brot?
○ In der Küche. Hol *es* dir doch einfach.
2 ◆ Mama, haben wir noch Milch?
○ Ja. Einen Moment, ich hole .... euch.
3 ◆ Bringst du mir bitte ein Joghurt mit?
○ Natürlich, ich bringe .... dir gleich.
4 ◆ Hast du schon die Marmelade probiert? Sie schmeckt sehr fein.
○ Nein, gib .... mir doch bitte einmal her.
5 ◆ Wie findest du die Semmeln?
○ Super, ich kann .... dir wirklich empfehlen.
6 ◆ Kriegen wir auch noch ein Eis?
○ Ja, in Ordnung. Holt .... euch bitte selber aus dem Kühlschrank.

b Ersetzen Sie die grün markierten Wörter durch *ihn – es – sie*.

❖ B3 13 Ergänzen Sie.

a ◆ Wo ist denn mein Stift?
○ Moment, ich *gebe ihn dir* gleich.
b ◆ Entschuldigen Sie, wie funktioniert denn dieses Gerät?
○ Das ist ganz einfach. Ich ....
c ◆ Julian, ist das dein Teddy?
○ Ja, Oma hat ....
d ◆ Schatz, wo ist denn die Zeitung?
○ Moment, ich ....
e ◆ Papa, unser Ball liegt auf dem Dach!
○ Wartet, ich ....
f ◆ Entschuldigen Sie? Wir möchten bitte noch eine Pizza.
○ Gern, ich ....

B4 14 Wie heißen die Wörter? Ergänzen Sie.

a ◆ Ich muss jetzt das Essen *vorbereiten* (reivortenbe). Hilfst du mir?
○ Was gibt es denn?
◆ .... (delnNu).
○ Schon wieder? Ich möchte lieber Pizza!
◆ Na gut, die Pizzeria im Zentrum .... (fertlie) ja auch Nudel-............ (richgete). Dann bestelle ich mir Pasta und du nimmst eine Pizza.
○ Super! Danke, Mama!

b ◆ Wir müssen das Geschenk für Tante Lisa noch fertig machen. Kannst du mir bitte die .... (telSchach) dort geben?
○ Da, bitte sehr. Ich kann ja schon einmal den Adressaufkleber .... (drucausken).
◆ Ja, danke. Wenn du das Geschenk morgen auf die Post bringst, kannst du bitte noch .... (marBriefken) kaufen?
○ Ja, mache ich.

C Hochzeit

C2 **15 Eine Hochzeitsfeier: Ordnen Sie zu.**

1 ◯ Das Brautpaar und die Gäste essen und trinken im Restaurant. Die Torte schmeckt allen sehr gut.
2 ◯ Das Brautpaar tanzt zuerst.
3 ◯ Das Brautpaar und die Gäste fahren zum Restaurant.
4 ◯ Viele Freunde warten vor der Kirche auf das Brautpaar und gratulieren.
5 ◯ Alle tanzen wild bis zum Morgen.
6 Ⓐ Bei der Trauung sagt das Brautpaar: „Ja!"

◇ C2 **16 Sie waren auch dabei! Schreiben Sie über die Hochzeit mit den Informationen aus 15.**

Schreibtraining

E-Mail senden

Liebe ...,
stell dir vor, am Wochenende war ich auf der Hochzeit von Bernhard und Bianca. Es war super.
Vor allem die Stimmung in der Kirche: Natürlich haben Bernhard und Bianca *bei der Trauung „Ja!" gesagt*. Ich musste weinen, weil es so wunderschön war. Vor der Kirche haben viele Freunde .... Dann sind wir alle ....
Im Restaurant .... Das Hochzeitsessen war sehr gut, besonders gut ....
Nach dem Hochzeitsessen hat ....
Zum Schluss haben alle .... Es war sehr lustig!
Schade, dass du nicht dabei warst. Übrigens: Ich soll dich von Bianca grüßen.
Bis bald. ...

❖ C2 **17 Ein besonders schönes Fest: Schreiben Sie ein E-Mail.**

Schreibtraining

a Sammeln Sie zuerst Informationen:

– Was haben Sie gefeiert?
– Wann und wo haben Sie gefeiert?
– Wer war dabei?
– Was haben Sie getragen?
– Wie haben Sie gefeiert?
– Wie war die Stimmung?
– Was ist alles passiert?

b Ordnen Sie die Informationen und schreiben Sie.

Vor/Nach ... | Dann ... | Danach/Nachher ... | Zum Schluss ...

Vor zwei Jahren hat meine Schwester ...

C2 **18 *ö* hören und sprechen**

62 **a** Hören Sie und ergänzen Sie: *o* oder *ö*?

Phonetik

offen – öffnen | sch...n – sch...n | k...mmen – k...nnen

63 **b** Hören Sie und sprechen Sie nach.

- ◆ So blöd, dass wir nicht zur Hochzeit kommen konnten.
- ○ Ja, es war so schön!
- ◆ Wenigstens können wir Fotos anschauen.
- ○ Ja, schau einmal her: Da ist Jonas auf seine Hose gestiegen.
- ◆ Typisch! Na ja, er war wohl ganz schön nervös.

C3 **19 Was ist richtig? Hören Sie und kreuzen Sie an.**

64

a Moni ○ war die ganze Nacht wach.
○ hat die ganze Nacht geweint.

b Sie hat gestern ○ zu viel Kuchen gegessen.
○ den Geburtstag von ihrem Sohn gefeiert.

c Moni war ○ vor dem Fest nervös.
○ mit dem Fest nicht zufrieden.

d Die Schokoladetorte hat ○ sehr gut ○ nicht so gut geschmeckt.

e Die Gäste haben ○ wild getanzt. ○ viel geredet und gelacht.

C3 **20 Erzählen Sie Ihrer Partnerin / Ihrem Partner etwas über sich.**

Prüfung

Wählen Sie ein Thema.

A

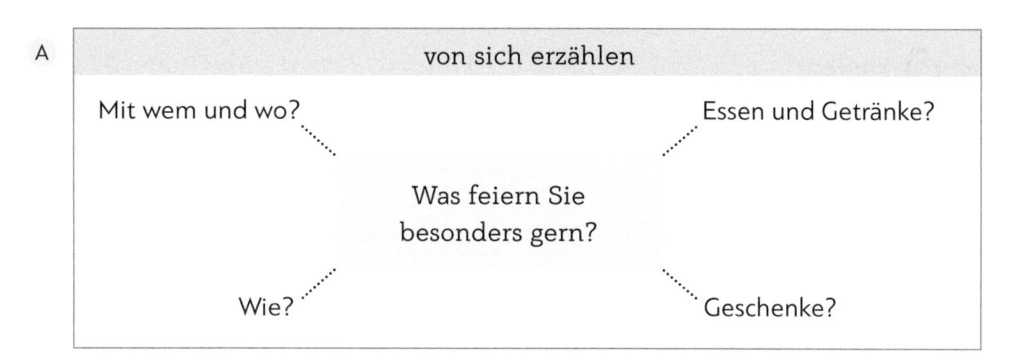

B

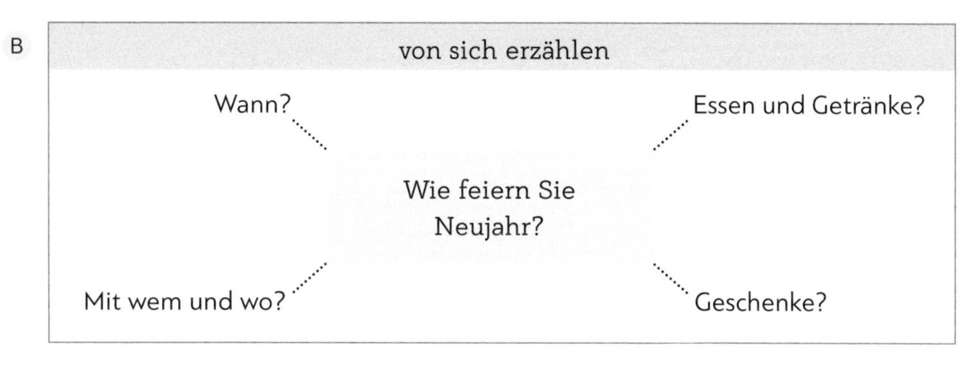

LERNTIPP Nehmen Sie sich kurz Zeit und lesen Sie das Thema und die Fragen. Planen Sie Ihren Text

D Geschenke

D1 **21 Ergänzen Sie: *meinem – meiner – meinen*.**

Ich bin mit der Schule fertig! Endlich. Weil ich so gute Noten habe, habe ich viele Geschenke bekommen: Von meinen *Eltern habe ich eine Gitarre bekommen. Die habe ich mir schon lange gewünscht. Von* .... *Onkel habe ich ein Fußballtrikot bekommen, von* .... *Geschwistern eine coole DVD und von* .... *Oma eine kleine Geldbörse. Ein bisschen Geld war auch schon in der Geldbörse. Von* .... *Freund Lasse und* .... *Freundin Miriam habe ich einen Gutschein fürs Schwimmbad bekommen. Morgen gehen wir gleich zusammen schwimmen.*

D2 **22 Ergänzen Sie.**

◆ Du, Fatma hat am Freitag Geburtstag. Sollten wir ihr nicht etwas schenken?
○ Ja, gute Idee. Vielleicht Blumen? Ich kenne Ihre Lieblingsfarbe: Weiß.
◆ Nein, bitte nicht. In meiner H _ i _ _ _ darf man auf keinen F _ l _ weiße Blumen schenken, weil sie den T _ _ symbolisieren. Das ist t _ _ u. Wir können eine K _ _ _ e kaufen. Alle Frauen mögen Schmuck.
○ Bist du wahnsinnig? So viel Geld kann ich nicht au _ g _ _ n. Außerdem ist Schmuck viel zu p _ _ ö _ _ _ ch. Wir können ihr Schweizer Schokolade kaufen. Das ist was Besonderes und kostet nicht so viel.
◆ Ist das nicht ein bisschen wenig?
○ Nein. Am wichtigsten ist doch, dass ein Geschenk von H _ _ z _ n kommt.

D2 **23 Ein Geschenk kaufen**

Eine Kurskollegin / Ein Kurskollege hat bald Geburtstag. Sie möchten mit Ihrer Partnerin / Ihrem Partner ein Geschenk kaufen. Finden Sie einen Termin.

A

Donnerstag, 5. September	
8.00 – 12.30 Uhr	Deutschkurs
13.00 – 14.00 Uhr	Vorstellungsgespräch
15.00 – 16.00 Uhr	Arzt!
17.30 – 19.00 Uhr	Fußballtraining

B

Donnerstag, 5. September	
8.00 – 12.30 Uhr	Deutschkurs
14.00 – 15.00 Uhr	Natascha von der Schule abholen und zum Tanzkurs bringen
15.30 – 16.00 Uhr	Termin auf der Bank
18.00 – 23.00 Uhr	arbeiten!

Wann kaufen wir das Geschenk für …?
Wann hast du Zeit?
Hast du um … Uhr Zeit?
Ja, das geht.
Nein, da kann ich nicht.

E Ein Fest planen

E2 24 Was ist richtig? Kreuzen Sie an.

◆ Nächsten Monat habe ich ja Geburtstag. Was meinst du: Soll ich eine Mottoparty machen oder nicht? Ich kann mich nicht ☒ entscheiden. ○ unterhalten.

○ Eine Mottoparty – muss das sein? Ich finde es schön, wenn man mit seinen Gästen gemütlich zusammensitzen, schön essen und ○ sich unterhalten ○ grüßen kann. Da müssen wir auch nicht so viel ○ kochen ○ vorbereiten – nur ○ kaufen ○ kochen und den Tisch decken ...

◆ Kochen? Nein, davon kannst du mich nicht ○ überzeugen. ○ entscheiden. Ich finde: Jeder sollte etwas mitbringen und wir ○ kaufen ○ vorbereiten nur die Getränke. Und das Wohnzimmer müssen wir schön ○ probieren. ○ dekorieren. Mir ist wichtig, dass es nett ausschaut.

○ Na gut, wie du magst. Die Hauptsache ist ja, dass du deinen Spaß hast!

E2 25 Ordnen Sie zu.

Die Party findet am | Zu essen und trinken gibt es | Wir feiern | Natürlich haben wir gute Musik | ~~Unser Motto ist~~

E-Mail senden

Hallo Leute,
wir organisieren eine Tanznacht. *Unser Motto ist*: Wir tanzen bis zum Morgen!
.... Samstag, 3. April, ab 22 Uhr statt.
.... im Fitnessstudio „Be You"! Ihr könnt gern eure Freunde mitbringen. Wenn viele Leute kommen, macht es am meisten Spaß.
............: aus Europa, aus Afrika, aus Asien.
.... natürlich auch etwas: Pizza, Salate, Cola, Wasser, Saft! Wir dürfen bis 3 Uhr in der Früh im Studio tanzen. Wir freuen uns auf euch! Bis dann.
Evi und Karli

E2 26 Eine verrückte Party

Schreibtraining

a Lesen Sie die Einladung und die Antworten. Wer kommt zur Party? Kreuzen Sie an.

Alle feiern Silvester! Wir feiern Neujahr! Wenn alle schlafen, machen wir unsere Party.
Ort: bei Michi im Garten
Zeit: 1. Jänner, 6 Uhr in der Früh
Antworten bitte per SMS an Michi oder mich. Jana

○ 1 Super Idee! Ich kann aber leider nicht kommen. Wir feiern Silvester bei meinen Eltern ☹ und um 6 Uhr schlafe ich sicher noch. Gerhard

○ 2 Danke für die Einladung. Endlich einmal was anderes. Ich komme gern und kann eine Suppe machen, wir wollen ja feiern und es ist sicher kalt! Okay? Tatjana

○ 3 Toll! Super! Was ist mit Musik? Ich habe eine Gitarre. Soll ich die mitbringen? Und: Ich komme mit meiner Freundin Chiara. In Ordnung? Simon

b Schreiben Sie eine Antwort wie in a.

Schreiben Sie,
– dass Sie kommen.
– was Sie mitbringen.
– dass Sie Ihren Hund mitbringen möchten.

Hallo Michi!
Vielen Dank ...

E

E2 **27 Einladung zu einem Fest**

a Lesen Sie den Text bis Zeile 5 und schreiben Sie die Antworten.

1 Wer lädt zum Weißen Picknick ein? Die Stadt Wien

2 Wann ist der Termin für die Veranstaltung? ....

3 Wer darf kommen? ....

Einladung zum „Weißen Picknick"

Auch dieses Jahr möchte der Verein „Picnic en blanc" die Bewohner
von Wien mit dieser Veranstaltung zusammenbringen. Das
„Weiße Picknick" findet am Samstag, 24. Juni, ab 19.30 Uhr
an einem unbekannten öffentlichen Ort in Wien statt. Und alle
5 sind eingeladen: Familien, Nachbarn, Freunde, Kollegen …
Ihnen ist das „Weiße Picknick" noch unbekannt?
So funktioniert das „Weiße Picknick":
Kleidung: Bitte tragen Sie nur weiße Kleidung.
Mitbringen: Essen und Getränke, Tisch und Stühle, weißes
10 Geschirr; gern auch Blumen und andere Dekoration für eine
feierliche Stimmung – alles in Weiß!

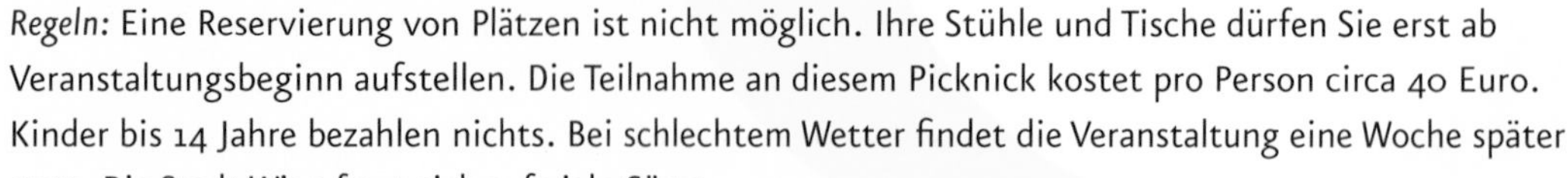

Regeln: Eine Reservierung von Plätzen ist nicht möglich. Ihre Stühle und Tische dürfen Sie erst ab
Veranstaltungsbeginn aufstellen. Die Teilnahme an diesem Picknick kostet pro Person circa 40 Euro.
Kinder bis 14 Jahre bezahlen nichts. Bei schlechtem Wetter findet die Veranstaltung eine Woche später
15 statt. Die Stadt Wien freut sich auf viele Gäste.

b Was ist richtig? Lesen Sie den ganzen Text und kreuzen Sie an.

1 ☒ Man darf nur Kleidung in Weiß anziehen.
2 ○ Die Stadt kümmert sich um Essen, Tische und Dekoration.
3 ○ Man kann selber Musik spielen.
4 ○ Man soll bald einen Platz reservieren.
5 ○ Alle können kostenlos an diesem Fest teilnehmen.
6 ○ Wenn das Wetter schlecht ist, findet das Fest eine Woche später statt.

E2 **28 Hören Sie und sprechen Sie nach: zuerst langsam, dann schnell.**

65
Phonetik

a Hoch•zeits•tag – Hochzeitstag | Weih•nachts•fest – Weihnachtsfest |
Ge•burts•tags•ge•schenk – Geburtstagsgeschenk
b Herzlichen Glückwunsch zum Hochzeitstag.
c Alles Gute zum Geburtstag, das wünschen wir dir.
d Ein frohes Weihnachtsfest! Da: ein Weihnachtsgeschenk für dich.

E2 **29 Was passt zusammen?**

Phonetik

a Bilden Sie Wörter und notieren Sie.

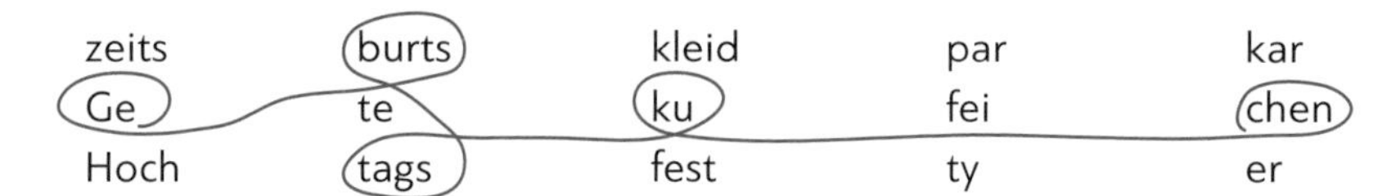

zeits	burts	kleid	par	kar
Ge	te	ku	fei	chen
Hoch	tags	fest	ty	er

Geburtstagskuchen
Geburtstags...

b Sprechen Sie zuerst langsam, dann schnell.

Test Lektion 7

7

1 Geschenkideen: Markieren Sie noch fünf Wörter und ordnen Sie zu.

1 ____ /5 Punkte

WÖRTER

KETTEIMPARFUMENSCHACHTELADVDCHCREMENPUPPE

a eine ____________ Pralinen
b ein ____________ – es riecht nach Blumen
c eine ____________ für die Hände
d eine Kette aus Gold
e eine ____________ für das kleine Mädchen
f eine ____________ über den Bodensee

2 Ergänzen Sie.

2 ____ /4 Punkte

a Was sollen wir Lena zur Hochzeit schenken?
b Wir sollten nicht zu viel Geld ___ ___ ___ g ___ b ___ ___.
c Wir haben uns auf der Hochzeit gut mit Lenas Eltern ___ ___ t ___ ___ h ___ l ___ ___ ___.
d Hoffentlich l ___ ___ f ___ ___ t die Bäckerei die Torte pünktlich.
e Die Torte schmeckt super. ___ ___ ___ b ___ ___ r doch einmal!

____ 0–4 / 5–7 / 8–9

3 Ergänzen Sie.

3 ____ /4 Punkte

GRAMMATIK

Michael war in Lübeck. Er bringt seiner (a) Frau ein Kochbuch mit. Sein____ (b) Kindern hat er eine Puppe und einen Teddy gekauft. Er zeigt sein____ (c) Chef und ein____ (d) Kollegin Fotos von der Stadt. Er empfiehlt ein____ (e) Freund eine Reise dorthin.

4 Ordnen Sie zu.

4 ____ /6 Punkte

es | ihn | ~~Ihnen~~ | Ihnen | Ihnen | sie | uns

Online eine Torte bestellen – so geht es: Füllen Sie das Online-Formular aus. Wir machen Ihnen (a) ein Angebot und senden ____ (b) ____ (c). Wenn Sie einen Sonderwunsch haben, können Sie ____ (d) ____ (e) gern nennen. Wir backen Ihre Wunschtorte und liefern ____ (f) ____ (g) pünktlich.

____ 0–5 / 6–7 / 8–10

5 Ordnen Sie zu.

5 ____ /4 Punkte

KOMMUNIKATION

Ich schenke nicht gern | ~~Ich finde, wir sollten~~ | Ich finde es nicht so gut | In meiner Heimat schenken wir | Mir ist wichtig

○ Nächste Woche hört unser Deutschkurs auf! Sollten wir unserer Lehrerin nicht etwas schenken? Wer hat eine Idee?
▲ Ich finde, wir sollten (a) Blumen für Frau Riedel kaufen.
□ Nein. ____________ (b) Blumen. Die sind nicht originell. ____________ (c), dass ein Geschenk persönlich ist. Wir können doch ein Lied für sie singen.
■ ____________ (d), wenn wir nur singen. Wir brauchen ein richtiges Geschenk. ____________ (e) gern Pralinen und Schokolade.
○ Gute Idee. Das machen wir!

____ 0–2 / 3 / 4

Fokus Beruf: Konflikte bei der Arbeit

1 Probleme im Büro

66 **a** Hören Sie die Gespräche. Welches Gespräch passt zu welchem Bild? Ordnen Sie zu.

66 **b** Welche Antwort ist freundlich? Kreuzen Sie an.
Hören Sie dann noch einmal und vergleichen Sie.

1 ◆ Du, Andi, muss das sein? Mich stört es, wenn du im Büro rauchst.
- ○ Das interessiert mich nicht!
- ☒ Oh, Entschuldigung. Das habe ich nicht gewusst.

2 ◆ Kannst du bitte das Fenster zumachen? Ich habe Schnupfen und mir ist kalt.
- ○ Natürlich! Ich mache es gleich zu.
- ○ Das ist dein Problem! Zieh doch deine Jacke an, wenn dir kalt ist.

3 ○ Sie kommen schon wieder zu spät!
◆ Es tut mir leid. Ich habe meinen Schlüssel nicht gefunden und dann den Bus verpasst.
- ○ Also, so geht das nicht! Jeden Tag haben Sie ein anderes Problem!
- ○ Ach so. Na, das kann ja jedem einmal passieren.

4 ◆ Das geht aber nicht! Sie können in der Arbeitszeit nicht zusammen Kaffee trinken! Gehen Sie sofort wieder an die Arbeit.
- ○ Muss das wirklich sein?
- ○ Tut uns leid. Sie haben natürlich recht.

2 Spielen Sie Situationen wie im Beispiel.

Warum haben Sie mir diese Rechnung nicht gezeigt?

Tut mir leid. Leider ...

Fokus Familie: Ein Sommerfest im Kindergarten

Städtischer Kindergarten am Mühlbach
Siedlergasse 48
3100 St. Pölten

Liebe Eltern,
am 25. Juni findet in unserem Kindergarten das Sommerfest statt.

1 Vorbereitungen zum Kindergartenfest

Was müssen die Eltern machen? Ordnen Sie die Bilder den Aufgaben zu.

A

B

C

D

E

1 ○ einen Grill organisieren
2 (A) Kuchen mitbringen
3 ○ Getränke einkaufen
4 ○ Bänke und Tische aufbauen
5 ○ Kinderspiele vorbereiten

2 Auf dem Elternabend

67 **a** Wer kümmert sich um was? Hören Sie und kreuzen Sie an.

	Kuchen	Grill organisieren	Getränke	Kinderspiele	aufbauen und aufräumen
Herr Özdem	○	☒	○	○	○
Frau Winterer	○	○	○	○	○
Herr Mosbach	○	○	○	○	○
Herr Franetti	○	○	○	○	○

67 **b** Was passt? Verbinden Sie. Hören Sie dann noch einmal und vergleichen Sie.

1 Hat jemand eine Idee für das Programm? — c
2 Herr Özdem, können Sie das organisieren?
3 Die Mütter könnten Kuchen mitbringen. Wer kann sie ansprechen?
4 Aber wir brauchen ungefähr zehn Väter und Mütter.
5 Wir müssen auch einkaufen: Wasser, Apfelsaft, ... Bestellen wir bei „Getränke Fischer"?

a Ja, gern. Ich kenne ein gutes Geschäft.
b Das ist eine gute Idee. Die Getränke besorge ich.
c Ich finde: Wir sollten grillen.
d Am besten, ich hänge eine Liste auf. Da können sich die Eltern eintragen.
e Klar. Ich frage sie einmal. Ich spreche mit den Müttern.

3 Sie planen eine Party.

Verteilen Sie die Aufgaben und machen Sie Notizen.

Andi: Musik mitbringen
...

Also wir brauchen unbedingt gute Musik. Andi, kannst du das machen? Bringst du Musik mit?

Gute Idee. Ja, das mache ich gern.

Lernwortschatz

1 Ankommen

FOTO-HÖRGESCHICHTE

1	glücklich	....	Tim ist glücklich.
	traurig	....	Tim ist traurig.
	an·schauen, (hat angeschaut)	....	Tim schaut sich Fotos von Lara an.
	• die Person, -en	....	Wer sind die Personen?
	• der Nachbar, -n / • die Nachbarin, -nen	....	Die beiden Personen im Geschäft sind Nachbarn von Tim.
	• der Einkauf, ¨-e	....	Tim geht es nach dem Einkauf besser.
2	funktionieren (hat funktioniert)	....	Es hat funktioniert: Tim hat im Hotel ein Zimmer für Mitarbeiter bekommen.
	• das Zentrum, Zentren	....	Bis zum Hotel im Zentrum muss Tim vierzig Minuten fahren.
	• das Gefühl, -e	....	Tim hat das Gefühl: „Ich bin allein."
	allein	....	Ich bin allein
4	• der Anfang, ¨-e	....	Aller Anfang ist schwer.
	vermissen (hat vermisst)	....	Ich vermisse meine Familie sehr.

A

A1	weil	....	Ich bin traurig, weil ich da keinen Menschen kenne.
	• der Mensch, -en	....	Ich bin traurig, weil ich da keinen Menschen kenne.
A3	• der Arbeitgeber, - / • die Arbeitgeberin, -nen	....	Mein Arbeitgeber zieht um.
	um·ziehen (ist umgezogen)	....	Mein Arbeitgeber zieht um.

B

B1	(sich) kennen·lernen (hat kennengelernt)	....	Ich habe schon zwei Nachbarn kennengelernt.
	stimmen (hat gestimmt)	....	Ja, stimmt!
B2	gestern	....	Ich war gestern Abend nach dem Umzug sehr müde.
	• der Umzug, ¨-e	....	Ich war gestern Abend nach dem Umzug sehr müde.
	• die Sachen (Pl.)	....	Ich habe nur noch ein paar Sachen ausgepackt.

	aus·packen (hat ausgepackt)		Ich habe nur noch ein paar Sachen ausgepackt.
	ein·schlafen, du schläfst ein, er schläft ein (ist eingeschlafen)		Meine Nachbarn haben laut Musik gehört, aber ich bin sofort eingeschlafen.
	• der Wecker, -		Heute in der Früh habe ich meinen Wecker nicht gehört.
	(sich) merken (hat gemerkt)		Ich bin in die falsche Schnellbahn eingestiegen und habe es erst zwei Stationen später gemerkt.
	schließlich		Aber ich bin schließlich sogar noch pünktlich im Hotel angekommen.
	sogar		Aber ich bin schließlich sogar noch pünktlich im Hotel angekommen.
	• der Arbeitstag, -e		Oje! Ich habe den Wecker auch schon oft nicht gehört. Aber zum Glück noch nie am ersten Arbeitstag.

C

C1	klingen (hat geklungen)		Das klingt aber nicht gut.
	erleben (hat erlebt)		So was hast du noch nicht erlebt!
C2	• die Panne, -n		Pannen im Alltag
	• der Alltag (Sg.)		Erik hat viel Stress im Alltag.
	verpassen (hat verpasst)		Ich habe die Schnellbahn verpasst.
	bemerken (hat bemerkt)		Ich habe den Schlüssel vergessen und es jetzt erst bemerkt.
	erfahren, du erfährst, er erfährt (hat erfahren)		Ich habe gerade erfahren: Heute muss ich lange arbeiten.
	(sich) vor·stellen (hat vorgestellt)		Stell Dir vor, Günter hat seine Geldbörse verloren.
	• die Geldbörse, -n		Günter hat seine Geldbörse verloren.
	verlieren (hat verloren)		Er hat seine Geldbörse verloren.
	• das Pech (Sg.)		So ein Pech!
	• die Bankomatkarte, -n		Mit Papieren und Bankomatkarte?
	stoßen, du stößt, er stößt (hat/ist gestoßen)		Ich bin vor dem Büro mit meinem Chef zusammengestoßen ...
	peinlich		Das ist aber peinlich!

D

D1	• der Onkel, -		Stefan ist Annas Onkel.

Lernwortschatz

	• die Tante, -n		Daniela ist Annas Tante.
	• der Cousin, -s / • die Cousine, -n		Maria ist Annas Cousine.
	• der Neffe, -n		Luca ist Annas Neffe.
	• die Nichte, -n		Esther ist Annas Nichte.
D2	sympathisch		Anna sieht sehr sympathisch aus.
D3	• das Mitglied, -er		Welches Familienmitglied ist besonders wichtig für Sie?
	erleben (hat erlebt)		Was haben Sie zusammen erlebt?

E

E1	• die Wohngemeinschaft, -en (WG)		Im dritten Stock wohnt die Wohngemeinschaft.
	wahrscheinlich		Das ist wahrscheinlich die WG.
	• das Dach, ⸚er		In der Dachwohnung wohnt der Single.
	bisher		Hristo Radev hat bisher bei seinem Bruder gewohnt.
	verschieden		Luisa, Teresa und Patricia kommen aus verschiedenen Ländern.
E2	• das Viertel, -		In unserem Viertel werden jeden Monat neue Häuser fertig.
	• der Mieter, - / • die Mieterin, -nen		Vor einer Woche sind die Mieter eingezogen.
	ein·ziehen (ist eingezogen)		Vor einer Woche sind die Mieter eingezogen.
	• das Mal, -e		Ich wohne zum ersten Mal allein.
	komisch		Das ist noch ein bisschen komisch für mich.
	untertags		Untertags arbeite ich.
	jemand		Dort ist immer jemand da.
	reichen (hat gereicht)		Das reicht uns.
	teilen (hat geteilt)		Wir teilen uns die Zeit: Eine Woche ist Ella bei mir, dann eine Woche bei ihrem Vater.
	aus·ziehen (ist ausgezogen)		Alle sind ausgezogen und wir brauchen nicht mehr so viel Platz.
	• der Platz (Sg.)		Alle sind ausgezogen und wir brauchen nicht mehr so viel Platz.
	jeder (jedes, jede)		Jede von uns hat ihr eigenes Zimmer.
	benützen (hat benützt)		Aber die Küche und das Bad benützen wir gemeinsam.

gemeinsam	Aber die Küche und das Bad benützen wir gemeinsam.
teilen (hat geteilt)	Wir teilen uns die Miete.
sonst	Ich möchte aber auch sonst nicht allein wohnen.
nun	Nun komme ich nach Hause und es ist fast immer jemand da.
normalerweise	Wir treffen uns normalerweise in der Küche.
echt	Das finde ich echt schön.
schwanger	Frau Wasilewski ist schwanger.
E3 • der Schwiegervater, ¨ / • die Schwiegermutter, ¨	Meine Schwiegermutter lebt in der Türkei.
• der Haushalt, -e	Sie hilft ihrer Tochter im Haushalt.
• die Pension, -en	Mein Vater ist seit zwei Jahren in Pension.

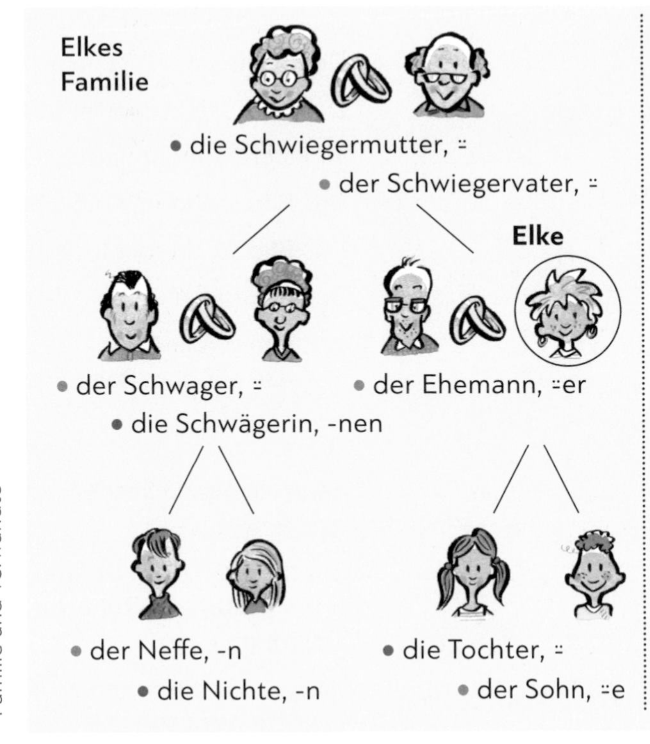

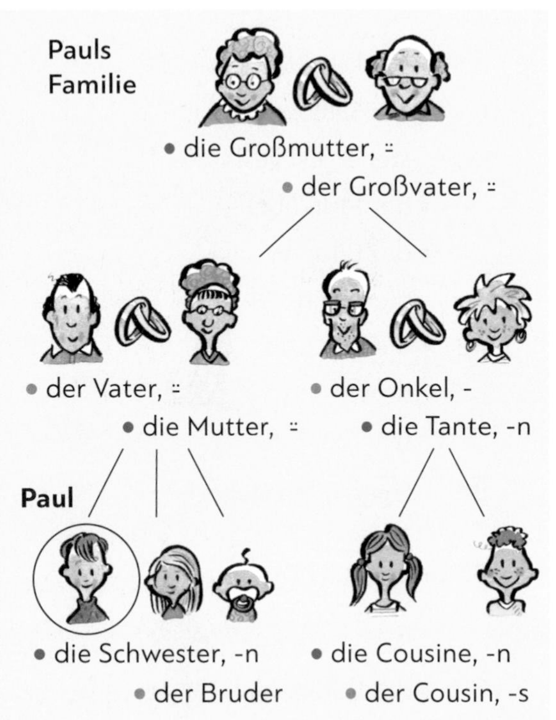

TIPP

Sie verstehen *packen* nicht und suchen im Wörterbuch. Suchen Sie *auspacken*.

Wir packen nur noch ein paar Sachen aus.

2 Daheim

FOTO-HÖRGESCHICHTE

1	• die Energie (Sg.)	....	Glühbirnen brauchen viel Energie.
3	selber	....	Warum kann Frau Aigner die Glühbirne nicht selber wechseln?
	wechseln (hat gewechselt)	....	Warum kann Frau Aigner die Glühbirne nicht selber wechseln?
	• die Decke, -n	....	Weil sie an der Decke hängt.
	hängen (hat gehängt / ist gehangen)	....	Weil sie an der Decke hängt.
	• der Dank (Sg.)	....	Was gibt Frau Aigner Tim zum Dank und warum?
	nichts	....	Nichts, weil Tim kein Geschenk möchte.
5	• die Menge, -n	....	Was haben Sie in großer Menge?
	• der Kugelschreiber, -	....	Ich sammle Kugelschreiber.

A

A1	stecken (hat gesteckt)	....	Der Schlüssel steckt im Schloss.
	• das Schloss, ⸚er	....	Der Schlüssel steckt im Schloss.
	stehen (ist gestanden)	....	Tim steht auf der Leiter.
	• der Mistkübel, -	....	Das Bild steckt im Mistkübel.
	• das Bild, -er	....	Das Bild steckt im Mistkübel.
	• die Wand, ⸚e	....	Das Bild hängt an der Wand.
A2	• die Katze, -n	....	In Zimmer A liegt eine Katze auf dem Polstersessel.

B

B1	legen (hat gelegt)	....	Kann ich meine Sachen auf den Tisch legen?
B3	• die Ruhe (Sg.)	....	Gut arbeiten und lernen – das klappt am besten mit Ruhe, Licht und Ordnung.
	• das Schild, -er	....	Hängen Sie ein Schild an die Tür: „Bitte nicht stören!“
	stören (hat gestört)	....	Hängen Sie ein Schild an die Tür: „Bitte nicht stören!“
	stellen (hat gestellt)	....	Stellen Sie den Schreibtisch am besten ans Fenster und stellen Sie eine Lampe auf den Schreibtisch.
	• der Stift, -e	....	Legen Sie Papier und Stifte wieder in die Schubladen.

B4	bauen (hat gebaut)	....	Arbeiten Sie in Gruppen und bauen Sie ein Bild.

C

C1	dahin	....	Stellen Sie die Leiter dahin.
	• die Pflanze, -n	....	Wohin soll ich die Pflanze stellen?
	dorthin	....	Wohin soll ich die Pflanze stellen? – Dorthin, bitte.
C2	herunter-, runter-	....	Fallen Sie nicht runter!
	fallen, du fällst, er fällt (ist gefallen)	....	Fallen Sie nicht runter!
	rein	....	Die Glühbirne kommt da rein – in den Müll.
	• der Müll (Sg.)	....	Die Glühbirne kommt da rein – in den Müll.
	raus	....	Bringst du den Müll raus?
C3	rein·kommen (ist reingekommen)	....	Kommen Sie doch rein, Frau Auer.

D

D1	• die Mitteilung, -en	....	Welche Mitteilungen hängen in einem Wohnhaus aus?
	• der Bewohner, - / • die Bewohnerin, -nen	....	Sehr geehrter Hausbewohner, ...
	• der Restmüll (Sg.)	....	Leider liegen im Restmüll Glasflaschen und Plastik.
	• das Plastik (Sg.)	....	Leider liegen im Restmüll Glasflaschen und Plastik.
	• die Müllabfuhr, -en	....	Die Müllabfuhr muss die Mülltonnen öfter leeren.
	• die Mülltonne, -n	....	Die Müllabfuhr muss die Mülltonnen öfter leeren.
	ab·stellen (hat abgestellt)	....	Bitte benützen Sie die Parkplätze vor dem Haus oder stellen Sie Ihr Auto in der Garage ab.
	• die Einfahrt, -en	....	Das Abstellen von Autos in der Einfahrt ist verboten.
	• der Hof, ¨-e	....	Das Abstellen von Autos im Hof ist verboten.
	kündigen (hat gekündigt)	....	Ich kündige meinen Mietvertrag für die Wohnung in der Mandellstraße 74.
	• der Vertrag, ¨-e	....	Ich kündige meinen Mietvertrag.

Lernwortschatz

	hoffen (hat gehofft)		Wir hoffen auf Ihr Verständnis.
	• das Verständnis (Sg.)		Wir hoffen auf Ihr Verständnis.
	ab·schließen (hat abgeschlossen)		Die Modernisierung im Haus ist abgeschlossen.
	niedrig		Wir freuen uns über niedrige Heizkosten.
	• die Kosten (Pl.)		Wir freuen uns über niedrige Heizkosten.
	heizen (hat geheizt)		Wir freuen uns über niedrige Heizkosten.
	(sich) erhöhen (hat erhöht)		Ab dem 1. September erhöht sich Ihre Miete auf 458 Euro.
	entfernen (hat entfernt)		Bitte entfernen Sie Möbel und Gegenstände vor den Heizungen.
	• der Gegenstand, ¨e		Bitte entfernen Sie Möbel und Gegenstände vor den Heizungen.
	trennen (hat getrennt)		Die Mieter sollen den Müll richtig trennen.
D2	• der Kinderwagen, -		Kinderwagen und Fahrräder darf man nicht vor den Lift stellen.
	• der Lift, -e		Kinderwagen und Fahrräder darf man nicht vor den Lift stellen.
	• die Stiege, -n		Kinderwagen und Fahrräder muss man unter die Stiege stellen.

E

E1	• der Postkasten, ¨		Der Postkasten ist kaputt.
E3	• die Lösung, -en		Finden Sie eine Lösung für das Problem.
	ziemlich		Das Stiegenhaus ist ziemlich schmutzig.
	recht haben (hat recht gehabt)		Da haben Sie recht.
	• die Frage, -n		Ich habe eine Frage: ...
	• die Bitte, -n		Ich habe eine Bitte: ...
	• die Absicht, -en		Oh, Entschuldigung. Das war keine Absicht.
E4	• die Schicht, -en		Ich habe Frühschicht und muss schon um halb sechs weg.
	lassen, du lässt, er lässt (hat gelassen)		Könnten Sie die Firma bitte in meine Wohnung lassen?

werfen, du wirfst, er wirft (hat geworfen)	....	Ich werfe meinen Schlüssel in Ihren Postkasten.
auf·passen (hat aufgepasst)	....	Sie ist krank und ich soll auf die Kinder aufpassen.
gießen (hat gegossen)	....	Kannst du bitte meinen Postkasten leeren und die Pflanzen gießen?
wirklich	....	Das wäre wirklich nett.
klingeln (hat geklingelt)	....	Ich klingle heute Abend bei Ihnen.
besprechen, du besprichst, er bespricht (hat besprochen)	....	Dann können wir alles besprechen und Sie bekommen gleich meinen Schlüssel.

E5	füttern (hat gefüttert)	....	Könnten Sie bitte meine Katze füttern?
	• der Handwerker, -	....	Morgen kommt ein Handwerker zu Ihnen.

• der Bewohner, - /
• die Bewohnerin, -nen

• der Restmüll (Sg.)

• der Müll (Sg.)

• das Plastik (Sg.)

• die Mülltonne, -n

• die Einfahrt, -en

• der Kinderwagen, -

• der Lift, -e

• die Stiege, -n

• der Postkasten, ¨

Im Mietshaus

TIPP

Schreiben Sie schwierige Wörter auf und sprechen Sie sie laut.

besprechen

3 Essen und Trinken

FOTO-HÖRGESCHICHTE

3	• die Nachspeise, -n	....	Als Nachspeise gibt es Joghurt mit Honig und Nüssen.
	• der Honig (Sg.)	....	Als Nachspeise gibt es Joghurt mit Honig und Nüssen.

A

A1	meistens	....	Ich esse meistens Fleisch.
	selten	....	Ich esse selten Fleisch.
A2	unterwegs	....	Ich bin viel unterwegs und habe oft gar keine Zeit für eine richtige Mahlzeit.
	• die Mahlzeit, -en	....	Ich bin viel unterwegs und habe oft gar keine Zeit für eine richtige Mahlzeit.
	• das Weckerl, -	....	Dann hole ich mir zu Mittag oft nur schnell ein Weckerl.
	morgens	....	Morgens, mittags, abends – Kaffee kann ich immer trinken.
	• die Tasse, -n	....	Acht Tassen pro Tag sind es sicher.
	sicher	....	Acht Tassen pro Tag sind es sicher.
	• das Essen, -	....	Ich finde gesundes Essen wichtig.
	• das Mittagessen, -	....	Zum Mittagessen gehe ich in die Kantine.
	• die Kantine, -n	....	Zum Mittagessen gehe ich in die Kantine.
	fast	....	Ich nehme fast immer eine vegetarische Speise.
	vegetarisch	....	Mayla isst nur vegetarisch.
	• die Speise, -en	....	Ich nehme fast immer eine vegetarische Speise.
	• die Gewohnheit, -en	....	Ich lebe seit 30 Jahren in Österreich und habe viele Gewohnheiten übernommen.
	übernehmen, du übernimmst, er übernimmt (hat übernommen)	....	Ich lebe seit 30 Jahren in Österreich und habe viele Gewohnheiten übernommen.
	• die Marmelade, -n	....	Zum Frühstück esse ich fast immer ein Marmeladebrot.

	österreichisch		Österreichische Fleischspeisen esse ich auch manchmal, aber kein Schweinefleisch.
	• das Schwein, -e		Österreichische Fleischspeisen esse ich auch manchmal, aber kein Schweinefleisch.
A3	• der Alkohol (Sg.)		Ich trinke nie Alkohol.
	zweimal		Wie oft kochst du selber? Ich koche zweimal am Tag.

B

B1	• der Löffel, -		Du, Dimi, wo sind denn die Löffel?
	• das Messer, -		Oh, mein Messer ist runtergefallen.
	• der Teller, -		Gibst du mir deinen Teller, Tim?
B2	• die Gabel, -n		Ich brauche eine Gabel.
B3	• der Topf, ¨-e		Ich brauche einen Topf. Hast du einen?
	• die Kanne, -n		Ich brauche eine Kanne. Hast du eine?
	• die Schüssel, -n		Ich brauche eine Schüssel. Hast du eine?
	• die Pfanne, -n		Ich brauche eine Pfanne. Hast du eine?
	• das Häferl, -		Ich brauche ein Häferl. Hast du eins?

C

C1	• der Appetit (Sg.)		Also dann: Guten Appetit.
	riechen (hat gerochen)		Hm, das riecht so gut!
	• die Mahlzeit (Sg.)		Mahlzeit!
C2	(sich) aus·ziehen (hat ausgezogen)		Soll ich die Schuhe ausziehen?
C4	voll		Darf man schmatzen und mit vollem Mund sprechen?
	okay		Ein bisschen Verspätung ist okay.
	höflich		30 Minuten Verspätung – das ist nicht sehr höflich.
	• die Diät, -en		Sie machen eine Diät oder dürfen etwas nicht essen.
	satt		Sie sind satt, aber Sie dürfen nicht „Nein“ sagen.
	überraschen (hat überrascht)		Das überrascht mich.
	seltsam		Das finde ich seltsam.
	genauso		Bei uns ist das genauso.

	anders		Bei uns ist das anders.
	arg		Das finde ich nicht so arg.
C5	scharf		Ich koche sehr gern scharf.
	süß		Der Saft ist süß.
	salzig		Ich koche nicht gern salzig.
	fett		Ich koche nicht gern fett.

D

D1	leiten (hat geleitet)		Gregor Augl leitet die Kantine einer großen Firma in Spittal.
	frisch		Der Koch findet gesundes und frisches Essen sehr wichtig.
	rund		In unserer Firma haben wir rund 300 Mitarbeiter.
	unterschiedlich		Zum Frühstück gibt es bei uns unterschiedliche Arten von Müsli.
	• die Art, -en		In meinem Heimatland essen wir viele unterschiedliche Arten von Gemüse.
	• das Müsli, -s		Zum Frühstück gibt es bei uns unterschiedliche Arten von Müsli.
	• das Gebäck (Sg.)		Zum Frühstück gibt es Gebäck mit Wurst und Käse.
	• die Frucht, ¨-e		Zum Frühstück gibt es Joghurt mit Früchten.
	• die Vorspeise, -n		Zum Mittag haben wir drei Buffets für Vorspeisen, Nachspeisen und Salat.
	Haupt-		Dazu gibt es drei Hauptspeisen: eine mit Fleisch, eine mit Fisch und eine vegetarische.
	deutlich		Das ist in den letzten Jahren deutlich mehr geworden.
	• das Prozent, -e		Oft nehmen fast 50 Prozent die vegetarische Hauptspeise.
	• der Markt, ¨-e		Wo kaufen Sie Ihre Lebensmittel? – Auf dem Markt.
	regional		Außerdem kaufe ich viele regionale Produkte.
	• das Produkt, -e		Außerdem kaufe ich viele regionale Produkte.
	• die Umgebung, -en		Außerdem kaufe ich viele regionale Produkte aus der Umgebung.

	• das Steak, -s		Ganz selten gibt es aber auch einmal Steak.
	gegen		Gegen 9 Uhr bin ich in der Kantine.
	planen (hat geplant)		Am Nachmittag mache ich die Büroarbeit und plane die Speisen für die nächsten Tage.
	täglich		Herr Augl kocht täglich für circa 300 Personen.

E

E1	• das Schnitzel, -		Ich nehme das Wiener Schnitzel mit Erdäpfelsalat.
	• die Suppe, -n		Entschuldigen Sie, aber die Suppe ist leider viel zu salzig.
	• der Ober, -		Herr Ober, zahlen bitte!
	• das Stück, -e		Ein Eiskaffee, ein Stück Apfelstrudel und ein Tee mit Zitrone.
	• die Zitrone, -n		Ein Eiskaffee, ein Stück Apfelstrudel und ein Tee mit Zitrone.
E2	sauber		Das Messer ist nicht sauber.
	• das Rind, -er		Ich nehme den Rindsbraten.
	• der Braten, -		Ich nehme den Rindsbraten.
	besetzt		Der Platz ist besetzt.
E3	• das Trinkgeld, -er		Geben Sie Trinkgeld.

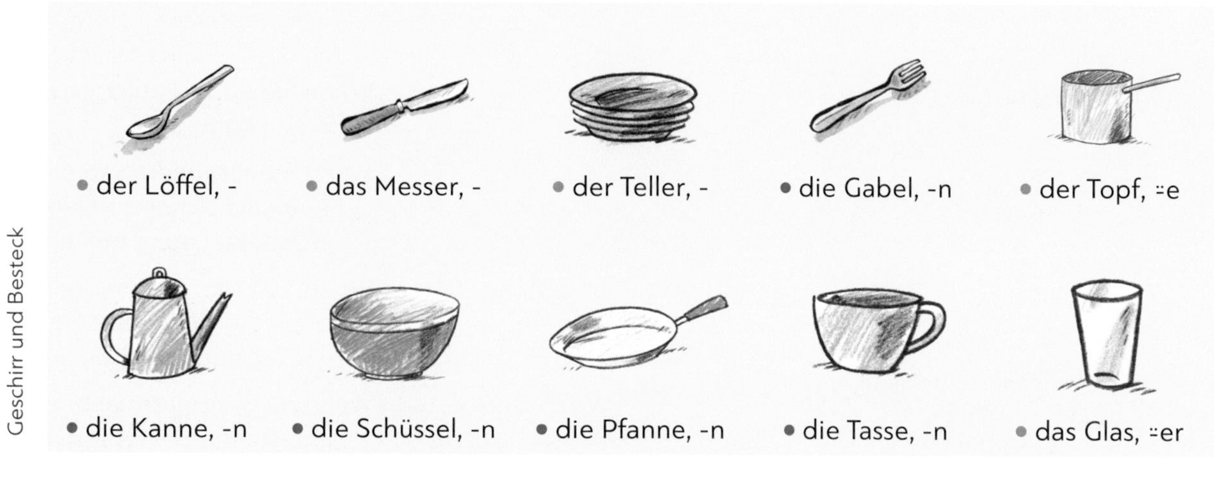

TIPP

Suchen Sie Wörter zu einem Thema.

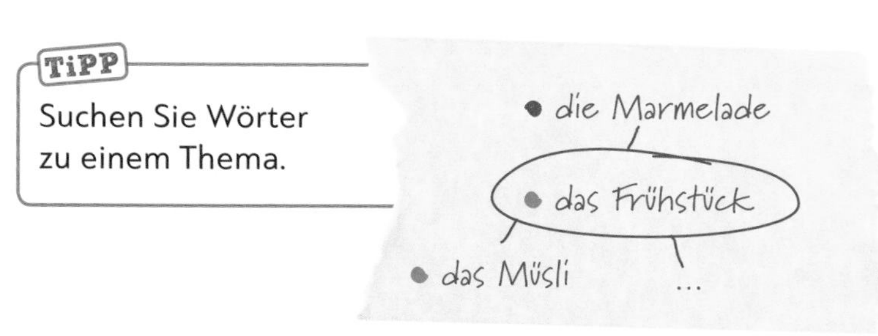

4 Arbeitswelt

FOTO-HÖRGESCHICHTE

1	• die Reservierung, -en		Bei der Ankunft zeigt man an der Rezeption die Reservierungsbestätigung.
	• die Bestätigung, -en		Bei der Ankunft zeigt man an der Rezeption die Reservierungsbestätigung.
	notieren (hat notiert)		Das Hotel notiert die Reservierung und schickt eine Reservierungsbestätigung.
	online		Zuerst reserviert man per Telefon, E-Mail oder online ein Zimmer.
2	schwierig		Herr Krassnick ist ein schwieriger Gast und braucht ein Hotelzimmer.
3	• die Besprechung, -en		Edith hat eine Besprechung, Sandra und Tim sollen sie nur im Notfall anrufen.
	kriegen		Herr Krassnick möchte die Chefin sprechen, weil er kein Zimmer kriegen kann.
	nämlich		Herr Krassnick ist kein Gast. Er hat nämlich kein Gepäck dabei.
	freundlich		Tim war freundlich und klug.
	klug		Tim war freundlich und klug.

A

A1	• der Fehler, -		Wenn Sie einen Fehler gemacht haben, dann ...
	wenn		Wenn Sie reserviert haben, dann haben Sie sicher eine Reservierungsbestätigung bekommen.
	sicher		Wenn Sie reserviert haben, dann haben Sie sicher eine Reservierungsbestätigung bekommen.
A2	• das Material, Materialien		Wenn du Büromaterial brauchst, dann ruf bitte die Sekretärin an.
A3	• der Teilnehmer, - / • die Teilnehmerin, -nen		Was müssen neue Kursteilnehmer wissen?

B

B2	• der Tipp, -s		Tipps für die Jobsuche: Lesen Sie regelmäßig die Stelleninserate in Zeitungen und im Internet.

	regelmäßig		Lesen Sie regelmäßig die Stelleninserate in Zeitungen und im Internet.
	achten auf (hat geachtet)		Achten Sie auf Zettel und Aushänge in Kaufhäusern und Supermärkten.
	• der Zettel, -		Achten Sie auf Zettel und Aushänge in Kaufhäusern und Supermärkten.
	• das Kaufhaus, ¨-er		Achten Sie auf Zettel und Aushänge in Kaufhäusern und Supermärkten.
	nutzen (hat genutzt)		Nutzen Sie Plattformen, Foren und Portale im Internet.
	• die Plattform, -en		Nutzen Sie Plattformen, Foren und Portale im Internet.
	• das Forum, Foren		Nutzen Sie Plattformen, Foren und Portale im Internet.
	vereinbaren (hat vereinbart)		Vereinbaren Sie einen Termin beim AMS.
	• die Leihfirma, -firmen		Rufen Sie bei Leihfirmen an.
B3	• der Lehrling, -e		Im Internet finden Sie Tipps für Lehrlinge.
	aus·schalten (hat ausgeschaltet)		Schalten Sie Ihr Handy aus.

C

C1	• die Frist, -en		Anmeldefrist bis 31. Oktober
	• die Weiterbildung, -en		In der Weiterbildung „Wie spreche ich mit schwierigen Kunden?“ sind noch Plätze frei.
	• der Platz, ¨-e		In der Weiterbildung sind noch Plätze frei.
	• das Interesse (Sg.)		Wenn Sie Interesse haben, dann melden Sie sich bei mir im Sekretariat an.
	in Pension gehen		Aber jetzt bin ich 65 und gehe in Pension.
	• das Leben, -		Aus diesem Anlass möchte ich mit Ihnen/euch feiern und auf mein Leben als Pensionist anstoßen.
	• der Pensionist, -en / • die Pensionistin, -nen		Aus diesem Anlass möchte ich gern mit Ihnen/euch feiern und auf mein Leben als Pensionist anstoßen.
	• die Veranstaltung, -en		Wenn Sie Veranstaltungen oder Feiern in der Kantine planen, dann wenden Sie sich bitte an unsere Küchenchefin Abida Demir.

	wenden (hat gewandt)		Wenden Sie sich bitte an unsere Küchenchefin Abida Demir.
	• der Betrieb, -e		Die Betriebsversammlung findet am 15. März um 10.00 Uhr in der Kantine statt.
	• die Versammlung, -en		Die Betriebsversammlung findet am 15. März um 10.00 Uhr in der Kantine statt.
	statt·finden (hat stattgefunden)		Die Betriebsversammlung findet am 15. März um 10.00 Uhr in der Kantine statt.
	• der Betriebsrat, ¨-e		Der Betriebsrat informiert über das Thema: „Arbeitszeit - Ihre Rechte“.
	• die Gewerkschaft, -en		Die Gewerkschaft berät Sie bei Fragen zum Tarifrecht.
	beraten, du berätst, er berät (hat beraten)		Wir beraten Sie bei allen Fragen zum Tarifrecht.
	• der Tarif, -e		Wir beraten Sie bei allen Fragen zum Tarifrecht.
	• das Recht, -e		Wir beraten Sie bei allen Fragen zum Tarifrecht.
	• die Kündigung, -en		Wir beraten Sie bei allen Fragen zum Tarifrecht und bei Kündigungen und Entlassungen.
	• die Entlassung, -en		Wir beraten Sie bei allen Fragen zum Tarifrecht und bei Kündigungen und Entlassungen.
	beachten (hat beachtet)		Bitte beachten Sie die Sicherheitsvorschriften.
	• die Sicherheit (Sg.)		Bitte beachten Sie die Sicherheitsvorschriften.
	• die Vorschrift, -en		Bitte beachten Sie die Sicherheitsvorschriften!
	ohne		Betreten Sie die Werkstatt nie ohne Gehörschutz!
	• der Schutz (Sg.)		Betreten Sie die Werkstatt nie ohne Gehörschutz!
C2	entlassen, du entlässt, er entlässt (hat entlassen)		Die Firma entlässt die Mitarbeiter.
	schützen (hat geschützt)		Die Mitarbeiter sollen ihre Ohren schützen.
	(sich) bedanken (hat bedankt)		Bedanken Sie sich bei Herrn Mohr.

D

D2	aus·richten (hat ausgerichtet)		Kann ich ihm etwas ausrichten?
	• der Export, -e		Exportabteilung, Kirschner, guten Tag.
	versuchen (hat versucht)		Ich versuche es später noch einmal.
	niemand		Nein, da ist im Moment niemand da.
	• der Feierabend, -e		Die haben schon Feierabend.
D3	• der Import, -e		Sie möchten Herrn ... aus der Export-Import-Abteilung sprechen.

E

E1	• der Arbeitnehmer, - / • die Arbeitnehmerin, -nen		Wie viele Stunden pro Woche arbeiten die österreichischen Arbeitnehmer durchschnittlich?
	durchschnittlich		Wie viele Stunden pro Woche arbeiten die österreichischen Arbeitnehmer durchschnittlich?
	mindestens		Wie viele Urlaubstage haben österreichische Arbeitnehmer, wenn sie mindestens 25 Jahre gearbeitet haben?
	• die Ahnung, -en		Feiertage in Österreich? Keine Ahnung.
	• der Nationalfeiertag, -e		Da gibt es doch zum Beispiel den Nationalfeiertag.
E2	• die Überstunde, -n		Viele Menschen arbeiten mehr und machen Überstunden.
	• der Lohn, ¨-e		Bei einer Pflegefreistellung arbeitet man nicht, aber man bekommt Lohn.
	• die Regel, -n		Österreichische Arbeitnehmer arbeiten in der Regel 38,5 Stunden pro Woche.
	meiste, -n		Auch an den Feiertagen müssen die meisten Arbeitnehmer in Österreich nicht arbeiten.
	insgesamt		Wie viele Urlaubstage haben österreichische Arbeitnehmer, wenn Sie mindestens 25 Jahre gearbeitet haben?
E3	gelten, er gilt (hat gegolten)		Das gilt auch für mein Heimatland.

Arbeitswelt

- die Besprechung, -en
- das Material, Materialien
- der Betrieb, -e
- der Pensionist, -en / die Pensionistin, -nen
- der Export, -e

- der Feierabend, -e
- der Import, -e
- der Arbeitnehmer, - / die Arbeitnehmerin, -nen
- die Überstunde, -n
- der Lohn, ¨-e

TIPP

Schreiben Sie Sätze mit neuen und alten Wörtern. Schreiben Sie zum Beispiel über Ihre Arbeit.

Ich arbeite bei …
Ich mache eine Weiterbildung zum Thema …

5 Sport und Fitness

FOTO-HÖRGESCHICHTE

1	(sich) bewegen (hat bewegt)	....	Ich bewege mich zurzeit nicht genug.
	(sich) interessieren für (hat interessiert)	....	Ich interessiere mich sehr für den Tanzsport.
	der Tanz, ¨-e	....	Ich interessiere mich sehr für den Tanzsport.
	der Basketball (Sg.)	....	Wann findet denn das Basketball-training statt?
2	(sich) fühlen (hat gefühlt)	....	Tim fühlt sich nicht so gut.
	zu wenig	....	Tim fühlt sich nicht so gut, weil er zu wenig Sport macht.
	anders	....	Das sieht seine Kollegin anders.
	das Video, -s	....	Sandra schickt Tim ein Trainingsvideo.
	hin·fallen, du fällst hin, er fällt hin (ist hingefallen)	....	Tim probiert den Tanz aus. Doch er fällt dabei hin.
	die Lust (Sg.)	....	Auf Tanzen hat Tim keine Lust.
	der Verein, -e	....	Er möchte lieber Basketball spielen und ruft bei einem Sportverein an.
	der Versuch, -e	....	Tim erzählt Sandra von dem Training und seinen Tanzversuchen.
3	der Meister, -	....	Übung macht den Meister.

	• die Sportart, -en	Welche Sportart können Sie besonders gut?

A

A2	• die Entspannung (Sg.)	Entspannung: Machen Sie Pausen und entspannen Sie sich.
	• die Ernährung (Sg.)	Ernährung: Trinken Sie viel Wasser und essen Sie viel Obst.
	• die Bewegung, -en	Bewegung: Bewegen Sie sich regelmäßig!
	fit	So werden Sie wieder fit.
	• der Spaziergang, ¨-e	Schon ein kurzer Spaziergang hilft.
	(sich) verabreden mit (hat verabredet)	Verabreden Sie sich mit Freunden.
	(sich) aus·ruhen (hat ausgeruht)	Ruhen Sie sich regelmäßig aus.
	(sich) ernähren (hat ernährt)	Sie sollten sich gesund ernähren.
A3	(sich) ärgern (über) (hat geärgert)	Vielleicht ärgerst du dich zu viel.
A4	(sich) schminken (hat geschminkt)	Was mache ich? – Schminkst du dich?
	(sich) rasieren (hat rasiert)	Rasierst du dich? – Ja, das ist richtig.
	(sich) um·ziehen (hat umgezogen)	Er zieht sich um.
	(sich) kämmen (hat gekämmt)	Sie kämmt sich.
	(sich) waschen, du wäschst, er wäscht (hat gewaschen)	Er wäscht sich.
	(sich) beeilen (hat beeilt)	Wir müssen uns beeilen.
	(sich) konzentrieren (auf) (hat konzentriert)	Ich kann mich heute nicht konzentrieren.
	(sich) beschweren (über) (hat beschwert)	Dein Klassenlehrer hat sich über dich beschwert.

B

B1	überhaupt	Nein, überhaupt nicht.
	• die Zeitschrift, -en	Interessierst du dich für Modezeitschriften?
	• die Geschichte (Sg.)	Interessierst du dich für die deutsche Geschichte?

Lernwortschatz

	• das Theater, -	Interessierst du dich für das Theater?
	• die Nachrichten (Pl.)	Interessierst du dich für die Sportnachrichten?
	• die Wettervorhersage, -n	Interessierst du dich für die Wettervorhersage?
B2	• das Personal (Sg.)	Ich warte leider noch auf ein Personalzimmer im Hotel.
	• die Mannschaft, -en	Morgen treffe ich mich mit ein paar Mannschaftskollegen.
	• der Besuch, -e	Ich freue mich schon sehr auf deinen Besuch!
B3	(sich) kümmern um (hat gekümmert)	Arbeitgeber müssen sich um den Gesundheitsschutz im Betrieb kümmern.
	träumen von (hat geträumt)	Ich träume oft von meinem Urlaub.
	• die Angst, ¨-e	Ich habe Angst vor Hunden.

C

C1	ehrlich	Ehrlich gesagt: nein.
C2	• das Gold (Sg.)	Olympische Goldmedaille für Michaela Dorfmeister? Daran kann ich mich nicht erinnern.
	• die Weltmeisterschaft, -en	Momentan ist doch die Weltmeisterschaft.
	• die Saison, -s	Morgen fängt die Eishockey-Saison an.
	(sich) erinnern an (hat erinnert)	Daran kann ich mich gar nicht mehr erinnern.
C3	denken an (hat gedacht)	Ich denke gern an den Sommer.

D

D1	• die Gymnastik (Sg.)	Die Anrufer interessieren sich für Rückengymnastik.
	• das Tischtennis (Sg.)	Die Anrufer interessieren sich für Tischtennis.
	• der Volleyball (Sg.)	Ich interessiere mich für Volleyball.
	• die Fitness (Sg.)	Ich möchte mich zum Fitnesstraining anmelden.
D2	• der Beitrag, ¨-e	Mitgliedsbeitrag: 5 Euro pro Monat
	betragen, er beträgt (hat betragen)	Der Mitgliedsbeitrag beträgt 5 Euro pro Monat.

D3	• die Gruppe, -n		Es gibt verschiedene Gruppen.
	• die Ermäßigung, -en		Gibt es eine Ermäßigung für Schüler?
	kostenlos		Die erste Stunde ist kostenlos.
	zusätzlich		Für weitere Sportangebote muss man eine zusätzliche Gebühr bezahlen.

E

E1	aktiv		Aktiv bleiben
	joggen (ist gejoggt)		Sehr einfach und effektiv ist das Joggen.
	(sich) halten, du hältst, er hält (hat gehalten)		Wie halten Sie sich gesund und fit?
	häufig		Abends habe ich häufig Rückenschmerzen.
	• die Ursache, -n		Zu wenig Bewegung ist eine häufige Ursache für Krankheiten.
	• die Krankheit, -en		Zu wenig Bewegung ist eine häufige Ursache für Krankheiten.
	• der Bildschirm, -e		Die meisten Menschen sitzen zu viel: am Schreibtisch, vor dem Bildschirm, vor dem Fernseher.
	• der Körper, -		Etwas mehr Bewegung im Alltag tut dem Körper und der Gesundheit gut.
	außerdem		Steigen Sie außerdem öfter einmal Stiegen.
	• die Luft (Sg.)		Gehen Sie in der Mittagspause kurz an der frischen Luft spazieren.
	jed-		Jeder soll 10.000 Schritte pro Tag gehen.
	empfehlen, du empfiehlst, er empfiehlt (hat empfohlen)		Jeder soll 10.000 Schritte pro Tag gehen – das empfielt die WHO.
	reichen (hat gereicht)		Es reichen schon 6.000 Schritte.
	• die Untersuchung, -en		Untersuchungen haben gezeigt: ...
	schaffen (hat geschafft)		Wer schnell geht, schafft 1.000 Schritte in ungefähr 10 Minuten.
	preiswert		Sport muss nicht teuer sein. Es geht auch preiswert.
	laufen, du läufst, er läuft (ist gelaufen)		Wenn Sie nicht gern laufen, können Sie auch einfach schnell gehen.
	• der Trend, -s		Ein Trend ist das sogenannte Nordic-Walking.

Lernwortschatz

	• der Spielplatz, ¨-e	....	In vielen österreichischen Städten gibt es auf Spielplätzen und in Parks Tischtennisplatten.
	extra	....	Wer untertags neun Kilometer Fahrrad fährt, muss abends nicht noch extra Sport machen.
	flexibel	....	Außerdem ist man mit dem Rad flexibel.
	• die Umwelt (Sg.)	....	Radfahren ist gut für die Umwelt.
	• die Krankenkasse, -n	....	Bei den Gebietskrankenkassen gibt es kostenlose Sportangebote.
	beliebt	....	In Österreich ist das Radfahren sehr beliebt.
	• die Strecke, -n	....	Für Kurzstrecken bis 5 Kilometer gilt: Mit dem Auto spart man meistens keine Zeit.
E2	klar	....	Das ist doch klar.
	selbstverständlich	....	Das ist doch selbstverständlich.
	übertreiben (hat übertrieben)	....	Das finde ich ein bisschen übertrieben.

Sportarten

TiPP

Lernen Sie Wörter mit Bewegung.

6 Schule und Ausbildung

FOTO-HÖRGESCHICHTE

1	• das Zeugnis, -se		Niki hat sein Halbjahreszeugnis bekommen.
	• das Fach, ¨-er		Im Fach Geografie hat Niki eine schlechte Note bekommen.
	• die Note, -n		Niki hält ein Referat, weil er seine Geografienote verbessern möchte.
	• die Geografie (Sg.)		Niki hat eine schlechte Note in Geografie.
	• das Gymnasium, Gymnasien		Die Matura ist die Abschlussprüfung an einem Gymnasium.
	• das Referat, -e		ein Referat halten: Man spricht vor der Klasse / dem Kurs über ein Thema.
	• die Matura (Sg.)		Die Matura ist die Abschlussprüfung an einem Gymnasium.
	• der Abschluss, ¨-e		Die Matura ist die Abschlussprüfung an einem Gymnasium.
	• die Prüfung, -en		Die Matura ist die Abschlussprüfung an einem Gymnasium.
	faul		Ich denke, dass du vielleicht ein bisschen faul bist.
	furchtbar		Meine Schulzeit war einfach nur furchtbar!
	fleißig		Wenn ihr die Matura machen wollt, dann müsst ihr fleißig sein.
	intelligent		Sie ist sehr intelligent.
2	(sich) streiten (hat gestritten)		Warum streiten Eva und Niki?
3	dass		Tim meint, dass Niki zu dumm für das Gymnasium ist.
	dumm		Tim meint, dass Niki zu dumm für das Gymnasium ist.
	(sich) verbessern (hat verbessert)		Niki hält ein Referat, weil er seine Geografienote verbessern möchte.
4	• das Verhalten (Sg.)		Wie finden Sie das Verhalten von Eva, Niki und Tim?
	streng		Er ist nett, aber auch ein bisschen streng.

A

A2	• der Wunsch, ¨-e		Das war sein großer Wunsch.

Lernwortschatz

	• der Plan, ⸚e		Ich wollte Ärztin werden. Das war mein Plan.
A3	• der Astronaut, -en / • die Astronautin, -nen		Du wolltest doch Astronaut werden.
	B		
B1	vorhin		Es tut mir leid, dass ich das vorhin gesagt habe.
	schaffen (hat geschafft)		Es ist so schön, dass du das Schuljahr jetzt doch schaffst.
B2	mittler-		Er hat mittlere Noten.
	• die Aktivität, -en		Freizeitaktivitäten und Hobbys sind sehr wichtig.
	C		
C1	• das System, -e		In Österrreich ist das Schulsystem in allen Bundesländern gleich.
	• die (Fach-)Hochschule, -n		Nach der Matura kann man die (Fach-)Hochschule besuchen.
	• die Universität, -en		Nach den fünf Jahren an der Universität musste sie noch drei Jahre lang in einem Krankenhaus arbeiten.
	• die Neue Mittelschule, -n		Nach der Mittelschule kann man in die Berufsschule gehen.
	• die Berufsschule, -n		Nach der Mittelschule kann man in die Berufsschule gehen.
	freiwillig		Kinder müssen nicht in die Krippe gehen. Der Besuch ist freiwillig.
C2	• die Physik (Sg.)		Ihre Lieblingsfächer waren Mathematik und Physik.
	• die Biologie (Sg.)		Mein Lieblingsfach war Biologie.
	• die Chemie (Sg.)		In diesem Schuljahr habe ich gute Noten in Chemie und Mathematik.
	• die Wirtschaft (Sg.)		Wirtschaftskunde war mein Lieblingsfach.
	• die Sozialkunde (Sg.)		Mein Lieblingsfach war Geschichte und Sozialkunde.
C3	hassen (hat gehasst)		Mathematik habe ich gehasst.
	fad		Fad war auch immer Biologie.
	D		
D1	• das Frühjahr (Sg.)		Wir bieten im Frühjahr spezielle Deutschkurse an.

• der Beginn (Sg.)		Beginn: 8. März
• die Theorie, -n		Sie möchten den Führerschein machen, verstehen aber die Fragen für die Theorieprüfung nicht richtig?
• die Einführung, -en		Einführung in den PC: Keine Angst mehr vor Computern!
speichern (hat gespeichert)		Lernen Sie den sicheren Umgang mit „Word“: schreiben, speichern, drucken.
• die Erfahrung, -en		Sie haben schon Erfahrung mit dem Internet?
• der Migrant, -en / • die Migrantin, -nen		Berufsvorbereitungsjahr für Migrantinnen und Migranten
sozial		Deutsch für den Beruf lernen und berufliche und soziale Kompetenzen erwerben
• der Vortrag, ¨-e		Vortrag Bewerbungstraining
(sich) bewerben, du bewirbst, er bewirbt (hat beworben)		Wie bewirbt man sich richtig?
präsentieren (hat präsentiert)		Wie präsentiert man sich beim Vorstellungsgespräch?
• der Experte, -n / • die Expertin, -nen		Unsere Expertin zeigt Ihnen die besten Tipps und Tricks.
• die Vorbereitung, -en		Vorbereitungskurs zum „Staatsbürgerschaftstest“
• das Zertifikat, -e		Halbjähriger Lehrgang mit Abschlusszertifikat
• die Förderung, -en		Förderung durch das AMS möglich
möglich		Förderung durch das AMS möglich
• die Beratung, -en		Anmeldung und Beratung: Frau Müller-Siechenender, Tel. 45 01 720
(sich) verletzen (hat verletzt)		Ihr Kind hat sich verletzt.
bluten (hat geblutet)		Ihr Kind hat sich verletzt. Es blutet stark.
• die Situation, -en		Wir zeigen Ihnen die richtigen Handgriffe in Notsituationen.

E

E1	• das Studium (Sg.)		Das Studium war sehr schwer.

Lernwortschatz

	• der Tagesablauf, ¨-e	Dort habe ich zum ersten Mal den Tagesablauf in einem Krankenhaus kennengelernt.
	bestehen (hat bestanden)	Die Matura hat sie sehr gut bestanden.
	stolz	Ihre Eltern sind sehr stolz auf Ayşe.
	elektrisch	Elektrische Geräte haben ihn schon immer interessiert.
	• die Technik (Sg.)	Ich habe mit Technik zu tun.
	• der Kontakt, -e	Ich habe oft Kontakt zu Kunden.
	an·erkennen (hat anerkannt)	Dafür musste er seine Ausbildung in Österreich anerkennen lassen.
	prüfen (hat geprüft)	Eine Behörde hat geprüft: Ist seine Ausbildung in Bulgarien mit der in Österreich identisch?
	kompliziert	Das war ziemlich kompliziert.
E2	• der Bäcker, - / • die Bäckerin, -nen	Ist Bäcker dein Traumberuf?
	• der Schauspieler, - / • die Schauspielerin, -nen	Ist dein Traumberuf Schauspieler?

• der Sport (Sg.)
• die Physik (Sg.)
• die Biologie (Sg.)
• die Chemie (Sg.)

Politik

• die Geografie (Sg.)
• die Geschichte (Sg.)
• die Musik (Sg.)
• die Sozialkunde (Sg.)

TiPP

Schreiben Sie die Buchstaben eines Wortes untereinander. Finden Sie Wörter dazu.

S port
C hemie
H ausübung
U nterricht
L ieblingslehrer
E inser

7 Feste und Geschenke

FOTO-HÖRGESCHICHTE

1	unbekannt		Wer ist der unbekannte Mann?
2	(sich) vor·bereiten (hat vorbereitet)		Was bereiten die Freunde für das Fest vor?
	basteln (hat gebastelt)		Lisi bastelt eine Karte.
	entscheiden (hat entschieden)		Wie entscheidet sich Tim?

A

A1	schenken (hat geschenkt)		Ich schenke meinen Freunden ein Buch.
	• das Baby, -s		Ich kaufe meinem Baby einen Teddy.
A2	• die Kette, -n		Leo schenkt Kristina eine Kette.
A3	raten, du rätst, er rät (hat geraten)		Spielen Sie zu zweit und raten Sie.
	• die Puppe, -n		Ich schenke meiner Schwester eine Puppe.
	• die DVD, -s		Schenkst du deinem Opa einen DVD-Player?
	• das Parfum, -s		Er kauft seiner Frau ein Parfum.
	• die Creme, -s		Schenkst du deiner Mutter eine Handcreme?

B

B1	probieren (hat probiert)		Probieren Sie doch mal das Tzatziki, Herr Wagner.
B2	• die Nudel, -n		Pizza, Nudeln, feine Weine – Sie bestellen Ihr Wunschgericht.
	• das Gericht, -e		Sie bestellen Ihr Wunschgericht und wir liefern es Ihnen.
	liefern (hat geliefert)		Sie bestellen Ihr Wunschgericht und wir liefern es Ihnen.
	zuverlässig		Wir liefern es Ihnen schnell und zuverlässig.
	Sonder-		Sie haben einen Sonderwunsch?
	nennen (hat genannt)		Sie haben einen Sonderwunsch? Nennen Sie ihn uns einfach.

Lernwortschatz

B3	• die Schachtel, -n		Kannst du mir die Schachtel da rübergeben?
	aus·drucken (hat ausgedruckt)		Ich muss nur noch schnell die Rechnung ausdrucken.
	• die Briefmarke, -n		Kannst du mir bitte die Briefmarken geben?

C

C1	• die Leute (Pl.)		Was machen die Leute auf dem Fest?
	• die Kirche, -n		Wir sind schon in der Kirche.
	• die Trauung, -en		In zehn Minuten beginnt die Trauung.
	wahnsinnig		Bist du wahnsinnig?
	• die Stimmung (Sg.)		Wahnsinnig viele Leute sind da und die Stimmung ist ganz feierlich.
	blöd		So blöd, dass ich krank bin!
	grüßen (hat gegrüßt)		Grüß alle von mir!
	wunderschön		Es war wunderschön.
	weinen (hat geweint)		Ich habe sogar geweint.
	typisch		Und ja: Typisch Celia!
	• die Torte, -n		Hmmm, einmalig, die Hochzeitstorte!
	übrigens		Übrigens haben sich Celia und Valentin total über dein Geschenk gefreut.
	treten, du trittst, er tritt (ist getreten)		Valentin ist Celia auf das lange weiße Kleid getreten und beide sind fast hingefallen.
	wohl		Da war Valentin wohl ein bisschen nervös, was?
	nervös		Da war Valentin wohl ein bisschen nervös, was?
	wenigstens		Wenigstens die Eltern können tanzen!
	wach		Miri, bist du schon wach?
	wild		Das war noch eine wilde Feier.
C3	tragen, du trägst, er trägt (hat getragen)		Was hat die Braut getragen?

D

D1	persönlich		Ein Gutschein ist nicht persönlich genug, finde ich.
	• das Herz, -en		Hauptsache, es kommt von Herzen.

	• der Tod (Sg.)	....	Uhren sind in meinem Land als Geschenk tabu, weil sie den Tod symbolisieren.
	aus·geben, du gibst aus, er gibt aus (hat ausgegeben)	....	Für ein Geschenk sollte man nicht zu viel Geld ausgeben.
D2	• die Heimat (Sg.)	....	In meiner Heimat schenken wir gern Pralinen und Schokolade.

E

E1	per	....	Man kann die Gäste per SMS einladen.
	• das SMS, -	....	Man kann die Gäste per SMS einladen.
	(sich) unterhalten, du unterhältst, er unterhält (hat unterhalten)	....	Hauptsache, das Essen ist gut und wir unterhalten uns gut.
	dekorieren (hat dekoriert)	....	Ich finde, wir müssen den Raum nicht dekorieren.
E2	• die Unterhaltung, -en	....	Mir ist die Unterhaltung wichtig.
	überzeugen (hat überzeugt)	....	Stellen Sie Ihr Fest vor und überzeugen Sie die anderen im Kurs.

Geschenke

• die Kette, -n • die Puppe, -n • die DVD, -s • das Parfum, -s

• die Creme, -s • die Praline, -n • die Schokolade, -n • das Buch, ¨-er

TIPP
Malen Sie Bilder zu neuen Wörtern.

• das Herz

Grammatikübersicht

Nomen

Namen im Genitiv: *von* + Dativ Lektion 1

Annas Mutter = die Mutter von Anna

ÜG 1.03

Artikelwörter und Pronomen

Indefinitpronomen Lektion 3

	Hier ist/sind ...	Ich mag/nehme/brauche ...
● der Espresso	(k)einer	(k)einen
● das Messer	(k)eins	(k)eins
● die Portion	(k)eine	(k)eine
● die Löffel	keine/welche	keine/welche

auch so: meiner, meins, meine, meine ...

der/ein Espresso → einer
den/einen Espresso → einen

ÜG 3.03

Dativ als Objekt: Possessivartikel und unbestimmter Artikel Lektion 7

Wer?		Wem? (Person)		Was? (Sache)
Ich	habe	● meinem	Mann	einmal Gartenstühle gekauft.
Ich	kaufe	● meinem	Baby	einen Teddy.
Ich	backe	● meiner	Nachbarin	einen Kuchen.
Ich	schenke	● meinen	Freunden	ein Buch.

auch so: dein-, sein-, ihr-, ...; ein-, kein-

ÜG 1.03, 2.04, 5.22

Adverbien

Direktionaladverbien Lektion 2

Wo? ◎	Wohin? →
da/hier/dort	dahin/hierhin/dorthin Stellen Sie die Leiter dahin.
	rein/raus/rauf/runter/rüber runter / fallen Fallen Sie nicht runter.

ÜG 7.02

Präpositionaladverbien Lektion 5

Verb mit Präposition	Präpositionaladverb	Fragewort
sich interessieren für	dafür	Wofür ...?
sich freuen auf	darauf	Worauf ...?
(sich) erinnern an	daran	Woran ...?
sich ärgern über	darüber	Worüber ...?
zufrieden sein mit	damit	Womit ...?
träumen von	davon	Wovon ...?

Ich habe keine Lust auf Tanzen. → Ich habe keine Lust darauf. → Worauf hast du dann Lust?

ÜG 5.23

Verben

Perfekt: trennbare Verben Lektion 1

	Präfix + *ge...t/en*
kennen/lernen ich lerne kennen	Ich habe schon zwei Nachbarn kennen**ge**lernt.
ein/kaufen du kaufst ein	Du hast ein**ge**kauft.
an/rufen ich rufe an	Ich habe Lara an**ge**rufen.

auch so: aus-, ab-, auf-, ...

ÜG 5.05

Perfekt: nicht-trennbare Verben Lektion 1

		Präfix + ...*t/en*: **ohne** *-ge-*!		
erleben	du erlebst	So was	hast du noch nicht	**er**lebt!
bemerken	ich bemerke	Ich	habe es jetzt erst	**be**merkt.
verstehen	ich verstehe	Ich	habe es	**ver**standen.

auch so: emp-, ent-, ge-, zer-, ...

ÜG 5.05

Perfekt: Verben auf *-ieren* Lektion 1

		...*iert*: **ohne** *-ge-*!		
passieren	es passiert	Was	ist	pass**iert**?
telefonieren	ich telefoniere	Ich	habe beim Gehen	telefon**iert**.

ÜG 5.05

Ratschlag: *sollen* im Konjunktiv II Lektion 4

ich	**sollte**
du	solltest
er/es/sie	**sollte**
wir	sollten
ihr	solltet
sie/Sie	sollten

Du solltest Detektiv werden.

ÜG 5.12

Verben mit Wechselpräpositionen Lektion 2

„Wo?" + Dativ	„Wohin?" + Akkusativ
liegen	legen
stehen	stellen
stecken	stecken
hängen	hängen

ÜG 6.02

Reflexive Verben Lektion 5

	sich bewegen	
ich	bewege	mich
du	bewegst	dich
er/es/sie	bewegt	sich
wir	bewegen	uns
ihr	bewegt	euch
sie/Sie	bewegen	sich

Sie fühlen sich müde?
Bewegen Sie sich regelmäßig!
Sie sollten sich gesund ernähren.

auch so: sich verabreden, sich ausruhen, sich ausrasten, sich entspannen, sich ärgern, sich beeilen, sich anziehen, sich schminken, sich kämmen, sich waschen, sich umziehen, sich rasieren, sich konzentrieren, sich beschweren, sich interessieren ...

ÜG 5.24

Verben mit Präpositionen Lektion 5

	Akkusativ			Plural
warten auf	• den Mann	• das Kind	• die Frau	• die Personen

auch so: sich beschweren über, sich freuen auf, sich ärgern über, sprechen über, sich freuen über, sich kümmern um, sich erinnern an, denken an, Lust haben auf ...

	Dativ			Plural
zufrieden sein mit	• dem Mann	• dem Kind	• der Frau	• den Personen

auch so: erzählen von, sich treffen mit, sprechen mit, telefonieren mit, träumen von, Angst haben vor ...

ÜG 5.23

Modalverben: Präteritum Lektion 6

	müssen	können	wollen	dürfen	sollen
ich	musste	konnte	wollte	durfte	sollte
du	musstest	konntest	wolltest	durftest	solltest
er/es/sie	musste	konnte	wollte	durfte	sollte
wir	mussten	konnten	wollten	durften	sollten
ihr	musstet	konntet	wolltet	durftet	solltet
sie/Sie	mussten	konnten	wollten	durften	sollten

ÜG 5.09 - 5.12

Präpositionen

Wechselpräpositionen Lektion 2

	„Wo?“ + Dativ	„Wohin?“ + Akkusativ
auf	• dem Tisch	• den Tisch
	• dem Bett	• das Bett
	• der Leiter	• die Leiter
neben	• den Glühbirnen	• die Glühbirnen
	Die Sachen liegen auf dem Tisch.	Er legt die Sachen auf den Tisch.

auch so: an, hinter, in, über, unter, vor, zwischen

ÜG 6.02

Präposition: *von* + Dativ Lektion 7

von	• meinem Kollegen
	• meinem Kind
	• meiner Kollegin
	• seinen Kollegen
	mir

ÜG 6.04

Konjuktionen

Konjunktion: *weil* Lektion 1

	Konjunktion	Ende
Ich bin traurig,	weil ich da keinen Menschen	kenne.
	weil meine Eltern nicht	anrufen.
	weil ich keine Freunde	gefunden habe.
	weil ich nicht im Hotel	wohnen kann.
Warum wohnst du so weit draußen?		
	Weil die Mieten im Zentrum so hoch	sind.

ÜG 10.09

Konjunktion: *wenn* Lektion 4

a Hauptsatz vor dem Nebensatz

	Konjunktion	Ende
Ich kann Ihnen kein Zimmer geben,	wenn Sie keine Bestätigung	haben.

b Nebensatz vor dem Hauptsatz

Konjunktion	Ende	⚠
Wenn Sie keine Bestätigung	haben,	(dann) kann ich Ihnen kein Zimmer geben.

ÜG 10.11

Konjunktion: *dass* Lektion 6

	Konjunktion	Ende
Es ist wichtig,	dass man einen guten Schulabschluss	hat.

auch so: Ich denke/finde/meine/glaube/bin sicher/ ..., dass ...
Es tut mir leid, dass ...
Es ist schön, dass ...

ÜG 10.06

Sätze

Syntax: Stellung der Objekte Lektion 7

	Dativ(pronomen)	Akkusativ
Jan schenkt	ihnen	Konzertkarten.
Dimi empfiehlt	Joachim Wagner	das Tzatziki.
	Akkusativpronomen	Dativpronomen
Dimi empfiehlt	es	ihm.

ÜG 5.22

Lösungen zu den Tests

Lektion 1

1 **b** Umzug **c** sogar **d** Nachbar **e** Wohngemeinschaft **f** Bisher **g** Anfang **h** glücklich
2 **b** Weil ich meine Geldbörse verloren habe. **c** Weil du zu spät angerufen hast. **d** Weil das Wetter schlecht ist. **e** Weil ich meine Schwester besuchen will.
3 **b** ist … passiert, habe … vergessen **c** Habt … ausgepackt, sind … angekommen **d** Hast … angerufen, haben … telefoniert
4 **a** Du glaubst es nicht **b** Stell dir vor **c** So was Blödes **e** Zum Glück

Lektion 2

1 **b** wirklich **c** stören **d** Bitte **e** Frühschicht **f** abstellen **g** hänge **h** Postkasten **i** klingelt
2 **a** rüber **b** rauf **d** rein
3 **b** stellen, den **c** die, stecken **d** lege, den **e** liegt, dem
4 **b** Das wäre **c** Ich werfe meinen Schlüssel **d** Ich hoffe **e** Vielen Dank **f** herzliche

Lektion 3

1 **b** der Löffel **c** das Schnitzel **d** frisch **e** vorher **f** leiten **g** beim Essen
2 **b** keiner **c** einen **d** welche **e** eins **f** keinen **g** keine **h** welche
3 **von oben nach unten:** 4, 6, 2, 7, 5, 8, 3
4 **a** wir möchten bitte bestellen, darf ich Ihnen bringen, Wir hätten gern **b** möchten bitte zahlen, Zusammen oder getrennt, Das macht

Lektion 4

1 **a** Industrie **b** Kündigung, Tipp, Betriebsrat, sicher **c** Zettel, notieren
2 **b** Wenn Sie eine neue Arbeit suchen, lesen Sie regelmäßig die Stelleninserate **c** Wenn Sie eine Frage zum neuen Tarifrecht haben, dann wenden Sie sich an den Betriebsrat **d** Ich nehme einen Tag frei, wenn ich viele Überstunden gemacht habe
3 **b** solltet **c** sollten **d** solltest
4 **b** 5 **c** 1 **d** 6 **e** 4 **f** 2

Lektion 5

1 **b** Untersuchungen **c** Körper **d** Krankheiten **e** Vere **f** Spaziergang
2 **b** dich **c** mich **d** sich
3 **a** über unsere **b** mit deiner, mit ihr **c** an unseren, für die
4 **a** Auf, darauf **b** Woran, An, vor
5 **von oben nach unten:** 1, 6, 8, 3, 5, 7, 2

Lektion 6

1 **a** Verhalten, Zeugnis, streng, fleißig **b** Vortrag, Beratung, möglich
2 **a** wollte **b** durfte, musste **c** konnten
3 **b** sie sehr intelligent ist. **c** du eine Lehrstelle findes **d** ich zu spät gekommen bin. **e** du mich am Wochenende besuchst. **f** man gute Noten im Zeugnis hat.
4 **b** 6 **c** 1 **d** 8 **e** 7 **f** 3 **g** 5 **h** 2

Lektion 7

1 **a** Schachtel **b** Parfüm **c** Creme **e** Puppe **f** DVD
2 **b** ausgeben **c** unterhalten **d** liefert **e** Probier
3 **b** seinen **c** seinem **d** einer **e** einem
4 **b** es **c** Ihnen **d** ihn **e** uns **f** sie **g** Ihnen
5 **b** Ich schenke nicht gern **c** Mir ist wichtig **d** Ich finde es nicht so gut **e** In meiner Heimat schenken wir

Quellenverzeichnis

Kursbuch

Cover: © Getty Images/iStock/Leonsbox U2: © Digital Wisdom Seite VII: Foto © ÖIF, Wien S. 9: Ü3, Ü4: Gerd Pfeiffer, München S. 12: A2 Frau: Christopher Claus, München; A3: A © Thinkstock/iStock/XiXinXing; B © Thinkstock/iStock/Szepy; C © Thinkstock/iStock/Alen-D; D © fotolia/contrastwerkstatt; E © Thinkstock/iStock/palomadelosrios S. 13: B2 Frau: Christopher Claus, München S. 14: C1 B © Thinkstock/iStock/Pixsooz S. 15: D1: Türe, Anna © Thinkstock/iStock/JackF; Großeltern © Thinkstock/iStock/bitter-closed; Stefan/Daniela © Thinkstock/Photodisc/Buccina Studios; Annette/Martin © MEV/Witschel Mike; Maria © plainpicture/Serny Pernebjer; Alexander © Thinkstock/iStock/LDProd; Ringe: Michael Mantel, Barum; Julia © PantherMedia/Jasper Grahl; Esther © Thinkstock/iStock/MilaSemenova; Luca © Thinkstock/Photick/Frederic Cirou; D3: Handy © Thinkstock/iStock/chaofann; Mann © iStock/PhotonStock S. 16: E2: Junge © Thinkstock/iStock/IPGGutenbergUKLtd; Franckviertel © Stadt Linz S. 17: 2 © Thinkstock/Design Pics; 3 © Thinkstock/iStock/DGLimages; 4 © iStockphoto/ozgurdonmaz; 5 © Thinkstock/Purestock S. 21: alle: Barbara Békési, Wien S. 22: Ü1: A © Thinkstock/iStock/Harvepino; B © Thinkstock/Wavebreak Media S. 24: ÜA1 Illu Präpositionswürfel: Gisela Specht, Weßling S. 25: Handy © Thinkstock/iStock/chaofann S. 27: D1: 1 © Thinkstock/iStock/petovarga; 6 © Thinkstock/iStock/EdnaM; 7: Barbara Békési, Wien S. 28: E1: Florian Bachmeier, Schliersee S. 36: A2: Valeria © Thinkstock/iStock/Maria Volchetskaya; Jan © Thinkstock/iStock/Rozakov; Sören © Thinkstock/iStock/Ozgur Coskun; Arzu © Thinkstock/iStock/vertmedia S. 39: C4 © Thinkstock/iStock/JackF; C5: süß © Thinkstock/iStock/HandmadePictures; scharf © Thinkstock/iStock/Nikolay Trubnikov; salzig © Thinkstock/Hemera/Vinicius Tupinamba; fett © Thinkstock/iStock/Diana Taliun; sauer © Thinkstock/iStock/monkeybusinessimages S. 40: Koch © Thinkstock/Hemera/Simone Van den berg; Markt © Thinkstock/iStock/Baloncici S. 41: © Thinkstock/Fuse S. 44: Suppe © Thinkstock/iStock/Boarding1Now; Apfelstrudel © Thinkstock/iStock/bonchan; Kaffee © Thinkstock/iStock/Maksym Narodenko; Wasser © Thinkstock/iStock/ratchanida thippayos S. 45: Café © fotolia/Markus Schieder; Fahne © iStock/dikobraziy S. 46: Frau Bronkhorst © Cem Ok S. 49: B2 © fotolia/JiSign S. 50: C1: Ü3 © fotolia/CandyBox Images; Ü6 © Thinkstock/iStock/Barbulat S. 51: D1 © Thinkstock/Stockbyte/Comstock Images S. 52: E2: Frau © iStockphoto/AVAVA; Auto © Thinkstock/Photodisc/Noel Hendrickson; Kalender © fotolia/RRF S. 56: Pass © fotolia/EHammerschmid; Perso © BM.I/Alexander Tuma; Führerschein © georg bodenstein/Österreichische Staatsdruckerei GmbH S. 58: Tänzer Bild 2 © Thinkstock/Creatas/Jupiterimages; Basketballteam Bild 6 © fotolia/Monkey Business S. 59: Tänzer Bild 3, 4 © Thinkstock/Creatas/Jupiterimages; Mikro Bild 8 © Thinkstock/Ivary S. 62: Tänzer Handy 2 © Thinkstock/Creatas/Jupiterimages S. 63: D1: A © Thinkstock/iStock/imagean; B © Thinkstock/iStock/flytosky11; C © fotolia/Robert Kneschke; D © Thinkstock/iStockphoto; E © Thinkstock/iStock/Veronaa; F © Thinkstock/Hemera/Benis Arapovic; G © Thinkstock/iStock/kzenon S. 64: E1: 1 © Thinkstock/iStock/Martinan; 2 © Thinkstock/Hemera/Jonathan Ross; 3 © iStockphoto/trait2lumiere; 4 © Thinkstock/iStock/soleg S. 65: Treppe © Thinkstock/sodapix sodapix; Yoga © Thinkstock/iStock/Ammentorp Photography; Rad fahren © Thinkstock/iStock Editorial/MoreISO; laufen © Thinkstock/iStock/lzf S. 68: © fotolia/sandra zuerlein S. 69: Waage © Thinkstock/Zoonar/unknown; Hunde © Thinkstock/Polka Dot/Jupiterimages S. 71: Karte Bild 7 © Thinkstock/Stocktrek Images S. 73: B2: Felix © iStock/Juanmonino; Mika © iStockphoto/J-Elgaard; Nurhan © Thinkstock/iStock/ASIFE S. 74: C2: 1 © iStock/code6d; 2 © PantherMedia/Kiko Jimenez; 3 © Thinkstock/iStock/Daniel Ernst S. 76: Ayse © Thinkstock/iStock/robeo; Vilhelm © fotolia/industrieblick S. 77: Ayse © Thinkstock/iStock/robeo; Vilhelm © fotolia/industrieblickS. 80: Lied © Thinkstock/iStock/shironosov; Kleeblatt © Thinkstock/Zoonar S. 81: schreiben © Thinkstock/Stockbyte/Jupiterimages; Hund © Thinkstock/iStock/jannabantan; Rad fahren © Thinkstock/Fernow; Müll herausbringen © iStock/Juanmonino; Klavier spielen © Thinkstock/Stockbyte/Photodisc; schwimmen © Thinkstock/iStock/SerrNovik; Gitarre spielen © Thinkstock/iStock/Ramonespelt; essen © Thinkstock/Photodisc/Thomas Northcut; Blätter © iStock/mrPliskin S. 84: A2 beide Fotos © Thinkstock/Purestock S. 85: B2 © Thinkstock/iStock/Alen-D S. 86: Smileys: 16:04, 18:45, 20:17, 20:19 © Thinkstock/iStock/yayayoyo; alle anderen © Thinkstock/iStock/Tigatelu; Trauung © iStock/valpasc; Torte © Thinkstock/iStock/JoelBoily; Essen © iStock/RosetteJordaan; Dose © fotolia/euthymia; Walzer © Thinkstock/iStock/Kichigin S. 87: Smileys: 20:46, 21:11 © Thinkstock/iStock/Tigatelu; alle anderen © Thinkstock/iStock/yayayoyo; Hannes © Thinkstock/Purestock; Herzchen © Thinkstock/iStock/31moonlight31; C3 © Thinkstock/iStock/GeoffGoldswain S. 88: Gruppe © Thinkstock/iStock/g-stockstudio; Gutschein © Thinkstock/iStock/GeoffGoldswain; Marmelade © iStock/forley; Geld © Thinkstock/iStock/thumb; Trikot © Thinkstock/iStock/Bombaert; Uhr © iStock/ronen S. 89: E1: 1 © Thinkstock/Hemera/Dmitriy Shironosov; 2 © iStock/monkeybusiness/images S. 92: Spielfigur © Thinkstock/iStock/EdnaM; Würfel alle © iStock/hocus-focus; Illu Kaffee: Gisela Specht, Weßling

Quellenverzeichnis

Arbeitsbuch

S. AB 13: Ü12 © Thinkstock/iStock/michaeljung S. AB 14: Ü16 © iStockphoto/pink_cotton_candy; Ü17: Neusiedler See © Thinkstock/iStock/René Pirker; Briefmarke © Thinkstock/Ingram Publishing S. AB 18: Ü26 © Thinkstock/iStockphoto; Ü27 © Thinkstock/Blend Images/PBNJ Productions S. AB 19: Ü 28: 1 © Thinkstock/iStock/XiXinXing; 2 © Thinkstock/iStock/IR_Stone; 3 © Thinkstock/iStock/ajr_images; 4 © Thinkstock/iStock/MarcQuebec S. AB 22: Ü2 © Thinkstock/Fuse S. AB 23: Ü3 Illu Präpositionswürfel: Gisela Specht, Weßling S. AB 26: Ü12 © fotolia/ostap25 S. AB 29: Ü21 © Thinkstock/Stockbyte S. AB 30: Ü25 © Thinkstock/iStock/yanukit S. AB 31: Ü28 © Hueber Verlag/Britta Meier S. AB 34: © Thinkstock/iStock/diego cervo S. AB 35: © PantherMedia/Jim_Filim S. AB 36: © Thinkstock/iStock/EpicStockMedia S. AB 37: © Thinkstock/iStock/monkeybusinessimages S. AB 38: Ü11: A © Thinkstock/Hemera/Artem Povarov; B © iStockphoto; C © Thinkstock/iStock/Givaga; D © Thinkstock/iStock/Danny Smythe; E © fotolia/euthymia; F © Thinkstock/iStock/seregam; G © Thinkstock/iStock/Manuela Weschke; H © Thinkstock/Zoonar RF; I © Thinkstock/iStock/TPopova S. AB 39: © Thinkstock/iStock/Mark Bowden S. AB 40: Ü15: a © Thinkstock/Purestock; b: Florian Bachmeier, Schliersee; c © fotolia/GalinaSt; d © Thinkstock/iStock/FlairImages; Ü16: A © PantherMedia/claire norman; B © Thinkstock/iStock/kuppa_rock; C © Thinkstock/iStock/Dejan Ristovski; D © Thinkstock/Hemera/Aaron Amat zaragoza; E © iStock/duncan1890 S. AB 41: Ü21: A © Thinkstock/iStock/ramzihachicho; B © Thinkstock/iStock/MoreISO; C © Thinkstock/iStock/NADOFOTOS S. AB 43: Ü25 © Thinkstock/iStock/Anna Ivanova; Ü26 © iStock/clubfoto S. AB 45: Ü1: A © Thinkstock/liquidlibrary/Photos.com; D © Thinkstock/iStock/WW5; Obst © Thinkstock/iStock/aldo_nat; Ü2: 2 © iStock/Lenorlux; 3 © iStock/Claudiad S. AB 46: Ü1: Rührei © PantherMedia/Alena Dvorakova; Sandwich © Thinkstock/iStock/Michael Gray; Brot © iStock/SednevaAnna; Ü2 © Thinkstock/Stockbyte/Martin Poole S. AB 47: © Thinkstock/Jupiterimages S. AB 48: Ü5 © Thinkstock/iStock/bowdenimages S. AB 51: © Thinkstock/DigitalVision/Siri Stafford S. AB 52: Ü17: Frau links © Thinkstock/iStock/Zoran Zeremski; Frau rechts © Thinkstock/iStock/michaeljung S. AB 53: © Thinkstock/iStock/Riccardo_Mojana S. AB 54: Ü22 © fotolia/contrastwerkstatt; Ü24 © Thinkstock/iStock/rilueda S. AB 55: © Thinkstock/moodboard S. AB 57: © Thinkstock/DigitalVision/Thomas Northcut S. AB 58: © Thinkstock/iStock/Daniel Ernst S.AB 61: Ü10: A © Thinkstock/iStock/Serg_Velusceac; B © Thinkstock/iStock/nikolasm; C © Thinkstock/Photodisc/Ryan McVay; D © Thinkstock/iStock/Olga Zhavoronkova; E © fotolia/Alexandra Karamyshev S. AB 62: © Thinkstock/iStockphoto S. AB 63: © Thinkstock/iStock/Gogiya S. AB 67: © Thinkstock/Stockbyte S. AB 68: © Thinkstock/iStock/Highwaystarz-Photography S. AB 70: © Thinkstock/iStock/Abert84 S. AB 71: © Thinkstock/iStock/AlexRaths S. AB 72: Ü2: links © MEV; rechts © Thinkstock/iStock/Brainsil; Ü3 © Thinkstock/iStock/steluk S. AB 74: © Thinkstock/iStock/XiXinXing S. AB 75: Ü11: A © Thinkstock/MIXA next; B © Thinkstock/BananaStock; C © Thinkstock/iStock/SurkovDimitri; D © Thinkstock/moodboard; E: Florian Bachmeier, Schliersee S. AB 76: © Thinkstock/iStock/imtmphoto S. AB 77: © iStockphoto/spfoto S. AB 78: © Thinkstock/Fuse S. AB 79: © Thinkstock/iStock/Frank Merfort S. AB 80: 1 © Thinkstock/Photodisc/Jack Hollingsworth; 2 © Thinkstock/iStock/Alen-D; 3 © Thinkstock/Photodisc/Jack Hollingsworth S. AB 82: © Thinkstock/iStock/BakiBG S. AB 83: © Thinkstock/iStock/BakiBG S. AB 86: © Thinkstock/iStock/limpido S. AB 87: © iStock/monkeybusinessimages S. AB 90: © Thinkstock/iStock/Ridofranz S. AB 92: © Philipp Lipiarski/Good Life Crew (Verein Picnic en blanc) S. AB 95: Foto © Thinkstock/iStock/stockvisual

Lernwortschatz

S. LWS 7: Müll trennen © Thinkstock/iStock/petovarga (8) S. LWS 17: Mann © Thinkstock/Stockbyte/Comstock Images S. LWS 22: Tennis © Thinkstock/David Spurdens/www.ExtremeSportsPhoto.com/Fuse; Ski fahren © Thinkstock/iStock; tanzen © Thinkstock/Fuse; Gymnastik © Thinkstock/iStock/yacobchuk; Tischtennis © Thinkstock/iStock/flytosky11; Volleyball © PantherMedia/Simon S.; Fitness © Thinkstock/Wavebreakmedia Ltd; Joggen © Thinkstock/iStock/Martinan; Eishockey © Thinkstock/iStock/yuran-78; schwimmen © Thinkstock/Comstock; Rad fahren © fotolia/Gregg Dunnett; Fußball © Thinkstock/Pixland S. LWS 25: Sport, Musik © Thinkstock/Fuse; Physik © Thinkstock/iStock/RG-vc; Biologie © PantherMedia/Monkeybusiness Images; Chemie © Thinkstock/iStock; Geografie © fotolia/WavebreakMediaMicro; Geschichte © Thinkstock/iStock/deyangeorgiev; Sozialkunde © fotolia/Robert Kneschke

Alle anderen Bilder: Matthias Kraus, München

Bildredaktion: Nina Metzger, Hueber Verlag, München